La llave es la pluma

Literatura carcelaria femenina

A-G

SECRETARÍA DE GOBERNACIÓN

Lic. Miguel Ángel Osorio Chong
Secretario de Gobernación

Lic. Monte Alejandro Rubido García
Comisionado Nacional de Seguridad

Dr. Juan Ignacio Hernández Mora
Comisionado del Órgano Administrativo Desconcentrado
Prevención y Readaptación Social

DOCUMENTACIÓN Y ESTUDIOS DE MUJERES, A.C.

Dra. Amparo Espinosa Rugarcía
Directora

La llave es la pluma

Literatura carcelaria femenina

A-G

Primer lugar:
Judith Díaz Francisco

Mariana Alcocer Zubiría
Claudia Aparicio Adame
Bárbara
Rosa Karina Borjas Luis
Cinthya Cárdenas Gutiérrez
Rosario Margarita Cavazos Reyna
María Lourdes de Ramón Bringas
Teresa de Gracia del Rosario Gómez
Julieta Doroteo Miralrío
El Águila Real
Gloria Flores Baca
Alondra Gómez Pacheco

Premio DEMAC Penitenciario 2012

México, 2014

Primera edición, agosto de 2014

La llave es la pluma. Literatura carcelaria femenina
por
Judith Díaz Francisco
Valeria de Dios Hernández
Socorro Hernández García
Alicia Martínez
Verónica Pozos Ramírez
Ana Francisca Rodarte Medina
Romina
Mariana Alcocer Zubiría
Claudia Aparicio Adame
Bárbara
Rosa Karina Borjas Luis
Cinthya Cárdenas Gutiérrez
Rosario Margarita Cavazos Reyna
María Lourdes de Ramón Bringas
Teresa de Gracia del Rosario Gómez
Julieta Doroteo Miralrío

El Águila Real
Gloria Flores Vaca
Alondra Gómez Pacheco
Julia Hernández García
Aurelia Hernández López
Hilda Jasso Valdez
Leslie
Saraí Mejía Salazar
Antonia de Jesús Meléndez Marín
Miriam
Irma Mojica Castañeda
Soledad Monterrubio Antonio
Adriana Palacios Aguirre
Mayra Inés Reyes Rendón
Albina Rodríguez Peña
Karina Berenice Rodríguez Pérez
Alejandra del Rosario Rosales Rangel
Sandra Elizabeth Salazar Ramírez
Hilda Amparo Vázquez Moctezuma

© Derechos Reservados, primera edición, México, 2014, por
Documentación y Estudios de Mujeres, A.C.
José de Teresa 253,
Col. Campestre
01040, México, D.F.
Tel. 5663 3745 Fax 5662 5208
Correo electrónico: demac@demac.org.mx
                     librosdemac@demac.org.mx

Impreso en México

ISBN 978-607-7850-62-5

ÍNDICE

Prólogo
Amparo Espinosa Rugarcía 7

Vivir en la oscuridad
(PRIMER LUGAR)
Judith Díaz Francisco 9

Abre tus ojos
Mariana Alcocer Zubiría 22

Ave Fénix
Claudia Aparicio Adame 25

El atardecer
Bárbara 38

La vida de una adolescente interna
Rosa Karina Borjas Luis 124

Descubrí mi libertad
Cinthya Cárdenas Gutiérrez 131

Un nuevo amanecer
Rosario Margarita Cavazos Reyna 167

Episodios de amor
María Lourdes de Ramón Bringas 182

La historia de mi vida
Teresa de Gracia del Rosario Gómez 238

La cárcel se la hace uno mismo
    Julieta Doroteo Miralrío 278

Tres mujeres en mi vida
    El Águila Real 283

Abuso de poder
    Gloria Flores Baca 315

Mi vida, el regalo más bello de Dios
    Alondra Gómez Pacheco 330

PRÓLOGO

Por séptima ocasión, Documentación y Estudios de Mujeres, A.C. (DEMAC), en coordinación con la Secretaría de Gobernación, a través del Órgano Administrativo Desconcentrado de Prevención y Readaptación Social, convocó a las mujeres en reclusión de todo el país a contar por escrito sus vidas.

El jurado integrado por Geraldina Chacón D., Silvia Pérez H., Ramón Pieza Rugarcía R. y Amparo Espinosa Rugarcía (representando a DEMAC), otorgó por unanimidad el **Premio DEMAC Penitenciario 2012. *Para mujeres que se atreven a contar su historia*®** a JUDITH DÍAZ FRANCISCO, del Centro de Reinserción Social, en Papantla, Veracruz, por su relato **"Vivir en la oscuridad"**. Su texto encabeza la recopilación de cada tomo de ***La llave es la pluma*. Literatura carcelaria femenina** y es el relato de una mujer condenada a treinta y seis años de prisión por haber matado al hijo que amaba. Se decidió darle el premio por la manera sincera, abierta y sobrecogedora con la que narra su crimen. Ella deseaba morir junto con su hijo, pero el destino le tenía preparado otro camino: la cuerda con la que pretendía ahorcarse se rompió. Luego vendrían la aprehensión y la condena; la sentencia y la vida en reclusión junto con la culpa perenne y las reacciones agresivas de las otras mujeres que la desprecian por lo que hizo.

En palabras que calan hondo en nuestra conciencia social, describe paso a paso cómo la vida la fue cercando hasta no dejarle otra salida que abandonarla junto con su hijo. Ahora debe vivir las consecuencias, y nosotros, nosotras, al leer su historia, reflexionar acerca de nuestra corresponsabilidad en lo ocurrido.

Acercarnos a los escritos de las mujeres cuyos textos integran este nuevo volumen de literatura carcelaria es sumergirnos en una sociedad violenta e indiferente plagada de carencias humanas materiales y espirituales. Su lectura despierta sentimientos que preferiríamos no experimentar nunca y que nos acosarán como fantasmas impertinentes hasta que encontremos la manera de redimir el sufrimiento y las injusticias que los provocan. Sin embargo, en estos escritos hay también manifestaciones de solidaridad humana, de respeto y afecto; de fortaleza y esperanza. El amor se asoma por las rendijas del desaliento, así como las expresiones de apoyo en las circunstancias más hostiles y la añoranza de un Dios en medio del infierno.

La editorial DEMAC publica también los textos de las mujeres que respondieron a este llamado y los seis trabajos que obtuvieron mención especial:

- VALERIA DE DIOS HERNÁNDEZ, *La esperanza nunca muere*, del Cereso núm. 4 Noroeste Femenil, Tepic, Nayarit.
- SOCORRO HERNÁNDEZ GARCÍA, *Catarsis del alma*, del Centro de Reinserción Social Puebla, Puebla.
- ALICIA MARTÍNEZ, *La historia de mi vida*, del Centro de Internamiento de Tanivet, Oaxaca, Oaxaca.
- VERÓNICA POZOS RAMÍREZ, *Recuerdos de una mujer en prisión*, del Centro de Reinserción Social Puebla, Puebla.
- ANA FRANCISCA RODARTE MEDINA, *El Ave Fénix*, del Centro de Reeducación Social para Mujeres de Aguascalientes, Aguascalientes.
- *ROMINA, Ésta no es una historia de ficción*, del Centro de Reinserción Social Puebla, Puebla.

Las historias de vida que aquí se narran merecen ser leídas con atención por las autoridades encargadas de la readaptación y la prevención social de nuestro país, así como por todos aquellos que deseen y se atrevan a adentrarse en una de las expresiones más dolorosas del imperio de la insensibilidad social.

Amparo Espinosa Rugarcía
Directora DEMAC

VIVIR EN LA OSCURIDAD

Judith Díaz Francisco

Lo que nunca pudo ser

No podrías imaginar cuánto me ha costado escribir estas líneas, pero aun así te contaré mi historia. No sé si te ofenda mi proceder o si sientas lástima cuando la leas, espero que sientas algo.

Me llamó Judith, tengo treinta y dos años de edad y soy del Distrito Federal. Estoy en el Cereso de Papantla, Veracruz, por el delito de homicidio calificado en contra de mi hijo Ángel David Díaz Francisco, con treinta y cinco años y nueve meses de sentencia.

En el año 2001 quedé embarazada después de haber vivido arrejuntada un año. La relación no funcionó; nunca me agradó la idea de ser engañada. Me sentía la dueña del mundo: joven, con estudios y un trabajo bien pagado. Salí adelante con ayuda de mis padres, ya que nos apoyábamos. Ellos cuidaban a mi hijo y yo trabajaba para darle algo bueno, tanto en cosas materiales, como en tiempo.

De todas mis hermanas, me convertí en la más fuerte, ya que el estigma de ser madre soltera en casa no era agradable. Mis padres nunca me lo reprocharon, pero yo lo sabía, por ello decidí no tener pareja. Apoyé mucho económicamente a una hermana, al igual que a mis padres, pues siempre he trabajado y luchado en la vida. Corría con los gastos de la casa, ya que mi padre cubría los derivados de la diabetes de mi madre.

En el año 2006 cambié a un trabajo mejor pagado, en seguridad privada, y con el que tendría más tiempo para mi hijo. Ya había trabajado anteriormente en estos servicios, pero en traslado de valores, que era más arriesgado, con menos sueldo y poco tiempo libre.

En 2005, conocí a una persona con la cual, después de haber convivido y sin que mis padres lo supieran, pensaba contraer matrimonio. Lo conocí en las brindadas y por él sentí algo más que atracción física, una atracción emocional. No llenaba mis expectativas, pues aunque tenía dinero, era estéril y con muchos traumas. En ese momento yo deseaba tener otro hijo para que acompañase al primero, pero por ese pequeño detalle nunca se dio. El desánimo se acrecentó. El cambio de empleo fue una de tantas barreras, ya que sólo nos podíamos comunicar por teléfono.

En el nuevo trabajo conocí al padre de mis hijas. El encierro que tuve de medio año en ese servicio, las veinticuatro horas del día, y la convivencia con él, me hizo olvidar al otro amor y que nos faltaba menos de un mes para casarnos. Olvidé todo, hasta que él había comprado un terreno, y yo, todo lo de un hogar: cama, estufa, todos los enseres, desde lo más chico hasta lo más grande. Todo esto lo olvidé por otra persona, lo eché por la borda porque me enamoré. Sentí que él también me quería y resulté embarazada. Para mí fue tanta la felicidad que nada me importaba en ese momento, sólo que mi hijo no estaría solo, que tendría alguien con quien jugar, crecer y acompañarse.

Nunca me di la oportunidad de conocer a esta persona (el padre de mis hijas), de saber si era bueno, malo, trabajador, o si sólo estaba ahí por estar, si me quería o no. Nunca lo hice. Sólo lo idealicé y me enamoré profundamente. Ése fue mi error.

Después de que le dije que estaba embarazada, me pidió en matrimonio, y pensé que era bueno y acepté. Dos de mis hermanas tienen, hasta hoy día, la dicha de tener una familia bien cimentada y no sé si consciente o inconscientemente deseaba algo así. Provengo de una familia con muchos valores y mucha unión, por ello quise que me quitaran el estigma de madre soltera.

El día que sus padres fueron a pedir mi mano todo resultó mal. Ellos les echaron en cara a mis padres que yo fuera madre soltera, y dicha reunión y pedida de mano terminó fatal. Él me dijo que no viviríamos con sus padres, sino independientemente, que yo también debía separarme de los míos, pues quisieran o no, nos casaríamos. Me negué a la unión, le pedí tiempo para casarnos y le propuse que viviéramos juntos, pero no casados, hasta que viéramos cómo caminaban las cosas.

Así pasó, tonta de mí. Me llevé las cosas que había comprado a donde viviríamos, una casa de dos cuartos, pero que no era de él, sino propiedad de su cuñada. Según él, esa parte del terreno se compraría y fincaría hacia arriba para tener más espacio para nosotros y los niños. Me pareció bien y acepté, sólo era tiempo de esperar y aguantar un poco, ya que entre los dos saldríamos adelante.

Así pasaron cinco meses. Cuando ya casi alcanzaba los ocho meses de gestación, todo comenzó a cambiar. Se convirtió en un hombre verbalmente agresivo, y no me pareció. Me fui a casa de mis padres por unos días, y él me buscó con la disculpa de que el dinero no le alcanzaba, pero que todo cambiaría. Mis padres no vieron con buenos ojos aquello, pero nada podían hacer si las decisiones las tomaba yo.

Al ver que mis padres sufrían y por no repetir lo mismo que mi hermana —el ir y venir de casa por problemas conyugales, que nos parecía infantil—, decidí no calentarles la cabeza y dije que todo estaba bien.

El enojo de aquella persona era más que evidente y sólo su cuñada lo podía tranquilizar. Me percaté de que algo malo había en esa relación de cuñados, pero lo dejé pasar. No le di la importancia necesaria.

Al dar a luz, todo cambió. Hubo gritos, groserías y amenazas, hasta llegar a los golpes, ya que él era muy celoso con su primogénita.

Comenzó a ver a mi hijo como un estorbo y lo agredía con grose-rías, y después físicamente. Fue cuando decidí dejarlo. Pero no pude. A él su cuñada, junto con su hermano y su padre, y la familia de su cuñada, que vivía a unas cuadras, le metían ideas constan-temente de que yo lo engañaba. Le aconsejaban que, si me iba, me demandara y me quitara a la niña (Jenifer). Llegamos a los golpes. Claro que él ganó, me quitó a la niña y me hizo firmar un papel donde le cedía los derechos de custodia, con la amenaza de matarla si no cumplía. Por temor, lo hice.

Así comenzó mi calvario. Me contaban el tiempo cuando sa-lía, y el dinero que gastaba, me pesaban lo que compraba, me vi-gilaban todo el tiempo y me dejaron sin celular, las llaves de la casa, y a veces hasta a mis hijos. Me repetían que ellos tenían dinero y yo no, jugaban con mi mente; me decían que nadie me quería, porque nadie me visitaba. Después, cuando había perdido todo, también perdí mi dignidad al ser violada por él. Tanta fue su maldad, que me deshizo mentalmente e intenté el suicidio. Tomé medicamentos, pero no lo logré. Después todo fue peor, golpes diarios, con lo que fuera, contra mí y contra mi hijo.

Me enteré de que estaba embarazada de nuevo. Me dio terror. No tenía una buena alimentación, era golpeada continuamen-te, había ingerido una gran dosis de pastillas y estaba deshecha mentalmente, pues él había sacado su verdadera personalidad.

Después de una golpiza que me había propinado, le di la noticia. Creí que dejaría de maltratarme, pero no le importó, tal vez porque no quería otro bebé. Casi no acudí a los estudios mensuales, sólo fui como dos o tres veces y tenía miedo de cómo vendría. Casi a los ocho meses, paliza tras paliza, me vinieron los dolores de parto. Le rogué que me llevara al hospital, pero no lo hizo. Eran las tres de la mañana y decidí irme yo sola, pues ya no aguantaba y él dormía. Al salir de esa casa, sentí miedo por mis hijos que se quedaban allí, pero no podía hacer nada. Había tomado la deci-sión de irme sola. Pedí ayuda a los vecinos, pero ninguno salió, no querían problemas. Por fortuna, pasó un carro. Eran casi las cuatro cuando me subí al coche y me llevó al hospital. Di a luz a otra niña. Del hospital llamaron a casa de mi hermana y vinieron a verme. Después de la una de la tarde él llegó a buscarme. Pretextó que se había ido a trabajar y que apenas se había enterado. Que los golpes que yo tenía, eran porque me había caído. Cuando los doctores me preguntaron, tuve que decir que era verdad, pues él había dejado a los niños con su cuñada y no los podía arriesgar así.

Al escuchar esto mi hermana, se fue. Todo volvió a ser igual. Al llegar a casa me acosté un rato, pues además del parto, me habían ligado y me dijeron que tenía que descansar. No pude hacerlo. Aquella persona se puso a tomar y, ya alcoholizado, me violó. Me rompió algunas puntadas y el dolor que sentí en ese instante, tanto físico como moral, fue terrible pues lo hizo frente a mi hijo. Nunca olvidaré su mirada de terror.

No recuerdo cuánto tiempo estuve así, adolorida por tal hecho, sólo sé que en mi cabeza estaba la idea fija de encontrar los papeles firmados, romperlos y escapar con mis hijos. No podía hacerlo, ya que siempre se llevaban a Jeny o a David para que yo no hiciera nada. Aun así, tomé la determinación de llevarme ese día a Jazmín y a David y dejar a Jenifer, que estaba con ellos en ese momento. Mi idea era regresar luego por ella.

En el juzgado de Ecatepec de Morelos, y tras horas de intentar poner una demanda, que sí se levantó pero no procedió, el médico legista sólo me dio medicamento para la infección vaginal que traía. Me dijo que fue mi error no haber ido después de los hechos, que recurriera a otras instancias gubernamentales, como el DIF u otras.

Como nadie podía ayudarme y no quería regresar a esa casa por el miedo que tenía, decidí ir con mi mamá y contarle todo lo que había vivido. Mis padres me apoyaron, pero a mí me faltaba una parte de mí: Jenifer, mi otra hija. Así pues, decidí regresar con él y hacerlo creer que lo quería, que lo perdonaba, y escapar con los tres niños. Una licenciada del DIF me había dado esa opción y lo logré. Lo engañé, me escapé con los tres niños y aproveché para sacar mis pertenencias. Me escondí en casa de mis padres.

Después de un tiempo, al ver que no había señales de él, decidí volver a trabajar en lugares que estuvieran cerca de casa, por seguridad propia. Cambié de domicilio a casa de mi hermana, pues como en un tiempo la había apoyado de todas las maneras posibles, pensé que me ayudaría, pero no fue así. Me cobraba la comida y la estancia en su casa. Finalmente tuve que regresar a casa de mamá y papá, donde comenzó una guerra entre mi hermana y yo por lo que consumíamos y la renta de la casa.

Cuando mis padres se enteraron, se enojaron fuertemente con ella. En ese momento mi papá supo de todo lo que le había prestado a ella y que me había timado en una tanda. La obligó a pagarme y se formó una tormenta en su casa, ya que ella sólo iba para agredirme, burlarse de mi situación y a pegarles a mis hijos, ensañándose más con mi niño. Traté de ayudarlo, pues él sólo hablaba conmigo. Era inseguro, solitario, con el solo pensamiento de matar a los que me hicieran daño y acabar con los que se metían con él. Tenía la idea fija de matar a ese hombre.

Mi papá se ganó la confianza de mi hijo. Me contaba que, a solas, mi hijo lloraba mucho. Le relató todo lo que sucedió en aquella casa y cómo pensaba matar a aquel hombre. No le gustaba que tocaran a sus hermanas, ponía poca atención en la escuela y no hablaba con nadie. Odiaba a mi hermana, ya que ella y sus hijos se burlaban de mi condición física, de lo que me pasaba y de que él nunca tendría un padre. Eso me sacó de mis casillas y, una noche, en casa de mis padres, nos golpeamos hasta que nos cansamos. Se dieron cuenta mis padres y la echaron a ella. Yo les pedí perdón a ellos y a mi hermana, pero ya no me sentí tranquila. Mi madre lloraba, y mi padre me hizo sentir una basura, una porquería conmigo misma, porque fui capaz de pegarle a mi hermana, pero a aquellas personas no.

Seguí en casa de mis padres por un tiempo, hasta que, por azares del destino, aquel hombre me encontró. Me rogó y me suplicó que regresara con él. Dijo que ya había aprendido la lección, que extrañaba a mi hijo y a las niñas, que me extrañaba a mí. Lo pensé más de mil veces. Él se portaba diferente, les mandaba cosas a los tres niños, pero no me convencía del todo.

Un día, al regresar del trabajo, mi mamá estaba mal. Se había caído de una silla, y con ella un mueble que teníamos colgado. Ahí me di cuenta de que mis padres ya no tenían obligación de cuidar a mis hijos, ni de pasar ninguna pena con nosotros, que tenía que hacerme responsable de los tres niños, lo mismo que él. Hoy reconozco que caí en codependencia con él.

Comenzó a visitarnos de otra manera. Me propuso irnos a vivir lejos, en otro estado. Le dije que sí, con la condición de que dejara de tomar, de que pidiéramos ayuda psicológica y familiar y de que nos acercáramos a Dios. No quería estar con su familia, debíamos luchar por la nuestra. Yo olvidaría todo si él cambiaba. Me juró que lo haría.

Después de algunos días hablé con mi hijo. Le pregunté si quería ir a vivir con él, que él prometía cambiar. Mi hijo estaba dudoso; por un lado sí quería, pero por otro no. Tonta de mí, no le hice caso. Sólo pensé en un hogar, una familia, en mi familia. Platiqué con mis padres y no estuvieron de acuerdo. Nuevamente, esa era mi decisión. Me dieron la bendición y la opción de recurrir a ellos si fuera necesario.

El 23 de mayo de 2009 partí de casa, y cuál no sería mi sorpresa cuando vi que me llevaba a casa de sus padres. Ya no tuve oportunidad de irme.

El primer mes comenzó bien, entró a trabajar con su hermana. Repartía medicamento en una camioneta. Después se salió. Como según él no encontraba trabajo, comencé a sacar dinero del cajero para alimentar a mis hijos y pagar los gastos de la casa. Entró a una empresa y no ganaba bien, pero ganaba algo. Al señor no le gustó y dejó el trabajo al mes y medio. Se repetía lo que ya había pasado en México: cuidaba a dónde iba, me quitaba a los niños, y me dio más terror. No podía salir a ningún lado, sólo acompañada; sin dinero y sin teléfono, no podía acudir a nadie ni hablar con los vecinos.

Un día su mamá, hablando conmigo, me dijo que ellos eran así, que debía acostumbrarme. A ella también le había pasado lo mismo. En la plática me contó que su hija, por un mal golpe, había quedado con retraso mental, ya que su esposo era un borracho, golpeador y mujeriego. Su hijo había salido igual porque veía cómo la golpeaba. En alguna ocasión había amagado a su padre con un cuchillo por haberle pegado a ella. También salió a colación que, en su juventud, su hijo había embarazado a una chica de la secundaria y, como no le respondió, ella se suicidó. Él huyó a México y nunca tuvo una novia formal porque era celoso y posesivo en exceso. Opinaba que yo no debí haber regresado con él.

En ese momento me volvió a inyectar una gran dosis de temor, pero ya era tarde para mí. Luego de renunciar una vez más, comenzó a trabajar para su mamá haciendo pan, y yo tenía que acompañarlo a vender para no estar sola en casa con los niños. Dejó de darme dinero, nuevamente, para que yo gastara lo que tenía. Sin querer, lo hice. Mi plan era irme, pero no sabía cómo, no sabía dónde estaba. Si compraba boletos para irme, ¿qué comerían mis hijos? No sabía si demandarlo o pedir ayuda a alguna patrulla, pero ¿de qué acusarlo si no tenía en ese momento golpes?

Pasaron tres meses. En diciembre, una mañana me dijo que iría a comprar provisiones para la panadería, que no demoraba, que se llevaba a las niñas. No había otro remedio. Mientras tanto, busqué mis documentos y los de mis hijas sin encontrarlos, ni mi credencial de elector. Guardé en una bolsa los de mi hijo y los míos que aparecieron y la puse debajo de la cama. Tardaban en regresar y se me hizo muy extraño. Después su papá (mi exsuegro), me llevó un vaso de Coca-Cola para brindar conmigo. ¿De qué? No lo

16

sabía. En ese momento me estaban demandando en el DIF él, su hermano y su madre, por abandono de hogar, abandono de infantes y no recuerdo qué más. Me enteré de esto porque, al llegar, las niñas estaban muy sucias, despeinadas, sin comer; en condiciones pésimas. Las bañé, las cambié y les di de comer. Cuando llegó la tarde, me dirigí al carro para ir por mi niño a la escuela. Al acomodar el asiento de atrás, encontré el papel, lo leí y lo escondí. Sentí que el mundo se me cerró.

Al llegar a la escuela, pensé en entrar con las niñas por mi hijo, saltar la barda por detrás y huir, pero no pude. Mi hijo ya estaba afuera, en la banqueta, esperándonos. Se me cayó el mundo cuando me dijo que al otro día no habría clases, lo que echaba por tierra la posibilidad de hacerlo al día siguiente.

Cuando llegamos a casa, le pregunté por qué lo había hecho. No me contestó, solamente me dijo que llevara a los niños a dormir.

A una vecina que me iba a inyectar para los nervios, pues sufría de dolores de cabeza, le mostré el papel. Me dijo que me saliera en la madrugada, que ella y su familia me ayudarían, porque conocían a los de la casa y sabían que eran muy problemáticos, pero que no la echara de cabeza. No lo intenté, pero como si él supiera, esa noche y la siguiente, encadenó la puerta.

Para hacer menos pesada la situación, me puse a jugar con mis hijos. Después de que paraban de llorar, cuando iba a hacerles de comer, salió mi hijo corriendo del cuarto gritando que sus hermanas no estaban. Era tanta su desesperación, que buscó un cuchillo para matarlo. Abracé a mi hijo y le dije que no pasaba nada, que estuviera tranquilo, que sus hermanas volverían. En eso, él salió y cerró la puerta dejándonos a los dos bajo llave. A los pocos minutos volvió, me dijo que me fuera, que tenía la noche para hacerlo, que lo que él había sentido cuando me fui, ahora yo lo sentiría. Recuerdo haberle rogado y haberme puesto de rodillas, suplicándole que me devolviera a mis hijas. Se negó. Dijo que las cosas cambiarían, pero que yo no estaba incluida en el paquete. Volteé mi rostro y miré a mi hijo llorando y pidiendo le devolvieran a sus hermanas, pero ni eso surtió efecto. Me cerré en mi frustración y desesperación, pensé en llamar a una patrulla, pero en ese momento ninguna pasó.

Me encontré sola; no había diálogo de su parte ni cambio en su decisión. Di por perdida la batalla y acepté mi derrota. Le pedí que entrara a la casa, pero no aceptó. Sabía que intentaría algo en su contra. Entonces le pedí que se fuera; yo dejaría esa casa en la madrugada. Quería que me dejara sola con lo único preciado que me quedaba en ese momento: mi hijo.

Le di de comer lo que él quiso, cantamos, lo abracé y lo besé. Le pedí mil perdones por no haber cumplido lo prometido. Vimos su programa favorito y nos dormimos abrazados.

En la madrugada pensé en terminar con mi vida, pero, entonces, ¿quién cuidaría a mi hijo? Luego de sufrir todo lo que sufrió, ¿quién lo ayudaría emocionalmente? Pensé en todo lo catastrófico que podría sucederle a mi hijo y decidí que no quería nada de eso para él. Me entró la ira. Me levanté y abrí todas las llaves del agua para que se acabara. Después me acosté. Besé a mi hijo y le dije que terminaría con nuestro sufrimiento, que lo amaba y que me perdonara. Lo sujeté con un brazo, y con mi mano le quité la respiración tapándole la nariz y la boca. Se convulsionó y luego quedó quieto. Lo besé nuevamente y le pedí perdón. Me colgué de un polín para morir, pero no pude porque la cuerda se rompió. Entonces tomé un espray y quemé lo que había a mi paso. En eso se despertaron y comenzaron a gritar. No supe cómo, pero echaron agua para apagar lo que había prendido. Cuando él entró quitando la cadena de la puerta, tomé un cuchillo para herirlo, para destazarlo, pero no lo alcancé. Entré al baño para cortar la instalación eléctrica y electrocutarme, pero bajaron el interruptor. Fue cuando, con el cuchillo, me corté el cuello. Llegaron las patrullas y me trajeron aquí. No sé cuántos días estuve en la Preventiva esperando, tal vez, que alguien me matara, que aquel custodio que en un momento me encañonó disparara de verdad. No lo sé. Sólo sé que un custodio que hablaba mucho conmigo me dijo que, en caso de no encontrar a los familiares de mi hijo, iría a la fosa común. Me dio miedo y preocupación de no saber más, de que aquella familia no hiciera nada. Mi mente estaba en blanco. En ese momento escuché que pasaban helicópteros, que me gritaban maldiciones. Al mirar fijamente a la puerta, vi a un hombre parado que me observaba. Después de unos segundos o minutos, supe que era mi cuñado José. No recuerdo lo que me dijo, sólo que le pregunté por mi hijo. Me dijo que afuera estaban mi papá, mi mamá y mi hermano. Sentí tanta vergüenza, tanto dolor, que le pedí que se marcharan y no regresaran, pero después de él ingresó mi padre.

No sé de dónde tomé fuerzas para no llorar frente a ellos y mantener ese temple y mostrar una entereza que no tenía. Me preguntó por qué y no supe qué decir. El silencio lo decía todo. Pedí que no subiera mi madre, pero no pude evitarlo. Cuando ella me vio, le pedí perdón. "¿Por qué el niño?", me preguntó. Sólo le dije que me diera la bendición, que enterraran a mi hijo y que nunca más volvieran. Supe en ese momento que era el adiós definitivo, que perdía a mis padres. Llegaron aquí para enterrar algo mío y que yo misma había dejado ir. Me tragué ese dolor yo sola para no derramar ninguna lágrima, para no causarles más pena. Al saber que habían partido, me desmoroné. Comencé a llorar, a gritar, maldiciendo cada centímetro de mi ser. Quería arrancarme cada pedazo de carne adherida a mis huesos, deshacer mi cabeza en el muro, y me maldecía una y mil veces por haberme permitido tanta estupidez, por no haber acabado con aquel hombre antes, en vez de dañar a mi hijo, por haber amado a alguien que nunca valió la pena.

Al subir al área de mujeres, muchas me rechazaron por lo que hice; se sentían jueces y verdugos. Como suele pasar, unas te hablan por el morbo de saber qué pasó, otras para burlarse, y otras por interés.

Le agradezco mucho a la psicóloga que fue mi apoyo en ese momento, Luz María, y a la doctora que me ayudó; a los custodios que no vieron maldad en mí, sino la tragedia que era mi vida; al chico que conocí días después de haber llegado, y quien me apoyó mucho moralmente. Él era drogadicto, no sé si aún viva, pero le agradezco que, en sus momentos de lucidez, me hablara de Dios. Al ingresar aquí, supe que serían muchos años, que nunca más vería a mi familia, por lo que tenía dos opciones: caerme y dejarme aplastar o levantarme y seguir adelante. Tomé la segunda.

El primer paso que di fue aceptar lo sucedido, mis culpas, así como las consecuencias de mis actos. Eso me ha hecho libre del alma y de la mente, por lo que he salido, o trato de salir, adelante.

Cuando entré aquí, los hombres me daban miedo. Aún les temo, soy desconfiada. Hubo una persona que me odiaba, pronosticó que me prostituiría en menos de quince días, que lavaría ropa ajena y que no pasaría de tejer servilletas. Le agradezco mucho a esa persona, porque han pasado casi ya tres años en los cuales he trabajado incansablemente haciendo bolsas. Estoy en los cursos en los que puedo estar, me gustan las pláticas motivacionales y convivir con los compañeros. Aquí me siento libre. Hay altas y bajas, como en todo; me enojo como cualquiera, a veces conmigo misma, pero trato de ser amable porque nadie tiene la culpa de lo que yo pasé. Solamente yo tuve la culpa por permitir el dominio mental de alguien insignificante.

Hoy por hoy, me permito llorar, caerme y levantarme, y darle gracias a Dios por un día más de vida. Le pido por todas las personas que me han hecho daño, consciente o inconscientemente. Trato de hacerme a la idea de que no soy monedita de oro para nadie; me permito dar un consejo al que lo necesita y escuchar al que me habla. Cuento mi historia para que sepan que todos nos podemos levantar.

Hoy busco a Dios para que me dé su perdón y creo que lo ha hecho, pues la tranquilidad que tengo es tan grande que me permite ver lo bueno y lo malo y tratar de no caer. Estoy en el grupo de Neuróticos Anónimos y he tenido la oportunidad de pasar a tribuna o dirigir las sesiones.

No todas las cosas que hay aquí han sido malas. Conocí a una persona que creo que Dios me puso en el camino, pues me ha apoyado en todos los aspectos, me cuida y me respeta. Contrajimos matrimonio el 10 de mayo de 2012. No sé cuánto dure esto, pero mientras dure me sentiré bendecida, saliendo adelante sin forzar nada ni dejándome manipular por nadie.

Lo único que me falta es ver a mis hijas, saber que están bien, besarlas y abrazarlas, decirles que tuvieron un gran hermano. No sé si eso se pueda. Me sentenciaron a treinta y cinco años, y tengo treinta y dos de edad. No sé si cumpla toda mi sentencia; sólo Dios dirá.

No busco forzar nada, porque he aprendido que todo lo forzado acaba mal. Sólo sé que si Dios me presta vida, sea el tiempo que sea, buscaré a mis hijas dondequiera que estén, y también el lugar donde está mi hijo para poderlo llorar y tener la tranquilidad que aún me falta y que mi alma espera.

Centro de Readaptación Social
Papantla, Veracruz

Abre tus ojos

Mariana Alcocer Zubiría

Oye, niña, abre los ojos, no ignores las alertas que te envían las palabras… No basta con decirlo, hay que hacerlo antes de que sea tarde.

Estás por cambiar de camino, esta vez no te equivoques. Elige el correcto, el que te dé la felicidad y el bien necesario y no sólo placer. No quieras lucirte ante la gente, nada más conseguirás estar en sus bocas… Si te quieren, que te lo demuestren y no te obliguen.

Abre tus ojos, tus grandes ojos, ellos te guiarán por buen camino; date cuenta antes, no hasta quedar atrapada lejos de la salida.

No cometas más errores de los que ya has acumulado; no te dejes caer, aunque esté permitido, y levantarse es más que obligatorio. Nada es fácil en esta vida, enójate con ella y te darás cuenta de por qué has llegado a este extremo. Si le ves el lado fácil, caerás frecuentemente; si le ves el lado difícil, no te costará sacarle el mayor provecho. Ten en cuenta que lo que no te mata te hace más fuerte y que los caminos de la vida no son como los creemos. Hay pruebas difíciles, como la que nos tocó a ti y a mí; por algo estás aquí.

Niña bonita, abre más tus ojos y deja de caer en pozos. Todo es posible si sacas el mayor provecho y te das cuenta a tiempo. Abre tus hermosos ojos y no te dejes deslumbrar por algo que no vale. Tus alas vuelven a crecer, no las desaproveches esta vez, ¿quién mejor que tú para echarlas a volar de nuevo? Eres la bella paloma que aprendió a volar sin un maestro al lado, no dejes que nadie te detenga. Si quieres ser libre, si tan solo quieres volar, ¡hazlo! Elige el camino correcto y vuela alto.

Continúa tu historia escalando los pilares de tu vida y date cuenta de la gran familia que tienes, unida; aunque no esté cerca, sabes que ahí está, en las buenas y en las malas, aunque no lo creas. El hecho de estar privada de tu libertad no quiere decir que tu vida se acabó, es el comienzo del fin, es volver a nacer con aquella sonrisa que te habían robado y que ahora regresa a tu lindo rostro. No guardes odio ni rencor, alégrate por esas personas que te han lastimado tanto, para que tú puedas estar en paz. Date cuenta de que gracias a ellas te has hecho más fuerte y no te dejas caer tan fácilmente ni por cualquier cosa, al contrario, te levantas hasta con coraje para vivir y disfrutar como si éste fuera el último día sin importar el lugar.

Y te repito, niña, abre tus ojos y no hagas que los que te quieren se alejen. Sólo se lastiman unos a otros al no saber por qué has cambiado. Déjate ayudar y estarás mejor. Ahora volverás a sentir lo que eras antes, recuperarás esa sonrisa tan bella, correrás en libertad, gritarás de felicidad. Recuerda: si no tienes piernas, corre; si no tienes voz, grita; si no tienes ojos, observa; si no tienes esperanza, inventa… Deja que tu alma vuele un rato y te indique cuál puerta abrir y cuál cerrar, así sabrás qué hacer y a quién seguir. La vida es una y hoy tienes que vivirla. Si quieres gritar, grita; si quieres llorar, llora. No hay nada que te impida salir adelante y dejar todo lo malo atrás en el cajón de tus recuerdos.

Sonríe y mira hacia arriba siempre, es hora de salir con la frente en alto y enterrar la frase "no puedo más". Corre a disfrutar de la lluvia fría que cae de aquella nube, vive tu vida, tu felicidad se encuentra enterrada en ella, encuéntrala y gózala.

Si te sientes impotente, respira, date cuenta de que estás viva y sigues aquí; y adelante, levántate, tú puedes, sólo confía en ti. No te ciegues, la vida es ahora y no antes. Lo importante está en el hoy, en el ahora, no en el pasado ni en el futuro, el presente será la base para formar más de ti y tu vida, pero preocúpate por estar bien y hacer las cosas bien hoy… Lo que quieras hacer, hazlo hoy, no lo dejes para después. Encuentra la salida del laberinto y no vuelvas a entrar nunca más. Abre tus ojos y mira hacia adelante, con tu temple de acero y sin flaquear más.

Evita las malas amistades que sólo buscan quedar bien, te presumen con los demás o hacen lo que creen que es bueno para ti, cuando en realidad se encierran en ellos mismos. Niña, deja ya de desgastarte en lo que no vale y así saldrás tú sola de donde te has metido. Porque nadie te metió. Fuiste tú sola al cerrar tus ojos internos, así que ahora ábrelos para disfrutar los privilegios que te esperan en la vida. Date cuenta de que eres el ejemplo a seguir de muchas personas, gracias a ti pensarán las cosas que estaban por hacer o con quién estar. El ejemplo de esta "desgracia" es algo bueno para muchos que abrirán los ojos muy a tiempo.

Ignora las acciones que sólo son por aparentar antes de que ya no puedas zafarte. La oportunidad está en tus manos, no la dejes ir, quédate con lo aprendido. Lo que te envenenó, arrójalo por la borda de este barco y verás cómo volverás a sonreír. Primero cambia tú para cambiar el ritmo y el camino de tu vida.

Y recuerda, niña, abre bien tus ojos para que no vivas lo que yo viví.

Centro de Readaptación Social Femenil
San José el Alto, Querétaro

AVE FÉNIX

Claudia Aparicio Adame

Con todo mi amor y corazón para mi padre, mi hijo, mi madre,
mis hermanas y hermanos, mi Mery, y para mis maestras
que me apoyaron para escribir parte de mi historia, Gracias.

Nací en 1972, el 21 de noviembre. Me platican mis papás que un día antes mi mamá estuvo en el sepelio de su abuelita, aunque le había dicho el doctor que su embarazo era de alto riesgo, ya que antes tuvo un aborto. Aunque se cuidaba, tenía que atender a mis otros hermanos. Soy la quinta de la familia y del segundo matrimonio de mi mamá, la mayor de tres mujeres.

Como la mayor, y orgullo de mi papá, desde que nací lo he tenido todo. Mis hermanos me cuidaban, me mimaban; tuve y logré con berrinches lo que quise. Afortunadamente, Dios me dio el privilegio de salir buena para la escuela y, desde que me acuerdo, me ha gustado y ha sido parte de la satisfacción que le he dado a mi papá. Desde que tengo uso de razón, mis logros han sido de él y para él, porque los ha vivido y siento que se ve reflejado en mí. Lo que pudo haber hecho y estudiado no lo hizo por tener que mantener y sacar adelante una familia. Me siento superorgullosa porque tengo el mejor padre y al superpadre que ha defendido y sigue defendiendo a sus hijas y a su familia como el gran caballero o el héroe de la película que siempre sale avante y nada lo tira. Como un roble.

Cuando era pequeña, me daba cuenta de que mi papá me quería tanto, que yo sabía cómo pedirle las cosas o los tacos o los dulces, y que sabía tanto que, de grande, yo quería ser como él: fuerte y bien chingona.

Vivíamos en la ciudad de México. Cuando yo tenía siete años le ofrecieron a mi papá trabajo en la ciudad de Puebla. Mis hermanos vivieron poco con nosotros porque no se hallaron aquí y se regresaron a México a vivir con mi abuelita, mamá de mi mamá. Allá se casaron y ahora tienen sus propias familias. Mi hermana mayor, hija del primer matrimonio de mi mamá, estuvo más tiempo con nosotros, pero, a fin de cuentas, también se fue y ahora vive en la ciudad de México. Nosotras, las tres últimas mujeres, seguimos en Puebla.

Cuando llegamos, todos nos sentábamos alrededor de la mesa esperando a mi papá para comer. Cenar era todo un relajo porque cada quien hablaba de un tema. Mis hermanos, de sus novias y de que no les gustaba Puebla; mi hermana, como nunca nos llevamos bien y éramos más pequeñas, en sus rollos con mi mamá, y nosotras nada más como el chinito, "milando" y escuchando, pero cuando llegaba mi papá, todo era silencio y a comer o cenar. Después él abría la conversación, preguntaba sobre el trabajo a mis hermanos, a nosotras de la escuela y a mi mamá las quejas y los gastos, pero era agradable, y lo extraño, porque éramos y se sentía una familia.

Llegó el momento en que todo cambió, y fue cuando mis hermanos se marcharon y sólo quedamos las tres más chicas; yo, cuidando las tareas de mis hermanas y a ellas en la escuela, porque una de las frases que decía mi papá y tengo grabada en la mente es: "Ayúdalas, defiéndelas y cuídalas". No lo siento como un peso, pero sí algo que nunca voy a olvidar ni dejar de hacer; las quiero mucho.

Así pasó parte de mi infancia, hasta la secundaria. Mi papá me procuraba más a mí, y yo sabía que todo lo podía obtener de él.

Cuando cursaba la secundaria me gustaba competir con mis compañeros por los premios a las mejores calificaciones y, cuando lo lograba, me sentía satisfecha porque mi papá se iba a sentir orgulloso. No me interesaba nada más que mis calificaciones y exentar las materias.

En segundo año conocí a mi primer noviecito, aunque usted no lo crea. Era compañero de salón y hasta nos sentábamos juntos en la banca. Me llevaba regalos, chocolates, aunque nunca le dije que no me gustaban mucho, se me hacía feo decírselo. Me hacía sentir bien porque me esperaba a la entrada de la escuela, todo el tiempo estábamos juntos.

Cuando salíamos, me iba a dejar a mi casa, me cargaba la mochila y se me acercaba mucho en el camión. Me hacía sentir nerviosa y apenada, pero me dejaba abrazar y sentía bonito. Él fue el primero en darme un beso. Me invitó al cine y fuimos a una fiesta. Pero por ahí tenía otro pretendiente y ¡zas!, que rompemos, y el otro chavo se enteró. Él también era de mi salón y nos hicimos novios, pero ya no fue lo mismo, no sentí igual, aunque me gustaba más porque tenía los ojos verdes y era güerito y el otro no. No duramos mucho. Así terminé la secundaria, como una niña bien portada.

Cuando inicié la prepa, las cosas fueron cambiando. Conocí a un amigo de mi hermana que, supuestamente, no le interesaba a ella, y que muy en el fondo me gustaba. El chavo era mayor que yo y, lo que más me intrigaba, era que fuera policía judicial; se veía súper con su arma en la cintura.

Platicaba con mi hermana y otros amigos de todo lo que hacían, de cómo detenían a las personas, de sus jefes, de su mundo y yo sólo los escuchaba. Me sentía una chamaca a su lado, pero lo que no sabía era que no le era indiferente y que le preguntaba a mi hermana por mí. Después me enteré de que a mi hermana le daban celos porque ella quería andar con él y nunca le hizo caso. Un día se animó a platicar conmigo estando en la casa. De la emoción, ni me acuerdo qué platicamos, sólo sabía que me había hablado, que me había tomado en cuenta.

Así pasaron los días e iba a la casa a platicar en las tardes, hasta que me invitó a salir. No recuerdo qué le inventé a mi mamá para que me dejara ir y fui a pasear con él al parque. No quería que se acabaran esos días, los disfrutaba al máximo, me tenía alelada con sus historias y cosas de su trabajo. Iba por mí a la escuela, me llevaba al cine, lo acompañaba a la Procu a que pasara lista y, después, me hice su novia. Esto no lo sabía mi familia; las salidas con él eran permisos para ir con "mis amigos". Para mí era el mejor y el más guapo de los hombres y no entendía cómo se había fijado en mí y no en mi hermana.

Cuando ella se enteró, pegó el grito en el cielo. Él no me dejó y mis papás se enteraron por el relajo que hizo mi hermana; con todo, me dieron permiso de andar con él. A partir de ese momento hubo un cambio en mí, sentía que tenía que demostrarle a él que no era una niña, sino una mujer.

Las salidas con él eran ya con permiso de mis papás, aunque me daba cuenta, porque comentaban entre ellos, que no les gustaba que fuéramos novios porque yo era una chamaca. Aunque no les gustara, a mí sí, y mucho.

A causa de ese noviazgo comenzó un cambio en mí y en mis estudios. Ya no me interesaba la escuela, lo importante era estar con él y aprender todo lo que él me enseñara. Comencé a faltar a mis deberes y a estar más tiempo a su lado. Raúl era mi tiempo y mi vida, mi grandioso primer amor. Después, y a pesar de los consejos de mis padres, dejé unos meses la escuela y me fui a vivir con él, solos, a experimentar y aprender de Raúl todo lo que pudiera. Para mi desgracia, con él se inició el camino que me trajo aquí, a este encierro, pero nadie experimenta en cabeza ajena. Hay que hacerlo y probarlo.

Cuando ya vivíamos juntos, lo cambiaron a otro distrito y me fui con él. Como en esos años sus jefes eran más flexibles que hoy, los agentes manejaban y distribuían su tiempo, por lo que me llevaba a trabajar con él. Fue cuando por primera vez conocí y disparé un arma en vivo y a todo color. Me enseñó a usarlas. También me enseñó a beber, porque tenía que convivir con sus amistades. Conocí a personas que hoy me parecerían nefastas, viví las grandes parrandas que eran de día y noche, probé las drogas porque tenía que entrar en su ambiente y porque no quería que se enojara conmigo. No decía no a nada y, lo más importante, tenía que demostrarle que no era una niña miedosa sino la mujer que él buscaba.

Después de unos meses conocí a su familia, a la que, por cierto, no le caí muy bien, porque sus papás lo adoraban; era el hijo que más les daba y mandaba en ellos y en sus hermanos. Claro, era el hombre de ciudad y el policía que todo lo podía. Vivían, o viven todavía, en un pueblo a más de cinco horas de distancia de la ciudad, y el último tramo hay que hacerlo a caballo. La vez que conocí su pueblo y el rancho fue un sufrimiento. Ya se imaginarán, no tenían luz en la ranchería, pero todo lo hacía o aguantaba por él, porque lo quería a madres.

Cuando regresamos a Tehuacán, lo cambiaron a Puebla de nuevo. Como yo no hacía nada, regresé a terminar la prepa, aunque a regañadientes de su parte porque no quería que estudiara, pues según él no me servía de nada y él me enseñaría lo que yo quisiera.

Cuando estaba por terminar la prepa, llegó la gran noticia: ¡estoy embarazada! Embarazo y gusto me duraron muy pocos meses; es una historia que aún no termina y una herida que no ha cerrado, pero que algún día cerrará.

Para él fue el gusto más grande en su vida, era el mejor esposo y hombre que podía existir en el planeta, pero una parte de él, la más grande, era machista hasta las cachas. Durante esos dieciocho meses, mi vida fue como de novela, se respiraba y vivía amor a mi alrededor. De pronto, él comenzó a cambiar. Su actitud machista ya era exagerada, no quería que saliera, no quería a mi familia, no al estudio. Todo era el bebé, toda la atención para el bebé.

Un día me dijo que iríamos a ver sus papás, y yo, por no hacerlo enojar, acepté. Nos preparamos con ropa para tres días. Llegó por nosotros y nos fuimos. Estando con sus papás, de buenas a primeras les dice que el niño y yo nos vamos a quedar con ellos y que él se regresaría. Que hasta que él fuera por nosotros —que no sabía cuando—, su papá no nos dejara regresar, que mientras, me enseñaran a criar a su hijo como lo criaron a él. Y, claro, que me pongo pendeja y peleamos; más bien, discutimos. Cambié y preparé al niño, me armé de valor y me regresé como pude a Puebla con mis papás. Les conté lo que pasó y me dijeron que me quedara con ellos.

A los pocos días llegó Raúl y, aunque molesto, platicó con mis papás, pero no nos fuimos con él. Supongo ahora que lo asesoraron bien y aprovechó un momento del día en que yo no estaba y sustrajo al niño de los brazos de mi papá. Lo peleé personal y jurídicamente, pero él, por su trabajo, conocía gente que lo protegía. Le otorgaron la patria potestad.

Desde ese día no he vuelto a ver al bebé. Ahora, a más de veinte años, me hago las diez mil preguntas del mundo. Él lo ha ocultado y desaparecido para mí. Parte de mí está con él. Es algo de lo que poco hablo y pocos saben. Lo único que le puedo agradecer es haberme dejado experimentar el nacimiento de mi hijo y vivir para algún día tener la oportunidad de conocerlo; sé que se va a dar, y una de mis metas, que todavía no cumplo, es ésa.

Después de pasar esa etapa, algo tenía que hacer y fue regresar a estudiar. Luché y logré volver a la universidad, a la gloriosa Benemérita Universidad Autónoma de Puebla, a la facultad de Derecho y Ciencias Sociales. Esa etapa de universidad ha sido lo mejor que he vivido como estudiante; aunque era mayor que mis compañeros, me acoplé a ellos e hice buenas amistades, algunos fueron muy cercanos y los consideré mis mejores amigos, casi hermanos, hasta pensé que podía contar con ellos para todo, pero estaba muy equivocada.

Esos seis años de universidad fueron también de desenfreno, pues aunque al principio todo era serio y tranquilo, después vinieron las fiestas, las salidas, excursiones, cumpleaños cada ocho días, amigos, borracheras, etc. Sentía que mis padres no me podían decir nada porque ya era una mujer que, según yo, sabía lo que hacía, y no atendía a regaños ni llamadas de atención, aunque me seguían considerando como hija de familia, una más, como a mis hermanos. Yo, al enseñar buenas calificaciones, los encantaba. Fue una etapa de desenfreno.

Después de terminar la universidad hubo unos años que fueron de práctica, servicio social, tesis y trabajo. Conocí a varias personas y me incliné por el ramo de la construcción, el cual aprendí y también practiqué la rama laboral del derecho. En ese círculo conocí a quienes dirigían y representaban a los sindicatos en la ciudad de México y en Puebla, mundo en el que me sumergí y aprendí, creo, demasiado bien. Y, al igual que en la escuela, hubo reuniones y fiestecitas en las que había de todo, en toda la extensión de la palabra, y no me espanté porque, gracias a Raúl, ya lo conocía. Pero como buena estudiante y aprendiz, lo reafirmé. Así pasaron varios años en los que tuve lo que quise: dinero, trabajo, amigos, vino, chavos, señores, de todo un poco. En esos años hice mucho de lo que ahora considero material; hoy lo tengo y mañana ya no.

En ese ambiente conoces a personas de toda clase que te ofrecen negocios de toda clase, pero, como en toda película mexicana, "yo todo lo puedo", y negocié lo que fuera. Así me zambullí en el negocio de la compra y venta de droga, la cual primero probaba para saber su calidad y después negociaba.

Era una buena inversión que me redituó demasiado económicamente, aunque me alejaba de mi familia porque esa vida es demasiado absorbente.

En esos años conocí a Moisés, mi última pareja hombre, a quien consideré que sería el esposo con quien estaría y viviría el resto de mi vida. Qué equivocada estaba. Al principio, como todo, se inicia una relación de amor y dulzura, todas las atenciones para mí, y caí. La mujer que había vivido casi todo, cayó otra vez. Le ofrecí casa, dinero, negocio y mujer, y él, sin decir agua va, lo tomó y nos acoplamos, yo a mantenerlo y él a acompañarme a todos lados, pasando después a representar el papel de mi pareja y esposo. Él se tomó el papel demasiado en serio y se creyó dueño de todo lo que yo tenía. Con discusiones y días buenos pasaba el tiempo, y poco a poco iba conociéndolo y él se abría, hasta saber que él también conocía del ambiente y del negocio de las drogas. Otro punto para acoplarnos. Hicimos algunas compras con sus conocidos y otras con los míos. Todo iba bien, buenos años según nosotros, pero él me alejaba de mi familia que, por cierto, no lo aceptaba ni en pintura. Cuando veía a mis papás o hermanos, era porque iba sola a reuniones, cumpleaños o simplemente a ver a mi mamá.

Todo caminaba bien, pero la ambición mata y nos mató. Nos descuidamos en lo que creíamos una negociación y entrega fácil, pero resultó que estoy contándoles parte de mi historia desde aquí en la litera superior, en el fondo de un cuarto de cinco metros, y conviviendo con catorce mujeres de diferente carácter. Es un dormitorio de cinco edificios, con capilla, biblioteca, taller de oficios varios, oficina de Gobierno y Servicio Médico en el Centro de Reinserción Social de Puebla.

Estoy en la etapa de pruebas de mi proceso, que no ha concluido, y de nada me sirvió todo lo que estudié, el dinero, los bienes y las amistades. Porque a los que consideré mis amigos, casi mis hermanos, no les he visto la cara, ni siquiera para saludar, mucho menos para hacer una llamada a ver qué se ofrece. Estoy sola y, como siempre, con mi familia que no me ha dejado. Pero no importa, voy a luchar, porque es lo que me enseñó mi padre y no pienso fallarle, venga lo que venga.

Aquí reanudé mis estudios, me inscribí en los cursos que imparten, tejo bolsas de chaveta, aprendí el repujado, hago ejercicio por la mañana y trato de ocupar mi tiempo. He encontrado una pareja con la que estoy superbien y que me ha ayudado a pasar mi tiempo y a vivir aquí. La quiero mucho y espero no cometer los mismos errores de antes.

Espero que el tiempo pase, todo resulte bien y salga de aquí. Una experiencia más. Un ave fénix.

Hoy fue un día especial. Es lunes y, por la mañana, en la explanada del Cereso Puebla, sección femenina, me transmitieron el mensaje de AA. Estaba acompañada de mi pareja, desayunando como todos los días desde hace casi un año ocho meses, y me animé a preguntarle sobre el grupo AA, ya que ella fue miembro y, por diversas situaciones, dejó de asistir. Platicó conmigo y me transmitió el mensaje. Me acercó una revista que, al hojearla, se me hizo muy interesante y de la cual ha sido lectora asidua. Dentro encontré los famosos doce pasos y doce tradiciones de los que, por cierto, apenas voy en el primero: "Mi aceptación".

Mery, mi pareja, me invitó a asistir a una de las juntas del grupo, las cuales se realizan miércoles y sábados por las tardes. Asistimos, la junta se desarrolló tal como ella me había platicado. Me sentí bien, relajada, tranquila y con muchas preguntas que, poco a poco, he ido despejando.

La película que les voy a contar empezó cuando conocí al padre de mi único hijo, David. Él era mayor que yo, que apenas estaba en la prepa, y así comenzó mi andar por el alcohol. Como tenía que convivir con él y con sus amigos y familia, para no quedar mal, pues ya saben: "Tómate una cervecita", y luego más y más, para pasar a las copas, después a los cartones y a las botellas.

Beber ya era algo constante en nuestras vidas y, como toda historia de amor, fracasó. Lo único de lo que le puedo dar gracias a él, es el haberme dado la felicidad de conocer la maternidad y tener el hijo más hermoso. Lo que más trabajo me costó aceptar es que haya sido él quien me llevó a iniciarme en el alcoholismo. Al separarnos, continué estudiando. Él me arrebató a mi hijo y, desde entonces, no lo he visto. Continué mi vida con esa herida y, al ingresar a la universidad, mi alcoholismo se hizo más intenso y notorio. Ahora lo hacía con los amigos y en las fiestas de la uni y de grupo, en las cuales se acentuó para pasar de borracheras de un día o de una tarde a varios días. Como siempre, había que ser el que sabía tomar y el que daba los consejos para aprender a tomar (¡qué tonterías más grandes!).

En esa época era la clásica bebedora de fiestas, antros y reuniones. Al terminar la uni, pasé a tomadora o bebedora social, ya saben, para arreglar un asunto hay que tomar algo, relajarse y no desentonar en la reunión, así no te veían mal porque no sabes tomar. Para ese entonces, mis dizque amistades eran bebedoras y me buscaban sólo para beber. ¡Ah!, pero no les he dicho que no trabajaba, era todavía hija de familia, o sea que mi alcoholismo lo mantenía mi padre. Claro, sin que él lo supiera (eso creía).

Continuando con esta película, ingresé a estudiar otra carrera, pero para entonces ya trabajaba y me pagaba mi vicio. En vez de mejorar al ingresar a otra universidad y convivir con chavos más jóvenes, aumentó mi alcoholismo, y ahora, para terminar de fregarme, también me drogaba.

Conocí el ambiente de las drogas al derecho y al revés, de arriba a abajo, vendía y compraba, también armas, y todo lo que conlleva la vida del tráfico ilegal, y mi película se fue haciendo más violenta.

Mi alcoholismo se fue acrecentando porque ya era un gusto el que tenía por el alcohol, aunque las drogas eran de vez en cuando. Media cuadra antes de llegar a la universidad había un botanero del cual me hice clienta asidua, y hasta crédito tenía. Frente al botanero abrieron un local de Alcohólicos Anónimos, y el día que lo vimos, nos reímos y burlamos: "¿Cómo ven, muchachos?, pinche bola de teporochos, mejor que vengan y aquí les damos unas chelas y se dejan de mamadas". Lo recuerdo claramente. ¡Qué enferma estaba ya!

Para ese entonces vivía con Moisés, por cierto, igual que Raúl, mayor que yo, y del cual no puedo hablar bien. Sólo me limitaré a darle las gracias por acrecentar y reforzar mi alcoholismo y mi adicción a las drogas, y por estar en este lugar. Pero no le doy todo el crédito, aunque, como buena alcohólica y drogadicta, hay que echarles la culpa a otros de la enfermedad. Sin embargo, no me obligó a nada. Solita caminé hacia mi destino, pero ahora que mi mente está un poco más clara, ya sin alcohol ni drogas, ni manejo armas, reconozco que mi enfermedad ya era estratosférica y que vivía para el alcohol y la droga y no para mí ni para mi familia. Reconozco que alcoholizada hice muchas tonterías y que, gracias a Dios y a mi flaquita, no me pasó nada o no cometí alguna tontería mayor.

Ahora que me encuentro en este lugar, mi familia –a la cual yo alejé– es la que está conmigo y no me deja sola. Estoy con mi pareja, Mery, y asistimos a las juntas del grupo, en el cual cada vez me siento mejor. Me reconfortan en cada junta. Con el tiempo, espero aceptar, como hasta el día de hoy, mi alcoholismo y mi adicción, y con ayuda del grupo y mi participación, encontrar el camino del poder supremo (Dios) del que he escuchado hablar a mis compañeras. Espero seguir cada día y cumplir o aplicar lo mejor posible los doce pasos y doce tradiciones.

Y, como en todas las películas, el final no ha llegado aún. Mi historia la contaré en los capítulos o partes que siguen, por lo que no me despido, sólo es un hasta pronto.

Las experiencias nos hacen crecer, ¡pero qué fuertes son los golpes que nos dejan! Recuerden que esta película continúa, sólo hubo un receso para salir a comprar más palomitas y refrescos. Espero les esté sirviendo mi historia para reflexionar un poco sobre su vida, aunque siempre decimos que nadie experimenta en cabeza ajena, que cada uno tiene que tener sus propias vivencias. ¿Por qué lastimamos lo más grande y hermoso que Dios nos da? "La gran Dádiva", la vida y la salud. Anhelo ser útil y feliz.

Ya han pasado algunos meses, más bien algunos años, desde que ingresé a este Cereso, ya que me sentenciaron a catorce años y en la apelación subió a diecinueve. Pensamos, mi expareja y yo, que en la apelación nos iría bien, pero la pena subió en vez de bajar.

Después de la sentencia, me mandó llamar mi expareja a locutorios para comunicarme que él ya había presentado su amparo y, desgraciadamente, lo había perdido. Por consiguiente, me molesté porque no me tomó en cuenta. Discutimos, y luego quiso enredarme en la plática para que yo presentara mi amparo con su abogado para ayudarlo, pero, como decimos, ¡qué pendeja se la encontró! Por supuesto, le dije que iba a esperar un tiempo para presentarlo.

Después de eso, me enteré de que él había presentado en la oficina de Trabajo social un escrito donde me desconocía como pareja. Me dije: "Bueno, me facilitaste las cosas".

Cuando las compañeras me chismearon que el señor ya tenía otra pareja que pasaba al patio de hombres, compañera del Cereso, y que también entraba otra más a visitarlo de afuera, me pregunté: "¿Qué sientes?" Y me contesté rapidito: "Nada, ni tantitos celos", entonces entendí que ya no sentía nada y que nunca sentí nada por él. Después él se enteró de que yo tenía pareja y me quiso hacer un escándalo; reclamó, pero nunca pasé a verlo a ninguna entrevista ni le recibí ninguna llamada ni recado de los que me mandó. Me dije: "Ya te enteraste, ya lo conoces, ya estuvo, esto se acabó. Adiós. A otra cosa, mariposa".

Con todo esto, me separé unos meses de Mery por otros chismes y problemas, pero regresamos y ahora se reforzó nuestra relación. Siento que la quiero mucho más. Aunque hemos pasado muchas cosas, seguimos juntas y esperamos estarlo por mucho, mucho tiempo, con planes fuera de este lugar. Al final, envejecer juntas ¿por qué no? Hacer una vida con ella.

En estos últimos meses he tenido muchos altibajos. Ha bajado el trabajo, no he tenido dinero suficiente, tengo conflictos personales y, lo que más me ha dolido, mi familia ha caído en un bache muy profundo y no sé cómo ayudarla. No tengo la posibilidad personal, ni mucho menos económica de hacerlo, pero aun así mi viejo, mi padre, no ha dejado de venir cada sábado. Él sigue en pie de lucha.

Ahora tengo otro abogado con el cual, creo, voy a tener grandes resultados. No quiero desesperarme, algo casi imposible en este lugar. Estoy juntando dos mil pesos porque tengo que sacar copias de mi proceso para poder estudiarlo y presentar ya sea el amparo o la solicitud de reposición del procedimiento. Eso significa empezar de nueva cuenta la pelea, pero no me importa, lo que quiero es pelear y salir lo más pronto posible de este lugar. Por mi familia y por mi pareja, espero se me cumpla este deseo muy pronto.

Actualmente estoy intentando reiniciar mis estudios. Ingresé a un curso de electrónica en el cual me la paso padrísimo porque el profe es buena onda y muy cotorro. Estuve en un curso de dibujo técnico y ahora, hace unas semanas, me acerqué al grupo de Alcohólicos Anónimos, tema del cual ya les hablé.

De igual forma, a ratos, jugamos voleibol y me he acercado a tomar terapia con la psicóloga del centro. El trabajo bajó mucho, pero siempre hay algo, gracias a Dios y a mi flaquita hermosa que nunca me olvida.

Centro de Reinserción Social Puebla
Puebla, Puebla

El atardecer

Bárbara

1. Buenos recuerdos, buena estrella

Nací hace treinta y dos años, en medio del bullicio y los cambios que se gestaban en la capital del país, el famoso Distrito Federal.

Una pareja de jóvenes recibía con gusto y orgullo a su primera hija: yo; y por razones obvias cambiaré mi nombre. Me llamaré Bárbara, que fue el segundo nombre propuesto por mi padre para mí, y que me pareció bien como seudónimo para esta historia.

Crecí consentida por las dos familias: paterna y materna, ya que fui la primera nieta, sobrina e hija. Fue así como, entre colores pastel, cariños y apapachos, mi familia me regaló los momentos más bellos que tengo registrados en mi memoria; lo más parecido a la inocencia y la felicidad que un niño pudiera tener. No quiero decir con esto que no hubo regaños ni castigos, pero creo que eso es propio de una buena educación, o al menos eso decían mis padres.

De origen humilde, ellos se esforzaron mucho para prepararse: mi papá es licenciado en Derecho y mi mamá técnica bancaria, además de ser la mayor de seis hermanas y repartir la vida entre sus estudios y preparar comidas y cambiar pañales, ya que mi abuela trabajaba de sol a sol como costurera. Siempre trabajaron para dar más de lo que podían. Definitivamente querían darme lo que ellos no tuvieron.

Después de seis años de reinado, nació mi hermano. Fue sin duda mi rival en luchas, en juegos; de grande, mi mejor amigo, mi confidente y el apoyo y la presencia que tanto añoro en estos momentos.

Gracias a Dios, y al esfuerzo de mis padres, crecí en medio de comodidades, de escuelas privadas, diversiones y cariño. A veces, mi papá le reclamaba a mi madre que nos diera todo, porque así perderíamos el piso y no sabríamos el verdadero valor de las cosas; tal vez en parte tenía razón.

Seguí creciendo y entré a una secundaria de la zona, conocida como una de las más difíciles por su nivel académico. Ésa fue la escogida para mí. Se me hicieron los tres años más difíciles y pesados de mi corta experiencia; pues no tenía los conocimientos suficientes. ¡Por Dios santo, llevaban álgebra e inglés! Recuerdo que todas las vacaciones de verano y algunos fines de semana tenía que ir a cursos de regularización; era lo peor para cualquier niño de mi edad: sacrificar las vacaciones para ir a la escuela. ¡Cómo la odiaba! No podía entender por qué insistían mis padres en torturarme así. Años después les agradecería infinitamente, pues aprendí muchísimo. Lo que sí, como dice el dicho: "La letra con sangre entra", y con sangre conseguí un promedio de 6.3, después de varios "extraordinarios". ¡Qué recuerdos!, ésa era mi preocupación y mi tortura.

Quién diría que años más tarde sabría el verdadero significado de una tortura. Evoco aquellos momentos y se llena mi mente de mil recuerdos de una niñez mágica e inocente, riéndome a carcajadas de la vida con mi mejor amiga, Liliana. Siempre nos decían que estábamos locas, pues de todo nos reíamos; lo curioso es que para eso no necesitábamos ni alcohol ni drogas. Creo que se llama niñez, o tal vez sí éramos muy bobas. No lo sé, pero me encantaba estar con ella, todo era risas y risas. Me acuerdo de que una vez casi me hice pipí de la risa en una noche colonial.

Siempre me gustó reír. Dicen que la risa es el alimento del alma, aunque con el paso de los años se me haga cada vez más difícil hacerlo.

Cuando cumplió sus quince años, me reveló que estaba embarazada. Solamente yo lo sabía en ese momento. Tenía los ojos llenos de miedo. Luego la gran fiesta. La vi con su hermoso vestido y su sonrisa fingida, pues nadie sabía de aquel secreto. Sus padres, orgullosos, brindaban por el futuro prometedor de su hija, que se tornaría en algo diferente a lo que esa noche vaticinaban.

Cuando después de algunos días les dijo a sus padres, casi la corren de su casa. El padre del niño huyó, nunca más se supo de él. Valiente amor que profesan algunos jóvenes. Su vida no volvió a ser la misma; no volvería a estudiar.

Registraron al niño con los apellidos de sus padres por lo que diría la sociedad. Su risa se convirtió en un eco que día a día se dejaba de escuchar. Ella no podía decir, no podía opinar, se perdió a sí misma: su estrella se apagó. De Liliana no volví a saber más.

Después de un tiempo entré a la preparatoria. Hasta esa edad me puedo calificar como tímida y relajienta entre amigas, también buena amiga. Debo decir que mis papás decidieron meterme en una escuela de monjas para que aprendiera el buen camino hacia Dios, y porque tenía renombre.

Cabe mencionar que muchas de mis compañeras no tenían ese mismo punto de vista. Sus papás las habían metido a esa escuela para darles una lección por haber tenido mala conducta o malas notas en la secundaria, creo que también fue mi caso, nunca lo supe. Esos tres años de mi vida fueron extremadamente divertidos. En esa época, "divertido" para mí era irnos de vez en cuando a Coyoacán a tomar una nieve con los chicos de la otra escuela que estaba por allí, que era también lasallista y de puros hombres. O tal vez hacer travesuras a las monjas y cosas de esa edad. Fue muy padre, me sentía como de vacaciones, ya que el nivel académico no era tan pesado como el de la secundaria; así que, sin estudiar mucho, pasaba bien los exámenes.

Recuerdo que estábamos enamoradas de un profesor de álgebra que era muy parecido al actor César Évora. Por cierto, una vez me sacó del salón por decir un chistecillo y mandó llamar a mi mamá. Ella, enojadísima, me advirtió de antemano un castigo ejemplar. Cuando, momentos después, salió de la junta, recuerdo que me le quedé viendo y le sonreí. Le dije: "¿Verdad que está guapísimo?" Mi mamá me dio un pellizco en el brazo y se rio, me dijo que no lo volviera a hacer…, pero que si tenía que venir a hablar con el maestro, se iba a sacrificar. Las dos nos echamos a reír y me hizo prometer no decirle nada de eso a mi papá, pues es muy celoso. Mi mamá siempre ha sido mi mejor amiga, confidente y la mejor madre para mí.

En esa escuela conocí algunas amistades que conservaría hasta después de la universidad. De hecho, una sigue en contacto con mi mamá hasta en estos momentos tan horribles. ¡Gracias, Belmont!

Como parte de la edad, empezaron a surgir los galanes y tuve mi primer novio. Vivía por casa de mi abuelita y era tres años mayor que yo: él tenía diecisiete y yo catorce. Nos conocimos en uno de los grupos para jóvenes de la iglesia a la que asistíamos una prima y yo. Se llamaba Israel; recuerdo que algunas veces iba a verme hasta mi casa, que estaba lejísimos de la suya. Tenía que tomar peseros, el metro, camiones y no sé qué tanto más. ¡Ay, el amor! Era muy lindo conmigo, nos sentábamos a platicar en la entrada de la casa, pues eran unos departamentos.

En ese tiempo yo usaba *brackets*, y la primera vez que nos dimos un beso, moría de pena al pensar que por alguna razón nos enredáramos y alguien nos encontrara pegados pidiendo auxilio, especialmente mi papá; eso me aterrorizaba aún más, pues es muy celoso.

Israel era el típico novio de "manita sudada", y así duramos un par de meses. Nos quedábamos de ver en el parque cercano a la casa de mi abuelita, con todos los chavos del grupo de la iglesia. Mi prima Pamela iba siempre conmigo, nos llevábamos muy bien, pero conoció a un muchacho del "tipo malo", que siempre iba en bicicleta, y creo que eso le pareció atractivo a ella.

Pamela dejó de ir con nosotros a los retiros y a las juntas de la iglesia los sábados y los domingos por irse con ese muchacho; eso nunca lo supo mi tío.

Pamela era un año más grande que yo. Un día me habló llorando para decirme que estaba embarazada y que se iba a escapar con su novio porque si no lo hacía, su papá la regresaría a Monterrey con su mamá (Pamela es mi prima política, hija del primer matrimonio de mi tío, que está casado con la hermana de mi mamá).

¡Otra vez un embarazo! Parecía la pandemia de esos tiempos. Era mal visto y se ocultaba entre las familias con total hermetismo, como si fuera una tragedia. Cuando en casa se enteraron, mi mamá me prohibió salir con esos muchachos. Así pasé un tiempo preocupada por Pamela. La última vez que la vi fue por accidente, cerca de la casa de mi abuelita, traía un ojo morado. No pudimos hablar mucho, solamente le dije que siempre la íbamos a apoyar si necesitaba algo, aunque su papá estuviera enojado.

Se agachó y me dijo "sí", con un movimiento de cabeza. Como si me dijera: "Lo sé, pero no lo voy a hacer porque tengo miedo". Sentí feo por ella, como si su estrella también se hubiera apagado.

La vida seguía. En ese tiempo todavía nadaba en el club en el que empecé desde los ocho años. Mi entrenador me decía: "Morena color de llanta", ya que siempre estaba requemada por tanto sol. Pero con el paso del tiempo mis prioridades fueron cambiando. Antes íbamos mi papá, mi hermano y yo a entrenar futbol o a nadar. A veces iba mi mamá; era muy divertido. Después prefería salir con amigas y amigos, ir a tardeadas y a lugares de moda, como la plaza, el cine o a patinar en hielo. Estaba entrando a la adolescencia.

Cómo añoro cuando estábamos en familia, ¡qué rápido se va el tiempo!

Cuando cumplí quince años, fue todo un dilema en casa. Por una parte, yo no quería exponerme así al público o, más bien, al ridículo. Hubiera preferido un viaje, ropa o un carro, pero no una fiesta. Por otra parte, mi mamá y todas sus compinches, o sea, mis tías, me decían que era la primera hija, sobrina, etc., y a fuerza debía tener fiesta de XV años. Eran muchas contra mí. Aparte, mis abuelitas me lo pidieron de esa forma en que las abuelas hablan cuando quieren algo de ti, con esa ternurita y afabilidad a la que uno simplemente no se puede negar. Al final acepté, no me quedaba de otra.

El acto se preparó, todos los miembros de la familia tenían alguna participación en la fiesta. Como mi cumpleaños es a finales de agosto y no se encontró fecha disponible para el salón en ese fin de semana, se pospuso dos semanas y a mi mamá se le ocurrió la brillante idea de que todo fuera con el tema de la Independencia de México, ya que en su cabecita empezó a maquinar que mi baile fuera *El son de la negra*. Mi mamá en sus tiempos mozos fue bailarina de danza regional en el teatro de la Ciudad de México y, por alguna razón, lo proyectó en mí.

En fin, acepté. De todas formas lo iban a hacer. Lo que sí pude escoger fue el vestido, una copia del de la telenovela *Alondra*, donde la actriz Ana Colchero era la protagonista y me encantaba. Al final, el vestido se le veía mil veces mejor a ella, pues yo todavía no tenía nada con qué detenerlo por delante, y eso que usé relleno.

Debo admitir que todo estuvo precioso. Es un recuerdo que hasta la fecha me trae un muy buen sabor de boca. Tuve cadetes, amigos de un primo político, que hacían su servicio en el Heroico Colegio Militar y que fueron el *boom* de la fiesta. Según mis amigas, se veían muy guapos y andaban con todo en la pista de baile. Ellos sólo pidieron a cambio una botella de vino, misma que se tomaron en menos de dos horas. Teníamos miedo de que sacaran las espadas y se pusieran a jugar.

Mi papá bailó el vals conmigo mientras me decía cosas chistosas para que quitara mi cara de susto, cuando en realidad él estaba más espantado que yo.

Mi familia siempre fue unida, siempre me apoyó en todo y, hasta ahora, no me ha dejado morir sola; la extraño mucho.

Al escribir estas líneas, estoy hurgando en lo más recóndito de mi memoria, escarbo todo lo que tenía bloqueado, esas épocas felices que fueron como un sueño convertido en realidad. Se me derraman las lágrimas al recordar todo eso y, al mismo tiempo, voltear a mi alrededor y ver lo que veo; que ya plasmaré más adelante.

A la hora del bailable, la música no sonaba y yo estaba con los nervios de punta. El bailarín que había sido mi maestro de baile era mi pareja. Bailaríamos el *Son de la Negra*. Aunque sabía que él era gay, no sé porqué me ponía tan nerviosa que estuviera tan cerca, y se me hicieron eternos esos momentos. Por fin corrió la música. Yo, evidentemente, con las pocas clases que tuve, no pude zapatear como era debido. Así que se sugirió que sólo faldeara, cosa que creo tampoco hice bien. También tenía que sonreír, cosa que se me olvidó y en todas las fotos salgo con cara de ¡auxilio!

El muchacho, bailarín profesional, sí que se lució como los grandes. Hasta yo me le quedaba viendo, cuando, supuestamente, la que tenía que lucirse era la quinceañera. No importa, honor a quien honor merece. Hasta yo le aplaudí, salvó el espectáculo.

Compartimos una noche muy bonita en familia y con otras familias que llegaban de no sé dónde, pues yo ni las conocía, pero como traían regalos, adelante, yo no hacía muchas preguntas. Todo mundo me felicitaba. Mis papás, como buenos anfitriones, de mesa en mesa. Yo comiendo con mis abuelitas en la mesa de honor, hasta que empezaron a tocar música moderna y los cadetes abrieron pista.

Me divertí mucho, me dolían los pies y la garganta de tanto gritar y bailar. Siempre voy a agradecer a mis papás y a mi familia por los esfuerzos que no alcanzaba a contemplar en aquellos momentos.

En la preparatoria tuve un novio más formal a quien quise mucho, "mi primer amor". Javier era más grande que yo, estudiaba para ingeniero civil y me ayudaba en matemáticas para regularizarme, ya que las matebrúticas nunca fueron mi fuerte. Ése era un buen pretexto para que mi mamá lo dejara entrar a la casa. También me enseñó a manejar; creo que rompí la caja de velocidades de su carro.

Cuando terminó su carrera, después de seis meses de relación, tuvo que irse a Monterrey por un buen trabajo que le ofrecieron; decía que íbamos a seguir, que todo era por nuestro bien, pues nos íbamos a casar en cuanto estuviera bien adaptado por allá. Yo tenía diecisiete años. Sólo recuerdo que estuve casi una semana llorando como Magdalena, pensando que nunca más querría salir con nadie y que lo había perdido todo. Qué tonta es una a esa edad.

Allí estaba yo, en el regazo de mi mamá, mi confidente, mi ángel, mi amiga. Me acariciaba el cabello y decía que todo iba a estar bien: "Déjalo ir. Si vuelve, era para ti, si no, es que nunca lo fue". Qué buen consejo, también me lo repetiría muchos años después.

En ese tiempo hice los exámenes para la universidad, uno en La Salle para la carrera de Administración de Empresas, donde me quedé inmediatamente. Todavía andaba un poco deprimida. Allí también estudió Javier, a quien acababa de "perder", según yo, pues todavía éramos novios de lejos.

Yo no estaba muy convencida de esa carrera, pero era la que más me convenía, según mi mamá. Mi papá quería que estudiara leyes, igual que él, aunque siempre dijo estar asqueado de ese ambiente por tanta corrupción. Me quedé en Administración de

Empresas. Terminé la prepa y estaba de vacaciones para entrar a la universidad y deprimida por mi pérdida personal.

Un día de esos, llegó mi tía para preguntarme si no me gustaría trabajar en mis vacaciones donde ella estaba, para que me distrajera un poco y ganara algo de dinero y me comprara lo que yo quisiera. Me le quedé viendo a los ojos pensando si me hablaba en serio. No podía creer que confiara en mí, que nunca había trabajado y que apenas iba a entrar a la universidad, para un trabajo tan serio como ése. Ella trabajaba para Editorial Clío, donde publican libros y videos que hablan de historia; además, yo no era muy buena en ese tema.

Reaccioné cuando oí que me dijo: "Entonces qué, ¿aceptas?"; OK, era en serio. No lo pensé mucho y le dije que sí, que estaba bien, que quería distraerme.

Me contestó: "Empiezas la semana que entra. Vengo por ti para irnos juntas". Me quedé perpleja, había conseguido empleo sin siquiera haber salido de mi recámara. Casi nadie tenía esa suerte. Bueno, cabe mencionar que en ese entonces no había internet, o no en cualquier lado.

Ahora ya era una persona con trabajo. Me sentí importante, independiente, casi, casi, una ejecutiva. Lo malo era que no sabía ni de qué se trataba el trabajo. Pero eso sí, me pasé todo un día viendo qué me iba a poner para tan importante día.

Cabe mencionar que cuando le comenté a mi mamá del trabajo, no estuvo muy de acuerdo, pues decía que tal vez descuidaría la universidad. La convencí de que sólo sería en vacaciones y, como buena mami, me dejó, más a regañadientes que nada. Quién iba a decir que esos dos meses se convertirían en un año y medio laborando allí. Al fin llegó el lunes y mi tía pasó por mí. Nos fuimos en metro; salimos, tomamos un pesero y luego caminamos un poquito. ¡Uf!, para ese momento me sentía cansada, y eso que todavía no habíamos llegado.

Llegamos por fin a Polanco, donde se ubicaban las oficinas.

Iba con los nervios de punta, me dolía el estómago. Eso me sucedía desde que estaba en la primaria cada vez que entraba a un nuevo ciclo escolar: me enfermaba del estómago. Siempre fui muy nerviosa. Recuerdo a mi mamá en esos tiempos haciendo mi *lunch*: pan tostado y manzana hervida. ¡Qué horror!

Al fin llegamos a las oficinas en un edificio elegante, con vidrios de los que parecen espejos y unas letras grandes con el nombre de las oficinas: "Qually". No podía creer que yo fuera a trabajar allí.

Mi tía me dijo:

—Tranquila, tú sólo vas a estar conmigo y yo te iré diciendo qué hacer. ¿OK?

—Está bien —respondí.

Entramos por la recepción, muy bonita, con alfombras de ésas que parecen árabes, más bien parecía un hotel de lujo. Al llegar, me dijo mi tía: "Vamos a comer primero".

Nos dirigimos al área del comedor. Era como una cafetería-restaurante con una televisión empotrada. Sacó unos boletitos de su bolso, que eran una prestación de la compañía.

Todos le preguntaban:

—¿Ella es tu sobrina?

—¡Hola, mucho gusto! —yo por dentro pensaba: "Sí, ya está bien, ya no saluden tanto". Todos nos volteaban a ver, y yo era todavía muy tímida.

Cuando nos sentamos y empezamos a comer, entró al comedor un muchacho con camisa a cuadros de diferentes azules, *jeans* y cara de ángel. Tenía barba de candado, ceja poblada, unos ojos grandes, bellos, expresivos y una sonrisa Colgate.

Creo que se me cayó el bocado de la boca por estar viéndolo. Mi tía, que se dio cuenta, volteó a verme y dijo:

—Ni se te ocurra. Él es Luis, sobrino de nuestra jefa y tiene poco de haber llegado a trabajar aquí.

Yo pensaba que una persona así de guapa debía de pertenecer a la realeza de la compañía. Como de todos modos no había nada mejor que verlo a él, me la pasé observándolo. El espacio del comedor era muy grande y mi tía y yo estábamos en una esquina. Así que no era muy notorio, según yo. Al menos eso creí.

Cogió su charola con sus respectivos alimentos y se sentó solo en una mesa: "Qué desperdicio", pensé. No volteó hacia donde yo estaba; no tenía nada para qué.

Cuando terminó, nos volteó a ver y dijo: "Provecho". ¡Ay, Dios mío!, se fijó en nosotras. No pude articular ninguna palabra para responder. Dios, esa sonrisa digna de un actor o dios griego, su simple sonrisa y su mirada pícara, alumbraron todo el lugar.

Ya me estaba gustando el trabajo, y aún no llevaba ni una hora en ese lugar. Qué bello es ser joven y emocionarse de esa forma. Bien dice el dicho: "La juventud es una hermosa enfermedad que se cura con los años".

Así empezó mi primer día de trabajo. Tenía que estar en un cuarto grande lleno de casetes de video, que debía acomodar según su tamaño: D-3, D-2, etc., para luego llevarlos a una de las muchas máquinas reproductoras y ver su contenido. Después debía anotar todo en una bitácora dentro del mismo casete, y pasar esa información a la computadora. De este modo, si los genios de los historiadores y realizadores, necesitaban una escena –por ejemplo, Pancho Villa riéndose– para ilustrar su programa, sólo buscaban en la computadora y ¡*voilà*!, salía el número o números de los casetes donde estaban esas imágenes. Ése era mi trabajo. También debía ver de qué archivo se sacaban las imágenes que se utilizaban y pagar los derechos de autor. No es por nada, pero mi tía me traía cortita. Casi no había gente joven, excepto tres muchachos que estaban en una oficinita a la que le decían "máster", donde copiaban material y rotulaban casetes; además de oír música metalera, fumar y echar relajo.

Los demás eran realizadores o historiadores, gente de alta posición en su trabajo. Puros personajes de nombres extraños, como Fritz, Hank, entre otros. Se la pasaban fumando pipa, revisando sus casetes, tomando café o platicando entre sí de cosas de historia, como ¿quién fue el traidor? ¿Villa o Zapata?, y cosas así, que sólo ellos entendían.

Cuando pasaba y los saludaba, trataba de caminar lo más rápido posible, no fuera a ser que me preguntaran mi opinión, pues era común que entraran en debate y buscaran a un tercero en discordia, y yo saliera con mi batea de babas, así que, para evitarlo, apretaba el paso.

A veces me aburría y me preparaba un café, o iba por un refresco a la fuente de sodas que estaba en la parte de abajo; donde también había una pantalla gigante, sofás y una mesa de billar. Hasta que mi tía, con su ojo biónico, me encontraba y, con la mirada, me regresaba a seguir con mis labores.

A Luis casi no lo veía. Siempre estaba al pendiente por si pasaba, pues ya con eso me hacía el día feliz, pero parecía cometa, rara vez se dejaba ver.

Un día, como las siete de la noche, estaba apuradísima con una tarea de contabilidad para la universidad y revisando unos casetes que debía terminar ese mismo día. En eso sentí que alguien jalaba una silla y se sentaba a mi lado. Era él, Luis, con su sonrisa tan bella y esos ojos. ¡Ay! ¡Tan guapo!

Se me quedó viendo y me preguntó:

—Hola, ¿te puedo ayudar?

De la impresión, me tardé un par de minutos en contestar.

—Claro, si no te importa.

¡Ay!, qué absurda respuesta, pero ni modo. Tenía que conservar la calma, todo me sudaba. Así estuvimos platicando un poco, trabajando otro poco. Me contó que acababa de llegar de Xalapa, Veracruz, donde vivía, y que vino a estudiar comunicación y a trabajar en el campo de la televisión. Nunca mencionó que su tía era la productora general, o sea, nuestra jefa, aunque todos lo sabíamos, y eso me gustó aún más de él. Era muy sencillo.

En ese lapso, mi tía pasó como tres veces, indicándome que me pusiera a trabajar y no a platicar. Ahora sí que la ignoré. Ella tenía que entender que me encontraba flotando en una nube, y que no era muy normal entre los mortales.

Así empezamos a conocernos mejor y ya me hablaba más. Muchos nos veían como bichos raros, ya que él era un tanto reservado y yo la chica nueva.

Mi tía me pidió que no me hiciera ilusiones. Ya no ponía atención a lo demás, sólo pensaba en él; que era muy buena onda. Sabía, además, que no se fijaría en mí, una empleadilla que empezaba en el medio. Aparte de que yo no era Sofía Vergara, ni nada parecido, como para encantarlo con mi físico; sabía que él podía tener a cualquiera más bonita y con mejor posición que yo.

Cuando mi mamá me preguntaba cómo me sentía en el trabajo nuevo, inmediatamente mi mente pensaba en la sonrisa de un ángel llamado Luis; y yo, con mi carita de tonta, decía: "Mami, me gusta mucho el trabajo".

Para esto, Javier, mi ex, llegó a llamar varias veces, pero era raro que me encontrara en la casa, porque estaba en la universidad o en el trabajo, y en ese tiempo casi nadie tenía celular.

Mi mamá me preguntó si ya había hablado con él. Pensé que hablaba de Luis y le dije: "Sí, ya nos hablamos", Hasta que entendí que se refería a Javier. Nos reímos. Ella me conocía muy bien, y me dijo: "Tranquila, hija, no te metas en una relación tan rápido, acabas de terminar una. Date tu tiempo".

Mi mamá siempre daba esos buenos consejos; mismos que muy pocas veces tomaba en cuenta. Además, pensé que no era nada malo, ya que sólo éramos amigos. Nunca creí que se fijaría en mí de otra forma. Ya me había dado cuenta de que la herida que creía que nunca sanaría de mi anterior relación, ya casi estaba cicatrizada. Así es la vida, siempre dándonos volteretas; la magia está en tomarlas y disfrutarlas.

Un día, en la oficina, un chavo de esos gorditos que quieren hacerse los simpáticos y galanes, se acercó a mí. Siempre trataba de quedar bien trayéndome un refresco o cualquier cosa. El problema era que se creía Steven Spielberg, el famosísimo director de Hollywood. Decía que cuando hiciera su primera película, dejaría de ser asistente de historiadores y sería un director renombrado. Sólo lo escuchaba y pensaba en ese horroroso peinado de borreguito que usaba, y me imaginaba a Steven Spielberg con ese peinado. Después, seguía fingiendo poner atención a todos sus sueños que tan amablemente me platicaba.

Pues este hombre llegó muy galán, según él, con una invitación para la premier de la película *Los expedientes secretos X*, esto fue por el año 1998. Se puso en su papel de persona importante y me preguntó:

—¿Has ido alguna vez a la premier de alguna película?

—No —le dije tratando de no ser descortés.

Con tono de prepotencia me preguntó si quería ir para ver qué se sentía. Me hizo sentir tan mal, que me le quedé viendo. Tomé la invitación y le dije:

—Muchas gracias, voy a llevar a mi hermanito, le va a encantar.

Me di la media vuelta y me fui. Sé que tal vez estuvo mal, pero fue la forma de sacarme esa espinita, ya que el ego de ese hombre no dejaba ni respirar. El tipo no pudo más que decir:

—¡Qué te diviertas!

Luis me invitó a comer y le platiqué lo que había pasado. Nos reímos mucho.

—Qué bueno, ese tipo es un payaso engreído.

—¿Qué dices? ¿Vamos a la película?

—Claro.

Así fuimos a la premier. Fue como una cita que, por cierto, estuvo ¡increíble! Cada quién llegó por su lado, pues tuve que salirme antes de la universidad. Fue en Cinemark Copilco, lo recuerdo bien. Había helicópteros de verdad. Montaron una escenografía afuera del cine relacionada, obviamente, con la película. Era como un plantío de maíz en forma de laberinto y un túnel con el sonido de las avispas de la película, las cuales iban saliendo mientras cruzabas. Eran de unicel, pero de todos modos daba miedo.

Luis y yo pasamos corriendo por todas las pruebas que pusieron, como los personajes –agentes secretos– de la película. En eso, él me tomó de la mano. No había notado lo grande que era, y lo bien que se sentía entrelazada con la mía. Había un helicóptero de verdad, volando superbajito. Todo era tan real como en la película. Yo sólo pensaba en él y en su mano que me apretaba cada vez más fuerte. Con su dedo pulgar me acariciaba la mano.

Al terminar el área de acción en el exterior, entramos al área del coctel, la fiesta como quien dice: música, meseros, canapés, vino, gente importante. ¡Ah!, y Luis y yo.

Estuvimos platicando un rato de mil y un cosas, riéndonos, haciéndonos bromas de la cara de espantados que teníamos cuando corríamos por el mentado plantío ficticio. Por fin, le dije que era hora de irme a casa, me contestó que él me acompañaba. Salimos y empezaba a llover.

—Vamos a tomar un taxi, te dejo en tu casa y yo me sigo a la mía.

—Está bien –dije.

En eso, como en las películas bobas de amor, se me quedó viendo, me acarició la cara, y allí, mojándonos, nos dimos un beso. Yo no sentía la lluvia, tampoco sentía mis piernas, y si hubiera estado granizando, tampoco lo hubiera notado.

Él paró un taxi, me abrió la puerta, me agarró de la mano y, muy cínicamente, me dijo:

—Entonces qué, ¿ya somos novios? Porque yo no beso a mis amigas.

Le dije que sí, que ese había sido el precio por llevarlo a la premier. Nos reímos. Por dentro pensaba que todo esto superaba la acción que habíamos visto en la película. Estaba feliz, me estaba enamorando.

Todavía nadie sabía del noviazgo, aunque lo intuían. Un día, Javier, que no sabía que ya era mi ex, pasó de sorpresa por mí a la universidad. Me dijo que si me acompañaba al trabajo, me abrazó, me cargó y me dio vueltas. Traté de reaccionar, pero no podía decírselo así, pensaba en la manera menos dolorosa. Por mi parte, buscaba mil artimañas para evitar darle la mano. Él me platicaba y yo sólo pensaba en cómo decirle que ya no. No quería lastimarlo.

Cuando llegamos, la recepcionista —estoy segura de que ella era una chismosa a la que yo no le caía muy bien— le dijo a Luis que yo estaba afuera con alguien. Cuando Luis salió y los presenté, Javier notó mi nerviosismo. Solamente pude decir: "Javier te presento a Luis, un amigo. Luis te presento a Javier, un amigo". Luis me volteó a ver y sintió lo incómodo del momento. Inmediatamente se le borró la sonrisa, le dio la mano, dijo mucho gusto, con permiso, y se fue. Javier también sintió lo extraño de todo y me preguntó directamente si andaba con él. Le contesté que nos estábamos conociendo, que trabajábamos juntos, y que mejor ahí la dejáramos. Le dije que él ya tenía otros planes, al igual que yo.

No había ni siquiera acabado de hablar, cuando me dio mi mochila —que venía cargando— se dio la media vuelta, pateó algo en el piso y se fue. Me sentí muy mal, pero no podía ir a abrazarlo y decirle que fue muy importante, que de todos modos me gustaría que siguiéramos como amigos, porque pensaba que Luis nos estaría observando por la ventana. Después me enteré de que así fue. Estuvo viendo todo lo que yo hacía, pues pensaba que era mi novio y ya quería terminar conmigo.

Luis y yo hablamos después. Le platiqué todo: quién era Javier y cómo habían pasado las cosas. Entendió bastante bien —para lo celoso que después descubrí que era— y me dijo que se sentía muy orgulloso de haber sido el elegido.

Por dentro me sentía extraña, como si los hubiera defraudado a los dos. A Javier, por no esperarlo, y a Luis, por usarlo como el clavo que saca otro clavo. Pensé que no volvería a ver a Javier, pero el señor destino nos juntaría años después. Parte del juego de la vida y del amor.

Luis y yo pasamos momentos muy padres. Veía cómo sufría todas las noches en la oficina, corriendo por acabar mis tareas de contabilidad, y él me ayudaba a terminar con mi otro trabajo, juntos para todo. Siempre fue un caballero y muy detallista; su defecto más grande estaba por conocerlo.

Entraba a la escuela al diez para las siete de la mañana y llegaba a mi casa a las diez de la noche de trabajar, por culpa del bendito tráfico de la ciudad de México.

Recuerdo haber llegado tan cansada, leer lo que tenía para algún examen o alguna exposición y quedarme dormida hasta con zapatos y ropa puestos. Mis papás me apoyaban: me llevaban de cenar algún sándwich o café a mi recámara en lo que hacía mis tareas. Mi hermanito era muy pequeño en ese tiempo, pero también me ayudaba a cualquier cosa que pudiera. Pero, la verdad, se me estaba haciendo superpesado. Parecía que apenas cerraba los ojos y ya sonaba el despertador. Estaba tan cansada que lo apagaba para dormir cinco minutos más, y soñaba que me paraba, me metía a bañar, me arreglaba y ya casi estaba lista… cuando, de repente, ¡riiiing!, volvía a sonar y yo seguía acostada.

Me paraba corriendo, me metía a bañar, no sé ni cómo me vestía tan rápido, con un zapato en una mano, y con la otra comiéndome alguna fruta o yogur que mi mamá me preparaba para desayunar. Andaba de un lado a otro. Con el pelo empapado parecía gato recién mojado. Así salía corriendo diario a las seis y cuarto de la mañana… Tenía que hacer todo un vía crucis para llegar a la universidad.

Tomar un camión que me llevara al metro; luego, en el metro, bajaba las escaleras, tomaba el vagón, cambiaba de línea, corría un tramo, subía las escaleras, tomaba un pesero. Al llegar a la universidad, tenía que correr para atravesar todo el patio del campus, pues mi facultad, para empeorar la situación, era la del fondo.

Veías a todo el mundo corriendo, como si estuviéramos en una competencia. Las olimpiadas se quedaban cortas, ahí teníamos:

carrera de obstáculos, saltos, lanzamiento de amigo o amiga que te quisiera saludar y cargamento de mochila. ¡Era todo un *show*! Cuando íbamos llegando, la maestra de la primera clase, una solterona como de cincuenta años y cara de pocos amigos, se divertía viendo por el balcón cómo nos jugábamos la vida por llegar a tiempo. La veíamos. Nos veía. Y, cuando casi llegábamos, se metía al salón y por la ventana nos mostraba el reloj, junto con su sonrisa malévola.

Cerraba la puerta y eso significaba un retardo. Ya no podías entrar hasta la mitad de la clase, que duraba dos horas, y contaba como media falta. Todos cansados y recordándole a su mamá —en nuestra mente, claro—, entendíamos que era de esas personas que gozan haciendo daño.

Cuando *Cruella de Vil* nos dejaba afuera, nos fumábamos un cigarro como buenos atletas y esperábamos la hora para entrar a su agradable clase.

Salía a la una y media de la tarde de la universidad, y de ahí me iba corriendo a Clío.

Así estuve todo un semestre, hasta que Luis me preguntó si realmente me gustaba la carrera que había elegido. Me quedé pensando un momento. Sabía que era una carrera que prometía un buen futuro, pero ¿de verdad me gustaba? Estuve pensándolo alrededor de una semana. Luis me platicaba de su carrera de comunicación, que era padrísima: TV, radio, cine, sociología, etc. Todo lo que llevaban se me hacía muy interesante. Era lo que a mí me gustaba y me llamaba la atención.

Me armé de valor y les dije a mis papás que esperaba que no se enojaran y me aventaran un zapatazo o algo, pero que había decidido que no quería estudiar más esa carrera, que me quería cambiar a comunicación. Cabe mencionar que mi tía estudió esa carrera y todos le decían que no tenía futuro.

Al contrario de mis pronósticos de que se abalanzarían para ahorcarme, mis papás lo tomaron bien. Mi mamá me dijo: "Lo bueno, es que te hayas dado cuenta ahora que vas empezando y no a la mitad de la carrera. Es tu vida y tú eres la que elige".

En La Salle, en ese tiempo, no había carrera de Comunicación. Empecé a investigar en dónde podría estudiar. A Luis parecía que le hubieran pagado alguna comisión para convencerme de que la ULA (Universidad Latinoamericana) era la mejor en comunicación. Creo que lo hacía para que estuviéramos más cerca y, obviamente, a mí no me molestó la idea.

Me inscribí por fin en la carrera y me gustaba realmente: Comunicación y Relaciones Públicas. Ahí me enseñaron a ser menos tímida, que uno vende su presencia, la psicología del lenguaje no verbal, que la primera impresión jamás se olvida y todas esas cosas. Ya quería hacer cosas de televisión y todo lo prometido por Luis, pero eso no llegaría sino hasta casi un año después.

Una mala noticia. Un día llegué a Clío, y mi jefa me mandó llamar para decirme que iban a tener una auditoría y no podían comprobar mi sueldo, que no había nómina para medio turno y tendrían que quitar mi puesto.

Yo sentí feo, me dieron ganas de llorar, pues no es muy grato ser despedido de ningún trabajo, pero me dijo: "Te voy a recomendar con un muy buen amigo que es productor en Televisa, ¿te gustaría?" Me quedé pensando si no habría entrado alguien por atrás y se lo estuviera diciendo a esa otra persona y no a mí. Luego caí en la cuenta de que sólo éramos dos en la oficina: mi jefa y yo. Sí, mi estrella volvía a brillar: me despiden y en menos de cinco minutos me ofrecen una mejor oportunidad.

Cuando pude hablar, le di la mano y le dije que me encantaría, que no se hubiera molestado. En ese momento, hizo una llamada enfrente de mí, habló un par de cosas y colgó. "Toma, éste es el nombre de la persona con la que tienes una entrevista de trabajo el lunes por la mañana. Claro, si está bien para ti."

Puse en práctica lo poco que llevaba aprendido en la universidad. Me levanté, le di un buen apretón de manos y le dije que le agradecía su confianza, y que esperaba no fallarle. Al salir, todos me veían con cara de "pobrecita, ya la despidieron", pero no sabían que iba a estar mejor que algunos de ellos en unos días.

Me presenté el lunes siguiente a la entrevista. Llegué a Televisa Chapultepec; por cierto, Luis me asesoró sobre cómo llegar, pues nunca había ido por esos rumbos y él iba seguido. No podía creer que estuviera a punto de entrar a la famosa fábrica de fantasías e historias, telenovelas, y todo lo que dicen de Televisa.

Me quedé afuera del colosal edificio, viendo su gigantesco logotipo y las fotos de varios artistas colgadas al costado de una pared. Pasaron unos minutos en los que pensé: "¿Qué tal que no me dan el trabajo?" "¿Y si me pongo muy nerviosa y la riego?" Mil ideas absurdas rondaban por mi cabeza. Por fin entré y una recepcionista que parecía modelo —un poco pasadita de años, con un peinado tan restirado que a mí me dolió la cabeza de sólo verla, pelo rubio, casi platinado y ojos inquisidores— y usaba una diadema con micrófono me volteó a ver y me dijo: "Espere allí, ahora la atiendo".

Traté de no verme muy impresionada, era parte de mi táctica. Como diría mi maestra de Relaciones Públicas: "Nunca te sorprendas por el lujo, el detalle ni la amabilidad".

Después de diez minutos, aproximadamente, cuando dejó de apretar botones y de decir: "Un momento, lo comunico" como cincuenta veces, volteó a verme y me hizo una señal con los dedos de que me acercara. Saqué de mi bolso la tarjeta, la leyó y me dijo: "Pasa, es la tercera puerta del siguiente pasillo, subes al primer piso, segunda puerta a la izquierda". Y me pegó una calcomanía en el pecho. Para ese momento ya había olvidado las instrucciones. Solamente sonreí y le di las gracias. Obviamente, no volví a preguntar por las instrucciones, ya vería cómo llegar.

Mi etiqueta decía "Visitante", pero yo casi me sentía artista, era un sueño estar dentro de Televisa. Cuando por fin pude llegar, después de preguntar a varias personas, toqué la puerta y me pasaron.

Había unos sofás cómodos, una mesa con sillas de rueditas y un gran pizarrón blanco de plumones. En una parte de la oficina había estands con muchos casetes, una reproductora, una televisión y varios teléfonos y archivos. Me senté donde me habían indicado, en lo que me llamaban. De atrás de un cubículo salió un muchacho dándole las gracias a una mujer. Me imaginé que también iba por el trabajo. Me saludó esa mujer, como de unos treinta años, y me dijo:

—Siéntate, vienes por lo de la entrevista, ¿no?

—Sí.

Me senté. Sentía las piernas frías de los nervios. Aquella muchacha no era muy sonriente. Por cierto, resultó ser la productora general. Me hizo varias preguntas, y la última fue:

—¿Sabes de verdad por qué quieres trabajar aquí?

Lo pensé dos segundos y contesté:

—Porque tengo muchas ganas de aprender a hacer televisión.

Ella sonrió, y me dijo:

—Niña, empiezas mañana. Necesito que tengas celular; ya entenderás lo que vas a hacer en esta oficina, hasta luego.

Me acompañó a la salida y cerró la puerta.

No eran muy atentos, todos corrían de un lado a otro. Empecé a reírme. ¡Lo había logrado! ¡Tenía un trabajo en Televisa! Todas mis amigas me iban a matar cuando lo supieran.

Me aguanté hasta llegar a la universidad para decirle a Luis, pues él quería que le hablara saliendo de ahí. Según yo, fue para darle suspenso a la noticia. Cuando le dije, me abrazó y me cargó. Dimos vueltas hasta que los dos nos mareamos. Presumía con todos sus amigos, y yo con todas mis amigas. Era un día para celebrar. La vida y Dios me regalaban cosas buenas.

Cuando llegué a casa, traté de hacer mi cara de decepcionada. Mi mamá se me quedó viendo y me dijo:

—No te preocupes, hija, vas empezando. Ya habrá muchas más oportunidades.

Mi hermano se paró y me dio un codazo en las costillas; típica forma de demostrarme su cariño.

—No te preocupes —dijo—. Te queremos mucho.

En eso les dije:

—¡Pues aquí tienen a la nueva chica Televisa!

Se quedaron sin entender. Me empecé a reír y les dije:

—¡Mamá, me dieron el trabajo! Apenas estoy empezando la universidad y ya trabajo en una empresa importante.

Celebramos con leche y galletas, era todo lo que había. Me apuré a conseguir un celular. De los primeros Nokia que parecían ladrillos. Mi mamá me lo compró; le dije que con mi primer cheque se lo pagaría. Le compré aparte la batería que vibraba. ¡Era enorme! Ahora que lo recuerdo, era un arma letal: podías matar a alguien aventándoselo a la cabeza.

Así se inició esa etapa tan maravillosa de mi vida. Ya era un adulto, ya trabajaba, tenía salud, a mi familia, iba a la universidad. Mi estrella brillaba.

También empezaron los compromisos —cocteles del trabajo—. Me relacioné con mucha gente importante del medio. A Luis no le gustaba; a él y a sus amigos les gustaba más la trova, o juntarse en alguna casa a tomar una copa y hablar de la globalización del mundo y de los grupos alternativos de música. En cambio yo siempre estaba con toda la pila puesta, quería salir a mover las caderas al ritmo de *Living, la vida loca*, de Ricky Martin, y así era. A Luis le desagradaba mi ambiente y a mí no tanto el de él.

En mi trabajo todo era correr y correr: hacer memorando, concertar citas, andar en medio de los sets de televisión, etc. Conocí a muchísima gente. En la universidad me tenía que sentar en la silla que estaba junto a la puerta, pues mi celular vibraba cada veinte minutos: Mi jefa me preguntaba algo de la oficina, algún papel, alguna cita, etc. La verdad, me encantaba el "frenesí" del trabajo. Era excitante para mí estar en medio de todo ese ambiente: cámaras, estudios de producción, escenografía, maquillaje, ver pasar artistas.

Gracias a mi trabajo conocí en persona a grandes personalidades de la política y del medio cultural, como Vicente Fox, Carlos Salinas de Gortari, Labastida Ochoa, Beatriz Paredes, Santiago Creel, Carlos Monsiváis y Elena Poniatowska, entre otros muchos.

Era genial, aunque tuviera que trabajar los fines de semana, ya que como sólo iba medio tiempo por la universidad... pero a veces sí me sentía explotada. Era la que siempre, si había algo que hacer los fines de semana, tenía que ir. A veces mi jefa me daba muchas responsabilidades, pero eso me hacía sentir que confiaba en mi capacidad. Iba a la universidad en la tarde de cuatro a diez de la noche; y trabajaba en la mañana de nueve a cuatro de la tarde. Siempre comiendo y malpasándome. Mi comida era, por lo regular, una sopa Maruchan, que me iba comiendo en el carro. Pero valía la pena, porque me encantaba mi trabajo. Mis papás hacía tiempo me habían comprado un coche; que yo trataba de pagar poco a poco.

Me sentía realizada, como si la vida me sonriera. En el plano personal, Luis y yo nos queríamos muchísimo, pero él se encelaba de mi trabajo y la gente con la que trabajaba; decía que seguro alguien me tiraba los perros, como se dice. Eso, la verdad empezó a cansarme. Llevábamos más de un año de relación, sé que él me quería muchísimo, al igual que yo, pero ya no compartíamos los mismos gustos y eso empezó a ser un problema entre nosotros.

Tengo que ser sincera: tuve mucha culpa. Al ver que él no quería ir conmigo y mis amigos a los antros de moda, le inventaba un pretexto y me iba a las fiestas. Siempre quería que estuviera con él. Empezó a ser muy absorbente.

En varias ocasiones le dije que iba a hacer un trabajo de la escuela, y sí, pero de ahí nos íbamos al antro. Me espiaba, en ocasiones, en la madrugada, cuando llegaba de las fiestas, él salía de no sé dónde; una vez se peleó con un amigo. Por ese tipo de cosas terminábamos, pero luego regresábamos. Él ya quería que todo fuera más serio y yo empezaba a vivir, tenía muchos proyectos en mente.

Cuánta razón tenía mi mamá cuando decía: "Tómate tu tiempo". Como no le hice caso, ahora era muy difícil, pues yo quería salir como soltera, pero tenía un novio que cada día se volvía más obsesivo y celoso.

Recuerdo que una vez Luis me invitó a Xochimilco a las trajineras con sus amigos de clase, iban a celebrar no sé qué. Estábamos platicando, echando relajo, cuando de repente se juntó otra trajinera con unos mariachis. Todos se callaron y el mariachi empezó a cantar la de *Novia mía*. En eso vi que entre los amigos de Luis algo se empezaron a pasar de mano en mano, hasta que le dieron algo a él. Se hincó y sacó una cajita con un anillo y me preguntó si me quería casar con él. Fue un momento mágico. No sabía si reír o llorar, nos abrazamos muy fuerte. Me dijo lo mucho que me quería y que quería compartir su vida conmigo; yo le dije que sí. Aunque muy dentro sabía que no era lo que realmente quería en ese momento: casarme.

Meses después, en una pelea, discutimos y yo aventé el anillo. Estábamos abajo de mi casa, ya habíamos peleado dos o tres veces así y siempre pasaba lo mismo. Pero esta vez, él, enojado, lo aventó más lejos. Después de un rato nos contentamos y fuimos a buscar el anillo; nunca lo encontramos. Sus amigos después me dijeron que había ahorrado varios meses para comprarlo, sentí horrible.

Luis ya quería algo formal. Me llevó a conocer a su familia a Xalapa. Su papá, maestro de la universidad, y su mamá, excampeona de tenis. Nunca le caí bien a su mamá, yo creo que sentía que le iba a quitar a su niño.

Yo seguía en mi mundo: carrera, trabajo, novio, amigos, fiestas. Ahora me arrepiento de no haberle dado a mi familia el tiempo que se merecía. Creí lo que muchos creen: que siempre estarían ahí. Ahora se me desgarra el corazón al ver pasar días y días sin verlos, y casi sin poder hablar con ellos.

Luis cada día era más celoso, hacía de la relación un tormento, pues aunque lo quería muchísimo se encelaba. No quería que saludara a hombres, aunque fueran de mi clase. Quería que todo el tiempo estuviera con él, en los descansos en la universidad y con sus amigos. Para no entrar en discusiones aceptaba, pero en la primera oportunidad, por algún trabajo extraclase que hubiera, me iba de "antro" con mis amigas.

La última vez que se dio cuenta fue el final. Me dijo que era mejor que ya no siguiéramos, que ya lo había lastimado mucho y que yo quería algo distinto a lo que él quería. Pasaron muchas cosas después. Quiso regresar, pero me di cuenta de que ya andaba con alguien. Un día llegué a su casa –tenía llaves– y, cuando traté de abrir, el cerrojo estaba puesto por dentro. Le dije que quería platicar con él, pero no me dejó entrar. ¡Sentí tan feo! Como si me hubieran dado un golpe en el pecho. Me dijo que estaba una amiga con él. Me quedé en *shock* ahí parada, me pidió que le diera cinco minutos y que bajaba al coche para que habláramos. Me fui inmediatamente, llorando, pues sentí muy feo: yo nunca le fui infiel. Fue así como terminamos. De hecho fue más triste, pero tendría que usar muchas hojas y ése no es el caso. Sólo puedo decir que fue muy doloroso para mí, que lloré y lloré con mis amigas. Cada vez que salíamos, brindaba por los malos amores. Sufrí bastante porque lo quise mucho, pero todavía estaba inmadura para una relación seria. Un día me buscó y me propuso que si yo no salía con nadie en un tiempo, a lo mejor regresábamos, que él me vigilaría. Por supuesto, lo mandé al carajo. Aunque quisiera, tenía dignidad y él me había engañado.

Recuerdo que en ese año salió el disco *Antología*, de Shakira, era mi himno para recordarlo. Solita, como quien dice, me hacía el haraquiri. Siempre lo oía en el carro, en la casa y en todas partes que pudiera. Porque, como buena mexicana, gozaba inconscientemente con el dolor: "¡Échele limón a la herida!"

Pensé que volveríamos, como siempre que tronábamos, pero esta vez no fue así: el jarrón ya estaba roto en muchos pedazos, aunque lo pegáramos ya había muchas heridas. Pasaban los meses, y el dolor que sentía al verlo en la universidad era muy grande. Se empezó a convertir en una sombra en mi vida; tantos planes rotos, tantos recuerdos. Llegué a idealizarlo con el tiempo, y sólo años después, al encontrarnos de nuevo, pude bajarlo de ese pedestal tan alto donde lo había puesto.

Todos se dieron cuenta, pues éramos de las parejas más conocidas en la universidad y entre amigos. Me tocó ver cómo salía con una chava de su clase; nunca vi algo concreto, pero era como un secreto a voces. Me lastimaba. Aunque yo salía con chavos, nadie podía, en esos momentos, ni siquiera acercársele. Dicen que cuando más buscas menos encuentras, y así me pasó.

Luis y yo habíamos hecho un trato cuando estábamos juntos: uno de nuestros planes, un sueño entre los dos, era ir a Europa juntos. Él abrió una cuenta en la que íbamos poniendo un poco de dinero según nuestras posibilidades. Recuerdo que me puso como beneficiaria y eso lo supo su mamá, creo que por eso tampoco me quería. Luis siempre quiso que tuviéramos un bebé. ¡Tantos planes, tantas cosas de las que no era su momento! Así lo pensaba en ese tiempo. La vida y las circunstancias se encargarían de que no se llevara a cabo. El destino tenía otros planes para los dos.

Fue realmente doloroso todo ese tiempo, pues tenía que verlo a diario en la universidad, sin poder abrazarlo como antes, o tan siquiera hablarle. Trataba de evitarlo, pero parecía que teníamos que encontrarnos en todos lados y evadirnos el uno al otro. Era incómodo, horrible.

Pasó el tiempo y, por fin, él terminó la universidad. A mí todavía me faltaban dos semestres. Por una parte, me daba gusto, pues ya no iba a dolerme cada vez que lo viera; pero, por otra parte, mi corazón todavía sentía un gran amor hacia él, y con sólo verlo me sentía muy tranquila.

Cuando entré al penúltimo semestre y ya no lo veía, empecé a sentir que mi vida se estaba vaciando, que no tenía a la persona que tanto amé a mi lado, y quería escapar, irme. Todo me lo recordaba, me sentía a veces como si estuviera ida, sumergida siempre en mis pensamientos.

En el trabajo y la universidad, todos preguntaban por él, aunque ya sabían de la separación. No sé porqué la gente hace eso, si saben que lastima. Los buenos amigos sólo me decían que le echara ganas y trataban de distraerme.

En ocasiones salía, pero sentía que no estaba completa, algo tenía que hacer. No iba a dejar que todo esto me hundiera y le quitara el sentido a mi vida. Con mi familia me reservaba mucho, además de que, por el trabajo y la escuela, casi no platicábamos. Recordaba todos los momentos con él. Como una vez que me dio serenata, él solo en medio del patio de la universidad tocando el violín. Era mi cumpleaños, me llevó flores y no le importó el ridículo de que estuviera todo el campus viéndolo. Ese tipo de recuerdos no se iban de mi mente, tampoco lo que anhelábamos: ese viaje a Europa que tanto queríamos.

¡Eso era! Decidí realizar ese sueño, ese escape, aunque fuera sin él. Dicen que en la vida no hay casualidades, que cuando conectas tus deseos con el universo, la ley de atracción, así como el cielo, trabaja a tu favor. El señor destino empezaría a poner sus cartas para que pudiera realizar mi sueño, mi leyenda personal. Aunque tenía el fin en la mente y trabajaría por él, todavía no sabía cómo lo iba a lograr.

En Televisa no me pagaban el gran sueldo; apenas me alcanzaba para cubrir mis gastos, la manutención del coche, le daba un poco a mi mamá. Me costaba trabajo ahorrar, pues no me sobraba mucho, así tardaría años. Pensaba en cómo podría hacer para ganar más dinero.

Por ese tiempo, un día fui a una tienda Telcel, de esas grandes como las matrices. Fui a dar de baja un número, pues había perdido mi celular y quería ponérselo al nuevo equipo que había comprado.

El señor que me atendió se me quedaba viendo muy insistentemente, tanto que me empezó a incomodar. Hizo todo el trámite, y me veía de arriba a abajo. Cuando terminó me preguntó:

—¿Disculpa, alguna vez has trabajado de edecán o de modelo?

Pensé que era el peor discurso para ligarse a alguien, pues eso creí que trataba de hacer.

Un poco molesta, le contesté que no, que por favor sólo me diera mi teléfono. El señor sonrió y me pidió que lo disculpara por no presentarse. Sacó una tarjeta con su nombre y el de una mujer, con un logotipo y el nombre de una agencia de modelaje: mi esposa y yo somos los dueños de esta agencia y nos dedicamos a hacer *castings*; trabajamos con diferentes compañías, como Telcel, Bancomer, Corona, entre otras.

Me quedé pensando si era en serio, o algún loco disfrazado de los que abundan en el D.F., pero se veía gente bien. Le dije que nunca había hecho nada de eso. Me preguntó si tenía fotos mías donde saliera sola. Le contesté que no creía, pero que de todos modos iba a ver. Total, me dijo que el próximo fin de semana iba a haber un *casting* para Telcel, que me presentara, y si tenía alguna foto la llevara. Me quedé pensando en muchas cosas. Eso de las edecanes, luego puede ser otra cosa, como prostitución o algo raro; la verdad, desconfié un poco. Pregunté si podía ir acompañada. "Claro que sí", me dijo. Eso me dio más tranquilidad. Me anotó la dirección y salí de allí un poco desconcertada, pero dispuesta a averiguar por qué pasan las cosas. Sé que no hay casualidades, siempre lo he tenido presente.

Cuando le comenté a mi mamá, estuvo en total desacuerdo. Dijo que ese tipo de trabajos era para las personas que no tenían otro medio de subsistir o simplemente no querían trabajar de otra cosa, pues no habían estudiado alguna carrera. Le comenté que nada más iba a ver de que se trataba; me preguntó si quería que me acompañara. Me recalcó que tuviera mucho cuidado y que lo pensara muy bien antes de tomar cualquier decisión.

Fui a la cita con mi mejor amiga. Me arreglé. Tal vez no soy muy bonita, pero me sé arreglar muy bien. Cuando llegamos, había muchísimas chavas, era como una gran casa acondicionada como oficina. Me quedé con mi amiga en la puerta, viéndolas a todas, había unas muy bonitas, otras normales, y no creía que tuviera oportunidad. De repente salió el señor que me había dado la tarjeta y me dijo: "Pasa, por favor". Me presentó a su esposa y tomaron mis datos. Estaba entre nerviosa e incómoda, pues no era muy normal ese ambiente para mí, me sentía insegura. Todas me veían de arriba abajo como se dice, te barrían bien y bonito.

Me dijeron que en unos veinte minutos pasaría a una entrevista con los representantes de la empresa para la que era el trabajo. Nos salimos a la calle mi amiga y yo. Estábamos fumando y le dije que mejor nos fuéramos, que era una pérdida de tiempo. Mi amiga me dio ánimo, que ya estábamos ahí, que al menos lo intentara.

Total, me convenció. Esperamos casi una hora. Entré y había tres personas de traje, dos hombres y una mujer. Me preguntaron mis generales, también si tenía un *book* (un álbum con fotos de rostro y cuerpo completo con diferentes cambios de ropa). Les dije que no, que era la primera vez que iba a un *casting*. Me preguntaron qué hacía y les platiqué. Me hicieron pararme y dar dos vueltas en la oficina para verme. Me dijeron que cualquier noticia, se pondrían en contacto con la agencia.

Salí un poco decepcionada, pues según yo, sus caras no habían sido muy buenas.

A los tres días me hablaron de la agencia para decirme que había sido una de las seleccionadas, que me presentara tal día, en tal lugar. Tenía que llevar un traje sastre negro, sin medias, tacón del 10, zapatilla cerrada, una pantiblusa blanca y muy bien arreglada.

¡No lo podía creer! "Está bien", le dije. Colgamos. Ni siquiera había preguntado cuánto me iban a pagar. Fui al evento —duró casi ocho horas—, y me dijeron que en la semana pasara con un recibo de honorarios a las oficinas para cobrar mi cheque.

Cuando fui y vi la cantidad, no podía creer que fuera tan bien pagado. Lo primero que hice fue abrir una cuenta de ahorros de ésas donde no puedes sacar el dinero hasta que pase un tiempo que tú mismo pones. Metí casi todo lo del cheque. Así empecé a ahorrar para lograr mi sueño: irme lejos.

Me llamaban cada vez más seguido para *castings*, y cada vez había más trabajo. Trataba de escoger los que fueran en fin de semana o, ya de plano, si eran muy buenos, que fueran a la hora de la escuela.

Tenía muchísimas cosas que hacer siempre. Entre el trabajo, la universidad, el gimnasio, los trabajos de edecán y mis amigos y fiestas.

Empecé a cometer errores en mi trabajo, pues ya era mucha la carga y la presión que tenía. Un día mi jefa me advirtió que si seguía así, me dejaría ir. Antes que eso pasara, le di las gracias y así dejé de trabajar en Televisa.

Ya tenía en mente trabajar más en eventos como edecán, pues me dejaban más dinero y ya me alcanzaba para cubrir mi viaje. Faltaba menos de un año para terminar la universidad, y tenía planeado irme en cuanto terminara.

Me encerraba en mí misma, en mi mundo, en lo que deseaba hacer, quería escapar de muchas cosas. Creo es el destino, es Dios, y que la vida nos pone en nuestro camino a gente que tiene que aparecer ahí, enfrente de nosotros. La ley de la atracción. Yo descubriría eso más tarde y confirmaría estas creencias. De hecho, ahora lo entiendo más que en aquellos tiempos.

2. Se cierran puertas, se abren otras

Una mirada al mundo

Un día, unos amigos me invitaron a una fiesta donde conocí a Sean, un personaje principal y muy importante en mi vida. Era un muchacho inglés que se encontraba viajando por América. Mi amigo Juan Pablo me lo presentó. De hecho, ese día estaba un poco mal de la garganta y no quería ir a esa fiesta. Mi amigo me insistió mucho, pues dijo que acababa de llegar un amigo de Miami y me lo quería presentar. Me convenció de ir. Así nos conocimos Sean y yo. Él tenía en ese tiempo veinticuatro años y yo veinte. Empezamos a platicar y congeniamos; entre mi inglés americano y su inglés británico, a veces nos costaba trabajo entendernos, él trataba de hablar el poco español que sabía, pero resultaba peor.

Nos reíamos mucho. Me platicó que estaba viajando y acababa de llegar a México de Estados Unidos. Que empezó en Canadá y ya había recorrido gran parte de Estados Unidos, pero su visa de turista se había vencido y por eso salió de Miami y le pidió a Juan Pablo quedarse unos días con él, pues iba a regresar a Estados Unidos y luego recorrería México, Centroamérica y Sudamérica.

Se me hacía increíble que conociera tantos lugares. Me habló de él, que era ingeniero civil, que vivía en Londres y que su pasión era viajar. Trabajaba en proyectos en Londres unos meses y después se iba de viaje, y así había sido su vida los últimos dos años.

Yo estaba maravillada con su plática, sus aventuras y, al final de la fiesta, me propuse como su guía en el D.F., si quería. Muy emocionado me dijo que sí. Así empezaría otro capítulo de mi vida.

Mi estrella, cuando parecía perder su brillo, volvió a lucir con todo su esplendor.

Al otro día en la mañana, recibí una llamada muy temprano de mi amigo Juan Pablo. Me dijo que Sean le había comentado que yo le enseñaría la ciudad. Eran las ocho de la mañana. No podía creer que fuera tan temprano, tenía muchísimo sueño, pero ni modo, era cierto que había quedado en algo.

Rápido me metí a bañar, me arreglé y pasé por él al metro Zapata, que era el que me quedaba más cerca y donde lo había dejado Juan Pablo. Decidí que era una buena idea llevarlo en metro para que viera como era el transporte público en México.

Había pensado en varios lugares que recorreríamos. Lo primero que le dije fue que se quitara su reloj y lo guardara en un lugar seguro. Traía una mochila con una cámara y un lente de mira telescópica de buena marca y caros. Le sugerí que se pusiera la mochila hacia adelante y de igual forma su cartera, pues le expliqué que en el metro había mucha gente que se dedicada a robar, especialmente a los turistas, "y tú no te ves muy mexicano", le dije.

Platicamos en el transcurso de nuestro trayecto. Él también había pasado por una ruptura con su expareja hacía dos años, se iban a casar y bueno, me contó su historia. Fue así como se dedicó a viajar y encontró algo fascinante en sus viajes: se encontró a él mismo, paz interior y un desahogo de emociones. Lo escuchaba y me veía de alguna forma reflejada en él, en su mirada un tanto triste, que buscaba algo de la vida y que tal vez eso lo encontraba por momentos: el sentido de vivir.

Yo también le platiqué un poco de mí: a qué me dedicaba, que acababa de renunciar a un buen trabajo por seguir un sueño, que terminé una relación sentimental, y que todavía estaba un poco dolida por todo eso. Le dije que a veces sentía deseos de escaparme de todo, para encontrar esa paz interior, que no encontraba en nada ni en nadie: un sentido real a mi vida.

Le encantó el Castillo de Chapultepec, de hecho tenía años que no iba, creo desde que era niña, yo también parecía turista. Fuimos al Museo de Antropología y terminamos en el centro de Coyoacán tomándonos un café, escuchando a los diversos artistas callejeros, trovadores, llenos de sueños y amores también, todo se mezclaba en el ambiente, olores y sensaciones; sueños y decepciones. También se percibía el cariño que empezaba a nacer entre los dos.

Sean tenía que regresar a Estados Unidos en una semana, durante la cual nos vimos a diario, con el pretexto de seguir conociendo la ciudad. Pero era más por encontrarnos con esa persona que entendía el sentir interno de nuestras almas. La búsqueda que realizábamos iba al mismo punto.

Llegado el día, decidió no regresar a Estados Unidos. Me propuso irme con él y unos amigos suyos de Nueva Zelanda a conocer diferentes partes de México. Me quedé pensando que era muy rápido como para irme con él, pues no lo conocía muy bien que digamos, pero en realidad lo conocía más de la cuenta. Empezaban mis vacaciones antes de entrar al último semestre de la universidad. Le dije que lo pensaría, me pidió que lo acompañara, que le encantaría hacer ese viaje conmigo.

Después de pensarlo un par de días y hablar con mi amigo Juan Pablo, a quien le pregunté si era una persona buena, si lo conocía desde hacía tiempo y todo eso.

Me dijo que era un chavo "bien", de casa, sin vicios, que su familia tenía una buena posición, y que era lo que yo necesitaba para salir de esa burbuja en la que estaba viviendo; que me fuera con él, que viviera, que de eso se trataba la vida. "Toma las oportunidades que te da, no las desaproveches", fue su consejo.

Me quedé pensando unos momentos; le pedí a Dios que me ayudara, que necesitaba una señal. En esos días escuché en el radio una reflexión acerca de una teoría, que decía que las líneas que existían en el espacio de la vida de una persona van cambiando, así como uno va moviéndose en ese plano. Que cuando pasa alguna línea correcta cerca de nosotros es una oportunidad de la vida, tú sabes si la tomas o la dejas pasar, pero solamente pasan una vez. Esas son las oportunidades que dejamos pasar por miedo a lo desconocido.

Sentí como si me estuvieran hablando a mí en ese momento. No tenía nada que perder y mucho que ganar. Él era una buena persona, eso ya lo había visto y me constaba. Decidí hacer el viaje con él.

Le comenté a mi mamá que me iba de vacaciones con unos amigos, y me hizo muchas preguntas; solamente le dije que iba a estar bien, que no se preocupara, que me iba a estar comunicando con ella. Mi madre, pobre, se quedó un poco angustiada, me pidió que le hablara diario, si podía, y me dio su bendición.

Me puse a hacer mis maletas; no sabía que cuando uno se va de "mochilazo" casi no debe de llevar cosas. Cuando Sean llegó, se lo presenté a mi mamá. Le dejó la dirección y teléfono de su familia en Londres y mi mamá se quedó un poco más tranquila.

Sean se rio cuando vio mis maletas, pues yo llevaba hasta la secadora de pelo, cremas para la cara, el cuerpo, perfume, zapatillas (por si íbamos a bailar), huarachitos, dos pares de tenis, varios pantalones, falditas, shorts, pijama, etc. Cuando Sean abrió mi maleta me dijo: "¡Por Dios! ¿A poco vas a cargar con todo eso? ¿Qué tal si tuviéramos que caminar por una hora?" Me quedé espantada: "¿Pues a dónde vamos?", le pregunté.

Se sonrió y me dijo que cuando viajas de *backpack*, nunca sabes cuánto vas a caminar o en dónde te vas a quedar, todo es una aventura. En lo que me platicaba todo eso, sacaba de las maletas varias cosas. Al final sólo dejó un par de *jeans*, un pants, un *short*, tres playeras, unos tenis y unas chanclas.

Estaba sorprendida con lo poco que iba a llevar: ¿y mi maquillaje, mi perfume, mi secadora? "Nada de eso —dijo Sean—, a la naturaleza le gusta lo natural y a mí también."

Así emprendimos el viaje. Sean tenía de esos libros de viajeros que te explican los lugares de mayor interés, rutas ecológicas, tipos de transportación y hoteles de diferentes precios, así como lugares para comer: todo lo que necesitas saber del lugar al que vas a viajar. Era como una biblia de viaje, decía él, ya que tenía lo "básico". De hecho, era muy bueno.

Primero fuimos a Oaxaca; llegamos al centro, lo recorrimos, comimos en el mercado. Nos instalamos en un hostal. Sean se enamoró del queso oaxaqueño, a diario se comía, él solo, casi un kilo. Probamos de todo lo regional: tlayudas, chocolate, dulces típicos. De allí nos fuimos a las cascadas petrificadas de Hierve el Agua, adonde llegamos de noche. Me acuerdo que tuvimos que tomar un camión, después esperar una camioneta que nos diera "raite" o aventón, como se diga, y luego todavía tuvimos que caminar en la noche, como unos cuarenta minutos, para llegar a unas cabañas. Todo era oscuro y yo ya me sentía cansadísima. El cielo negro estaba tapizado de estrellas, miles de ellas, se veía increíble. Sean me dijo que dejara las cosas y me acostara en el pasto con tierra. Al principio no quería, pues qué tal si había animales o estaba sucio. Sean me dijo que eso era parte de viajar, sentirse libre, sentir la naturaleza, cómo te conectas con ella. Lo hice, fue una experiencia increíble, que de sólo recordarla siento tan bonito que hasta ganas de llorar me dan, por la nostalgia de aquellos momentos tan bellos que la vida me regalaba: sentirme tan libre. Es una libertad que siente tu alma y espíritu yendo fuera de ti. Como si Dios te hablara en silencio.

Después de estar allí unos momentos, sanando mi alma y escuchando los grillos, viendo las estrellas tan cerca como si pudiera tocarlas, nos dirigimos a las cabañas; íbamos siguiendo la luz de una casita, que se veía al final. Cuando llegamos, un señor nos dio la llave de la que sería nuestra cabaña, que habíamos reservado desde la ciudad de Oaxaca, en la oficina de ecoturismo. La cabaña era toda de madera, muy sencilla, pero muy bonita, parecía que era nueva. Nos acomodamos y salimos a cocinar un poco de pasta con atún, afuera, en el bosque, no muy lejos de la cabaña. Una pareja de franceses se nos acercó. Platicamos un poco en su pobre inglés y ellos abrieron una botella de vino y los invitamos a comer de nuestra suculenta comida de mochileros. Estuvimos platicando un buen rato. Las estrellas, la fogata y una copa de vino en medio de un bosque que olía a tierra mestiza.

A la mañana siguiente, al despertar fui yo la que abrió las ventanas, que eran bastante grandes y también de madera. Cual no sería mi sorpresa, que hasta grité. Sean espantado se paró y me dijo: "¿Qué pasa?" Yo señalaba con el brazo la ventana. La cabaña estaba ubicada a escasos seis metros de un acantilado y se veía el vacío. Era una vista excepcional que no borraré nunca de mi memoria. En ese momento sentí hasta vértigo, pero era algo hermoso realmente: se veían las piedras, los montes, el acantilado.

Salimos, tomamos fotos, fuimos a las cascadas petrificadas, caminando por una senda como dos horas, aproximadamente. En el trayecto había albercas como de fósiles de agua mineral que brotaba de las piedras. Preciosa la vista, todo era genial. Siento pena porque la mayoría de la gente que va allí es extranjera y nosotros, mexicanos, nos perdemos de todos esos regalos de la naturaleza.

Seguimos nuestro viaje. Fuimos a muchísimos lugares, entre ellos, Monte Albán y Zicatela, esta última es una playa surfista, donde, por cierto, también nos quedamos en unas cabañas en la playa, hermosas y muy baratas. Todo ese pueblito era barato, pues es para surfistas, chavos de todas partes del mundo que van a practicar este deporte, y se quedan toda la temporada, pues es muy barato. Los desayunos y comidas muy naturales: un plato de fruta con miel y granola, enorme; un vaso grande con leche y chocolate o avena o café, tú escogías; huevos al gusto; tortillas hechas a mano, o hot cakes. Todo esto por quince pesos.

Era baratísimo. Ahí nos quedamos casi una semana. Estaba aprendiendo a surfear en una tabla de las chicas, que son para principiantes. Es muy cansado, tienes que tener muy buena condición física, al menos lo intenté. Sean sí sabía. Nos la pasábamos toda la tarde en el mar, terminábamos cansadísimos, pero nos la pasábamos bastante bien. Después de bañarnos, nos cambiábamos y nos íbamos al centro del pueblito. Había billares y bares al aire libre, la cerveza superbarata, era un ambiente muy padre. Había muchos *hippies* vendiendo sus colguijes para seguir viajando, cada quien hacía lo que podía y a su manera.

Fuimos a una playa virgen que nos recomendaron, no me puedo acordar de su nombre, pero era preciosa. Tuvimos que caminar un buen rato y bajar por unas piedras, era como una pequeña bahía rodeada de piedras con flores, como un pequeño paraíso. Así viajamos por muchos lugares de México: Chiapas y la península de Yucatán.

Él era muy discreto y, hasta que íbamos de regreso, después de dos meses de viajar, me preguntó qué pasaría con nosotros, si nos volveríamos a ver. Le dije que tenía que regresar a la universidad, sólo me faltaba un semestre, y después me iría a Europa, lo que ya le había platicado, que estaba ahorrando. Él me dijo que sus planes eran seguir viajando por Centroamérica y Sudamérica y después regresaría a Londres y, si yo quería, él podía ser mi guía de turistas en Europa. Me le quedé viendo y me ganó la risa. Le pregunté si estaba hablando en serio. Me contestó que sí, que quería que fuéramos novios, si yo aceptaba, claro, y siguiéramos en contacto hasta que me fuera para allá. Que cuando comprara mi boleto, lo hiciera con destino a Londres y él me esperaría con mucho gusto.

Cuando pasó todo esto, estábamos en Chiapas, él seguiría a Cuba, luego Guatemala y, por último a Brasil. Yo regresaba al D.F., pues mis vacaciones se habían terminado y entraba de vuelta a la universidad. Me puse en contacto con las agencias para trabajar lo más que pudiera. Ya tenía mi sueño más cercano y se hacía más real.

Emocionada, le platiqué a mi mamá todo lo que conocí, le enseñé fotos. Estaba cambiada por dentro, tenía ánimo de seguir, tenía un por qué seguir. Había encontrado una persona cuya alma se conectó con la mía, y me había pedido un compromiso: esperar hasta volvernos a ver en su país.

Entré a la universidad y volví al trabajo y fue pasando el tiempo. Sean y yo diario nos escribíamos por correo electrónico y en las noches eran nuestras citas por el *messenger*. Una o dos veces a la semana hablábamos por teléfono. Aunque de lejos, este amor empezó a ser sólido, y cada día más quería estar con él. A veces se me hacía que faltaba mucho tiempo, y, a veces, que era poco tiempo el que tenía para ahorrar lo que me faltaba; apenas y lograba juntar para el boleto de avión. Ya había ido a ver algunas agencias de viaje. Hasta me dieron el *tip* de ir a Mundo Joven, donde dan descuentos a estudiantes, mientras compruebes que eres estudiante o menor de veintiséis años. Saqué una tarjeta que me costó doscientos cincuenta pesos, y que me ayudaría a obtener muchos descuentos en Europa. Investigué el precio de los vuelos y no eran muy baratos que digamos.

Un día, con unas amigas fui a un antro que se llama el Bulldog. Estábamos bailando cuando me tocaron en la espalda. Al voltear, vi que era alguien que se me hacía conocido, pero no lo reconocí de inmediato. Se acercó y me abrazó, me preguntó si no me acordaba de él. Era Erick, el mejor amigo de mi exnovio Javier. Me sorprendí y, cuando caí en cuenta, le pregunté cómo estaba y cómo le había ido. En eso me dijo: "Ven, acompáñame", y me agarró de la mano. Yo no sabía ni qué, mis amigas me voltearon a ver y les dije que ya regresaba con una seña. ¡Oh, sorpresa!, me llevó a su mesa y ahí estaba Javier. Nos quedamos viendo de arriba a abajo. Habían pasado más de cuatro años desde la última vez que nos vimos afuera del edificio donde yo trabajaba, y donde terminamos nuestra relación.

Se paró, me saludó y me abrazó. Me dijo que le daba mucho gusto verme, que me veía muy bien. Le dije lo mismo, aunque por dentro pensé que había subido unos kilitos. Estuvimos hablando un buen rato, le platiqué que ya iba a terminar la carrera, que me quería ir a Europa y todo lo que me había pasado. Claro que no le platiqué más de la cuenta de mis amores, igual que hizo él. Me contó que estaba trabajando en Cadereyta, por Monterrey, en una planta de Procisa, y que le estaba yendo muy bien. Seguimos platicando y, de repente, me dijo que me invitaba a Monterrey en una semana, pues lo iban a subir de puesto y habría una fiesta de la compañía y le gustaría que lo acompañara. Por dentro pensaba como era el mundo de pequeño. Me insistió, me dijo que iría Erick, su novia, y varios amigos, que iba a ser algo especial para él. Que él me pagaba el boleto de avión, que de eso no me preocupara.

Me insistió tanto que le dije que estaba bien, que si no había rencillas y no me iba a hacer algo por allá, iría con gusto.

Nos empezamos a reír, me dijo que ya había pasado mucho tiempo y que el cariño que me tenía era del bueno, que no me preocupara. Intercambiamos números de teléfono y quedamos de llamarnos en la semana.

Regresé con mis amigas y les platiqué. Mi mejor amiga se reía y me preguntaba que si en verdad pensaba ir, que yo sabía que él quería algo más. Le contesté que iba a ser como la despedida que no tuvimos, aparte de que ya éramos más maduros, y quería conocer Monterrey.

Así pasó, me fui a Monterrey, estuve con él todo un fin de semana. No pasó nada, aunque él en algún momento lo insinuó; la verdad, yo pensaba en Sean. Le platiqué de mi sueño –y toda mi historia–, que me había salido de trabajar de Televisa y que ahora trabajaba de edecán para juntar más dinero y poder comprar mi boleto de avión.

Me ayudó a buscar por internet buenas promociones, y encontramos una muy buena, que era exactamente para un día después de la fiesta de graduación de la universidad. Era un vuelo por British Airways, directo de la ciudad de México a Londres, sin escalas, ida y vuelta, abierto por tres meses. Sin escalas son los más caros, pero estaba en oferta a muy buen precio y exactamente en la fecha. Era como si todo estuviera destinado a que pasara como lo había pensado. Pero esto lo podías comprar sólo con tarjeta de crédito y, en ese momento, yo no tenía. Javier me ofreció que si quería él lo compraba y ya luego le pasaba el dinero a su cuenta.

No podía creer que me estuviera ayudando tanto después de todo lo que había pasado. Lo compró en ese momento, después nos arreglamos y nos fuimos a cenar con sus amigos.

Erick, al llegar me jaló y me llevó a un lugar apartado de los demás y me dijo: "No seas tonta, no te vayas a Londres. Javier te quiere bien, para algo en serio, pero dice que tú ya no lo quieres. Te conviene, él te ama, siempre lo hizo, y ahora le está yendo muy bien, tendrían un buen futuro". Me quedé pensando en cada palabra que decía, pues todavía sentía algo por él, aunque no era amor. Toda la noche de la fiesta lo veía y me imaginaba cómo sería ya tener una vida con él.

Al otro día me tenía que regresar a México, y Javier me llevó al aeropuerto. Me dijo que no me fuera, que lo intentáramos de nuevo. Lo abracé y sentí que tal vez me arrepentiría, pero le dije que no era el momento, que tenía que hacer ese viaje o me iba a arrepentir toda mi vida por no haber seguido mi sueño.

Él sonrió y me abrazó. Nos despedimos y me deseó toda la suerte del mundo. Le dije que merecía a alguien que lo amara mucho, pues era una persona muy especial.

Me subí al avión y fue la última vez que lo vi. Estoy segura de que él me habrá visto varias veces en los noticieros, pero ahí se acabó esa historia entre él y yo. ¡Cómo es la vida!, él me ayudaría a alcanzar mi sueño.

Regresé a casa a la misma rutina. Mi mamá trabajaba mucho y a mi papá cada vez lo veía menos; se enojaba porque salía a fiestas y llegaba tarde. Con mi hermano, por los seis años de diferencia entre los dos, en esa época no teníamos mucho de qué platicar: él, su escuela, sus videojuegos, y yo siempre en mi nube, en mis cosas.

Faltaban como dos meses para acabar la universidad y apenas alcancé a pagarle el boleto de avión a Javier. No tenía casi nada, necesitaba juntar más para alcanzar a viajar unos tres meses y ya casi no tenía dinero. Mis papás, especialmente mi mamá, no estaban de acuerdo con ese viaje. De hecho, creo que pensaron que no lo realizaría porque era caro y yo no les pedía dinero, pero decidí hacerlo sola.

Quería demostrarme, especialmente a mí misma, que podía hacerlo. Siempre me enseñaron a ser independiente y ya estaba bastante grandecita como para pedirle dinero a mi mamá para mis "locuras".

Seguí trabajando de edecán, los eventos a veces eran buenos, otros no tanto, como que dependía de la temporada. Un día me llamaron de otra agencia —ya trabajaba para varias, pues ya estando en el medio te vas relacionando—. Me hablaron para un *casting* de Auto Show, que se efectúa cada año en el Pabellón Santa Fe. Es de los eventos más cotizados en el medio, te pagan una buena suma de dinero, pues trabajas aproximadamente doce o quince días seguidos desde las nueve de la mañana hasta las nueve o diez de la noche. Me dieron la dirección del lugar donde sería el *casting*. Cuando colgué el teléfono no pensaba que eso fuera para mí, pues en esos eventos requieren casi modelos, ya que son muy buenas marcas y representas a las marcas. Todos los que van, ven los coches y a las chavas. Yo era, a veces, muy insegura, ahora que lo veo, después cambié un poco con el tiempo.

Le pedí a una amiga que me acompañara. Cuando llegamos había muchísima gente. Fue en unas oficinas por periférico, muy elegantes, eran de la compañía Castrol, una marca de aceite que iba a representar a la marca BMW.

Cuando vi a las muchachas que llegaron, me fui para atrás: ¡unos cuerpazos!, la mayoría operadas. Estaba una que le decían *la Nacha plus*, que salía en un programa de televisión con Brozo, y puras de ese calibre. De plano le dije a mi amiga que ahora sí, ni la gasolina de haber ido hasta allá. Estuvimos un buen rato, casi dos horas. Pasaban una por una, pues al parecer te hacían poner el traje que usarías si te quedabas. Yo ya me quería ir, pero mi amiga, como siempre, dándome ánimos, me decía: "Ya Bárbara, inténtalo. Ya tienes el no seguro, pelea por el sí". Fue mi turno. Eran solamente dos hombres en la oficina; muy elegantes, por cierto. Llegué y los saludé como me enseñaron en la universidad, tratando de estar segura de mí misma. Empezaron las preguntas. Uno de los hombres me dijo que la empresa era inglesa y querían que los operativos que fueran al autoshow se llevaran una buena impresión. Le dije que daba la casualidad de que yo en dos meses me iría a Londres a viajar, que tenía conocidos allá y quería conocer Europa. El señor se emocionó, ya era un viejito, como de sesenta y algo de años. Me empezó a hacer preguntas en inglés y yo le respondía todo lo que me preguntaba, se sonrió con el otro muchacho. Me pidieron que me fuera a probar el traje que tendría que usar para ver como se me veía. Era una especie de leotardo, todo pegado, manga larga, cuello de tortuga, ¡pegadísimo!, como de elástico. Tenía varios colores, en la parte de enfrente decía Castrol y en una pierna BMW, además llevaba una chamarrita como torera de piel negra y botas de tacón de aguja, altas, negras. Me hicieron caminar, estaba nerviosísima, pues mucho cuerpazo no tenía, como las demás. Me dieron las gracias y me despedí.

Estando en la universidad, entró una llamada a mi celular. Pedí permiso para salir del salón y contestar. Era de la agencia. Me dijo el director:

—Bárbara, te tengo dos noticias una mala y una buena, ¿cuál quieres primero?

—La mala —respondí, siempre pesimista.

—Vas a tener que pedir permiso en tu escuela.

—¿Por qué?

—Vas a trabajar en Auto Show, fuiste una de las dos seleccionadas. Después me enteré de que obtuve el trabajo porque hablaba inglés.

Ya no oía qué tanto me estaba diciendo, empecé a brincar de la emoción mientras me daba toda la información. Lo mejor, cuánto me iban a pagar. Con eso ya podía irme a Europa, era suficiente, según yo, para los tres meses que quería estar allá.

Le conté a mi mamá, a mis amigas, ¡estaba emocionadísima! Pasó el evento, que fue una experiencia bien padre donde conocí a mucha gente y muchos chavos guapos.

Cobré el cheque, lo metí a mi cuenta de ahorro, le di un poco a mi mamá.

Llegó el último día de clases. Sean y yo seguíamos en contacto, cada día me desesperaba más. Sean me advertía que estaba haciendo mucho frío por allá, a mí no me importaba, ya quería irme, lo más pronto posible.

Cuando le dije a mi mamá que ya era un hecho, que ya tenía el boleto de avión y le enseñé mi cuenta de ahorros, con los ojos llorosos me pidió que no me fuera, que era muy lejos. Abrazándola le dije que era sólo por un corto tiempo. También le expliqué a mi hermanito y se puso triste. Mi papá me preguntó si le estaba avisando o pidiendo permiso, que de todos modos nunca lo tomaba en cuenta.

Ya quería irme, escapar, salir de todo ese ambiente que me ahogaba en ocasiones. Creo que era yo. No encontraba la paz interior en ningún lado.

Puse en regla mis papeles —el pasaporte que era todo lo que ocupaba—. Sean me recomendó sacar la visa de Estados Unidos, pero le dije que era muy difícil que me la dieran. De todos modos fui. Después de ver cómo a la mayoría de las personas se las negaban, cuando fue mi turno, gracias a Dios, no me tocó con una güera gritona que se la pasaba diciendo que no se autorizaba. Pasé con un muchacho medio moreno, mezcla de güero con negro, pues tenía ojos azules y pelo chino y piel canela. Después de hacerme varias preguntas sobre dónde estudié y comprobar lo que contestaba en la computadora, me preguntó a qué iba a Estados Unidos; le dije que a conocer Las Vegas, de vacaciones. Llevaba preparado todo un archivo con mil y un papeles, ¡hasta las escrituras de mi casa!, para probar que no me iba a trabajar. El muchacho en su computadora leyó que una de mis escuelas era de monjas. Me volteó a ver y me dijo que no me veía como si quisiera ser monja, me reí y le conté que me metieron ahí por no sacar buenas calificaciones. Él se empezó a reír, ya se había roto el hielo, no me pidió ningún papel y me dijo: "Espere allá, yo le avisó si pasa o no". Me fui nerviosa, pues a todos les negaban la visa, cuando me llamaron para tomarme la foto, vi que me la había dado por diez años. Tenía buena suerte. Quién diría que esa visa nunca la utilizaría y solamente me serviría para identificarme el día de mi detención.

Llegó el día de la graduación. Estuvo muy bonito, con mi birrete. Fueron mis tías, mi mamá, mi hermano. Mi papá no fue y eso me dolió mucho. Eso era parte de lo que me tenía harta; la situación familiar que a veces vivíamos; mi mamá, como siempre, apoyándome en todo. Empezó la fiesta, bailamos, nos tomamos fotos. Esperaba con ansias la cuenta regresiva. Mi vuelo salía al día siguiente en la tarde.

Llegó el día esperado. Me llevaron al aeropuerto mi mamá y mi tía, después llegaron otras tías, primos y también mi papá y mi abuelita paterna; eso me dio gusto, pues pensé que no iría. Una de mis tías me dio una lata de chiles y una botellita de chile Tajín. En ese momento no quería ni recibirla, me daba pena, pero después ¡como me sirvieron estando allá! Sean se reía porque los mexicanos le echábamos chile a todo, a la fruta, a la comida, a los cacahuates, etc. Ya después le gustó y también le echaba chile a todo.

Por una parte, sentía feo despegarme de mi familia; todos estaban ahí. De hecho, una semana antes me habían ofrecido una comida para despedirme. Recuerdo mucho la canción de Polo Montañez que se llama *Un montón de estrellas*, la bailé con mi tío. Tengo muy grabados en mi memoria esos momentos en el aeropuerto, viendo a mi gente, a mi familia, mi tribu, que siempre, en las buenas y en las malas, nos apoyábamos.

Tenía un nudo en la garganta cuando empecé a abrazar a cada uno para despedirme. Ya estaban llamando para registrarse y abordar; ése era el punto en el que ya mis seres amados no podían pasar. Abracé a mi mamá, recuerdo sus ojitos llenos de lágrimas, y le dije que no llorara, que todo iba a estar bien, aunque por dentro estaba aguantándome las ganas de llorar también. Pero como siempre, me hacía la fuerte.

Crucé la valla y solamente volteé una vez para despedirme. Ya no quise voltear, pues estaba siendo más difícil de lo que creía. Sentía que me arrancaban algo, como un cordón umbilical de una, todavía, niña que se enfrentaba por fin al mundo sola. Abordé el avión.

El vuelo duró doce horas, en algunos momentos me desesperaba y me paraba a caminar por los pasillos. La cena había sido de camarones con una crema de champiñones y vino o lo que quisiera tomar. Por los nervios no disfrutaba del lujo del vuelo. Caminaba por los pasillos como si fuera al sanitario, al final había un pequeño descanso donde había gente parada, también estirándose y viendo por las ventanas. Sólo el mar azul, azul, diferentes tonos de azul, pero era todo lo que se veía, no había tierra por ninguna parte. Cuando empezaba a darme vértigo y claustrofobia, regresaba a mi asiento a poner alguna película en la pantallita. Un señor ya grande, güero y muy alto, me preguntó si estaba bien, le contesté que sí, que sólo de repente me desesperaba. Me dijo que lo que tenía que hacer era relajarme, oír buena música. Él traía una laptop y puso videos viejitos de Elvis Presley y empezó a sonreírme y a bailar en su asiento. Le pidió a la azafata dos vasos de vino tinto, me empecé a reír. Pensé, al principio, ¡vaya tipo! ¡Está loco de remate!, pero al final fue un loco inofensivo, y resultó ser un buen acompañante de viaje. Dormí un rato, aunque me costaba trabajo. La ansiedad empezaba a apoderarse de mí. ¡Ya estaba cerca! Tan cerca que me daba miedo todo lo que estaba por descubrir: otro continente, otro país, otra cultura, era algo excitante.

Por fin, aterrizamos. Desde antes, al ver por la ventana del avión se me hacía un nudo en el estómago de nervios. Cuando bajamos, pasé el registro de maletas y me entrevistó una señora. Me preguntó que cuánto tiempo iba a estar allí y todo ese papeleo que se llena.

De repente, vi a Sean atrás de un vidrio saludándome, se me ocurrió decir que tenía novio y la señora le habló para entrevistarlo también. Fue un error, pues pensaban que me quedaría con él, cosa que al final sí sucedió, pero Sean sólo le dijo que yo iba de visita a conocer Londres y tenía que regresar a México a estudiar, así que no pasó a mayores.

Cuando, por fin, nos vimos de frente lo vi más delgado y más pálido, obviamente se le había ido el bronceado con el que lo conocí. Me abrazó. Al principio fue un poco raro todo. En cuanto salimos a la calle, un frío horrible me caló los huesos; él me lo había advertido, era el mes más frío del año: enero.

Así me empezó a mostrar Londres, en el coche durante el trayecto. Llegamos al departamento donde vivía, no era muy grande, sólo una recámara, pero muy bonito. Él trabajaba, así que me quedaba sola hasta la tarde. Yo no quería perder el tiempo, así que me salía con abrigo, gorro, guantes y lo que pudiera protegerme del frío para irme a conocer, pues a eso había ido. Sean me advirtió que su proyecto de trabajo se tardaría, tal vez, uno o dos meses y luego ya podríamos irnos a viajar, le dije que estaba bien.

Me explicó como usar los medios de transporte y me compró un libro para viajar, igual a los que tenía de México, pero éste era de Londres; me sirvió mucho, pero de todos modos fue difícil al principio. El inglés me costaba un poco de trabajo –entenderles y que ellos me entendieran a mí–, pues es totalmente diferente el inglés americano al británico en la pronunciación. Como podía, me comunicaba, a señas, y todo lo que tuviera que hacer, pero me daba a entender, aunque a veces sí me frustraba.

Me salía en las mañanas, después de desayunar, y recorría, según el libro, los principales puntos a conocer, que eran más de cuarenta. Me tomó casi los dos meses que esperé a que Sean acabara de trabajar.

Fue fantástico, increíble. Fui al Big Ben, donde está la torre con el reloj y el Parlamento, todo está cubierto de dorado, no sé si sea oro o alguna aleación con otro metal, pero brilla hermoso y más al atardecer, junto al río Támesis. Es realmente un bello espectáculo. Fui a muchos, muchos, lugares. Donde más disfrutaba ir era a los parques, son enormes. Era como entrar a un bosque en medio de la ciudad, con caminos, fuentes, lagos, ¡hermoso! Mi café para calentarme, un cigarro, un chocolate tamaño extra grande para el frío y mis pensamientos, era todo lo que necesitaba. Me metía a los museos y me transportaba a otras épocas. Me encantaba el de Arte Moderno, estaba todo locochón. Una vez pusieron una araña gigantesca en la entrada y, otra, todo el techo lleno de espejos para que te acostaras y vieras como se veía por arriba, era muy raro, pero me gustaba. También el British Museum, que es de arte clásico. Los conocí casi todos. Algunas veces volvía a ir con Sean los fines de semana, pero la verdad realmente disfrutaba más mi soledad. Me gustaba sumergirme en las cosas y en mi mente. Fui al Palacio de Buckingham, donde vive la Reina Isabel y están esos soldados con los gorros chistosos —esos negros grandes y peludos—, que visten de rojo con botas de charol y no se mueven para nada. Me encantaba subirme a los camiones que tienen dos pisos, siempre me iba en la parte de arriba, para ver mejor el panorama, era genial. Mi hora favorita era el atardecer, ver cómo se reflejaba el sol en el Big Ben, en el río Támesis, en el parque; los diferentes matices en el follaje, como una mezcla de colores rosas y marrones en el cielo, me generaban mucha paz. Era para mí el final de algo bello, como el día, y el comienzo de la fase oscura, la noche, con sus alocados temas en la gran ciudad.

Varias veces me perdí al tomar metro o autobuses que no eran los que debía tomar, pero, después de varias horas, regresaba al centro que era lo que conocía bien, y así aprovechaba y conocía otros lugares.

Gasté gran parte del dinero que tenía ahorrado, pues todo es muy caro, especialmente, el transporte, la comida y los cigarros.

Los fines de semana me iba con Sean y sus amigos a los tradicionales *pubs*, que son bares donde venden pura cerveza de barril en diferentes presentaciones, sabores, marcas y nacionalidades. Conocí a todos sus amigos. Nos íbamos a bailar a los clubs; era tan diferente ver tanta mezcla de razas: negros, judíos, árabes, hindúes, japoneses, chinos, rusos, croatas, etc., podías conocer de todas las nacionalidades. Casi no conocí a mexicanos, más bien, nunca en toda mi estadía, sólo tuve una amiga que era argentina, novia de un amigo de Sean, con la que podía hablar español.

Podría escribir un libro contando acerca de todas las experiencias y los detalles que viví en ese lugar. Fue algo diferente en muchas cosas, son extraños en sus costumbres, muy *open mind*, como se dice, muy liberales. A veces me ponía celosa de las amigas de Sean, pues es normal que se vayan a tomar un café o cosas así, lo que en México no es tan común, luego empecé a entenderlo. Son exageradamente puntuales. Si llegas tarde a alguna cita, por ejemplo, con el doctor, te la cobran y no te atienden, tienes que reprogramarla, todo es muy estricto. Aprendí mucho, fue como si me abrieran los ojos a un mundo nuevo.

Por fin, Sean terminó su proyecto y nos fuimos a viajar. Antes de esto, me llevó a conocer a sus papás, que vivían en Kent, como a una hora de Londres, un pueblo bellísimo, como los de los cuentos de Hansel y Gretel. Todas las casitas son iguales; ellos vivían en una casa muy grande con un jardín enorme con un pequeño lago. Me sorprendí, pues se veía que tenían mucho dinero y Sean nunca fue nada creído. Roger, su papá, y Kathy, su mami, me recibieron superbien, siempre les voy a estar agradecida por su hospitalidad y por hacerme sentir parte de la familia en los casi dos años que estuve por allá.

Nos fuimos por fin de viaje. Empezamos en España, llegamos a Málaga, pues Sean quería que conociera África, y después regresar por España, pero en ese tiempo había una alerta para viajar hacia allá por la guerra en el Golfo Pérsico.

Así que mejor subimos por España. Visitamos la Alhambra; en Sevilla nos enteramos de que Juan Pablo, quién nos presentó, estaba en España, en Alicante, un pueblito a la orilla del mar y fuimos a verlo. Estuvimos casi un mes ahí, fue muy divertido. Hacíamos tardeadas en la playa y luego íbamos a un bar con música en vivo y donde Juan Pablo trabajaba los fines de semana. Después nos fuimos a Barcelona, que es un lugar muy hermoso, con un centro antiguo y alrededores cosmopolitas. Conocimos la famosa iglesia de la Sagrada Familia, imponente, de un arquitecto llamado Gaudí, quien hizo otras obras, un parque entre ellas. Salíamos a comer las famosas *tapas* en la noche y a tomar una copa de vino. Son muy comunes los bares con terrazas donde vas a comer tapas, que son como pequeñas porciones de comida que acompañas con una copa de vino y oyes música, es un ambiente muy bonito. En las mañanas, y durante el día, nos dedicábamos a recorrer los principales lugares turísticos y a caminar por el antiguo barrio a buscar restaurancitos de comida típica.

Para mí todo era mágico, como un sueño; pero mi dinero se empezaba a terminar, al igual que el tiempo, por la fecha de regreso que tenía el boleto de avión.

Una noche que estábamos sentados en un puente de Barcelona, viendo el mar y toda la ciudad, le dije que ya era tiempo de regresar, pues casi ya no tenía dinero y mi boleto de avión estaba por expirar. Ni siquiera me volteó a ver. Se quedó pensando, agarraba piedritas y las aventaba al agua, como si con eso me contestara.

Después de un rato de silencio, me pidió que le contestara si él era algo importante para mí. Le contesté que por supuesto. Tenía la cabeza agachaba y le di un abrazo. Me dijo que si quería, él tenía unos ahorros y podíamos viajar otro tiempo más, que le gustaría que yo conociera más, pues sabía lo importante que era para mí. Nos dimos un beso y ya no volvimos a decir nada en un largo tiempo, hasta que le dije que no sabía en qué lío se había metido, pues si me iba a ayudar, quedaba ver lo del avión de regreso. Al día siguiente hablamos a la aerolínea y, con doscientos dólares más, lo aplazamos otros tres meses. ¡Increíble! Seguimos viajando.

Fuimos a tantos lados que solamente mencionaré algunos. Pasamos por varias partes de España, de ahí a un país chiquitito entre España y Francia que se llama Andorra. Hermoso el pueblito, aparte es famoso porque ahí no cobran impuestos. Después nos fuimos a Francia, recorrimos toda la Costa Azul. Cuando el clima mejoró, tomamos el tren, pues aunque tardaba más, te daba la oportunidad de ver mejor el panorama. Llegamos a Carcassonne, una ciudad amurallada, como de los tiempos de los caballeros de la Mesa Redonda.

Después fuimos a Avignon, donde están las casas de los papas de siglos pasados. A mí me encantaba pasar a comprar *baguettes*, el pan ese largo, que a las siete de la mañana, doce del día, tres de la tarde y seis de la noche, estaba fresco y acabadito de hacer. Subí en ese viaje casi diez kilos, pues me llenaba de pan, de queso, de chocolate. Tomamos muchísimas fotos. Algunas se las quedó Sean y hasta la fecha no he podido pedírselas.

Simplemente, nos despertábamos y veíamos el mapa a ver a dónde queríamos ir; seguíamos el rumbo que escogíamos ese mismo día, nada planeado, era toda una aventura. Fuimos a Toulouse, a Mónaco, ¡uf!, mucho dinero, mucha gente rica en esos lugares y muy caro quedarse ahí. Le dije a Sean que quería conocer París. Para esto, unos amigos suyos le habían escrito que estaban trabajando en Chamonix-Mont Blanc, una provincia francesa. Se dedicaban a cuidar y dar mantenimiento a unos chalets y a cocinar para los huéspedes ricos que llegaban a esquiar en los Alpes franceses.

Sean me dio a escoger: "Mira, si vamos a París, es caro, nos podríamos quedar tal vez cinco días; si vamos con mis amigos, sería más tiempo, ahorraríamos dinero y, lo mejor de todo, te enseñaría a esquiar nada más ni nada menos que en los Alpes franceses. Sonaba bien, aunque yo quería ir a París porque es famoso, por su torre Eiffel y todo eso, pero decidí mejor conocer los Alpes franceses y fue la mejor opción que pude haber escogido.

Llegamos a Chamonix en la noche, y nos recibieron sus amigos en la estación del tren. Era una pareja de jóvenes canadienses. Muy amables, por cierto, nos llevaron al Chalet, que es como una gran cabaña, preciosa. Ellos vivían en la parte de abajo, como en un departamento, también estaba cómodo. Nos dijeron que por el momento no había reservaciones y que, mientras no hubiera gente, podíamos usar la cabaña, genial –pensé yo–, pues estaba hermosa, obviamente para gente rica. Cenamos, platicamos un poco y dormimos, pues estábamos supercansados por el viaje. Al siguiente día, preparamos una canasta con vino, *prosciutto* –que es como carne rebanada muy delgada–, queso, uvas, fresas, pan, mantequilla, etcétera. Nos prestaron unas bicicletas y los seguimos. No podía creer el paisaje que veía, como de película. Por fin decidimos pararnos en un lugar cerca del lago al lado de una enorme piedra, y cuya vista eran los Pirineos. Comimos ahí, con el típico mantel de cuadritos, y jugamos con la cámara y un tripié que llevábamos para tomar fotografías de todo lo que pudiéramos.

Sean me enseñaría a esquiar. Al principio parecía como la India María, ni siquiera podía ponerme de pie. Subíamos en los teleféricos y, cuando llegábamos a la cima, literalmente hay que aventarse; yo siempre me caía. A veces me enojaba con Sean porque se reía, pero ya después nos reíamos todos. Es una gran sensación de libertad estar en la cima de esas montañas, como estar cerca del cielo. Le daba gracias a Dios por permitirme ver todas esas cosas que nunca pensé conocer. Adoraba el atardecer, siempre pedía un deseo: regresar un día a ese lugar con mi familia.

Luego de dos meses en Chamonix a Italia ¡mmm!, la comida más rica que he probado. Fuimos a varios lugares: Bolonia, Verona, Florencia, ahí pedí un deseo en la fuente de Trevi, espero se me cumpla, todavía no pierdo la fe. En Roma, visitamos el Coliseo. Entramos al Vaticano y tuvimos la suerte de que ese domingo, el papa estuviera dando misa. Cientos de soldados resguardaban los puentes, pero soldados del Vaticano con un uniforme hermoso;

unos cargaban banderines y otros unas trompetas largas. Entramos a la Capilla Sixtina y, aunque no se podía tomar fotos, Sean se las ingenió para poner la cámara en automático, y como estaba adentro de la mochila, pudimos tomar fotos de las pinturas de Miguel Ángel.

Luego conocimos Pisa; en Verona fuimos al balcón de Romeo y Julieta y grabamos nuestros nombres. A mí me encantaba la comida rápida que se compraba en las *trattorias*; te venden *pizza*, *calzone* (que es como una gran empanada), y cosas para llevar. Nos gustaba alejarnos de la zona turística y buscar restaurantes familiares con comida típica italiana, exquisita. A mí me encantaba el *lambrusco* (es como un vino gaseoso hecho en casa ¡riquísimo!), también los *gelati* o helados; eran mi delirio, no hay mejores helados que los italianos.

De ahí nos fuimos a Cinque Terra, cinco pueblitos a la orilla de un peñasco al lado del mar que estaban entre viñedos. ¡Oh! ¡Qué gran acierto fue haber ido ahí! Sin palabras: el sol, el mar, los pueblitos pintorescos, gente comiendo en los restaurantes en terracitas, músicos callejeros con su acordeón, todo muy tradicional italiano.

En uno de los pueblitos, empezamos a ver que llegaba muchísima gente en el tren. Preguntamos y nos dimos cuenta de que se nos había olvidado que era Semana Santa. ¡Oh, no! Lleno de gente, no encontrábamos lugar para quedarnos, no había nada, sólo con reservación. Empecé a desesperarme, pues íbamos camine y camine con las mochilotas y nada, a Sean también lo empecé a ver preocupado. Nos sentamos. Ya eran como las seis de la tarde y no encontrábamos en donde quedarnos. Sugerí que tal vez podíamos tomar el tren y así pasar ahí la noche y ver a dónde nos llevaba. Él sugirió algo mejor: "Ya sé —dijo— como no hay en dónde quedarnos, vamos a usar el dinero del hospedaje en una buena cena y un buen vino y a ver después que pasa". Me le quedé viendo como si estuviera loco, pero después dije: "Está bien disfrutemos de la vida". Ordenamos de todo, hasta quedar más que satisfechos; pedimos cinco postres para, entre los dos, probarlos todos: un litro de *lambrusco* casero, otro litro… y así fueron casi cuatro litros. Hasta que estábamos por reventar y el restaurancito por cerrar, decidimos irnos. Eran aproximadamente las tres de la mañana, no había lugares abiertos a donde ir, pues era un pueblito chiquito. Yo ya tenía un sueño impresionante, después de tanto caminar y tanto comer y beber, igual Sean, así que decidimos acampar en un parque que encontramos. Creo que ya estábamos algo ebrios, pues ni pusimos bien la casa de campaña, riéndonos de todo. Total, nos metimos a la casa toda chueca y dormimos plácidamente en el *sleeping bag*. Cuando sentí en la mañana que nos movían la casa, me paré rápido y desperté a Sean. Eran unos policías que nos decían que ahí no podíamos acampar. Estaba repleto de gente. Fue una experiencia muy embarazosa, todos viéndonos, y nosotros supercrudos, poniéndonos la ropa. Nunca se me va a olvidar eso.

Seguimos viajando por muchas partes, pueblitos, ciudades, en tren. Fuimos a Suiza y regresamos a Italia. Le dije a Sean que ya estaba cansada de tanto viajar, que extrañaba una cama rica, una ropa fresca. Llevábamos más de seis meses viajando; quería comer bien, a mis anchas y bañarme en una tina con agua calientita. Sean dijo que tenía razón, que regresaríamos a Londres a descansar un tiempo. En un café internet reservamos el boleto a Londres; encontramos un buen precio, salía en una semana de Venecia. Hacia allá nos dirigimos y paseamos por esa ciudad tan hermosa, que a veces olía feo cuando llovía. Hay una catedral imponente flotando casi sobre el mar. Las calles entre canales pintorescos, las plazuelas, todo es bello. Las góndolas son barcas que te llevan entre las calles. Sean y yo a veces nos peleábamos o, más bien, discutíamos por tonterías. Un día en Venecia, ya estaba desesperada de cansancio. Discutimos y no nos vimos todo un día, cada quien se fue por su lado. ¡Ay, no!, me sentí horrible. Cuando lo encontré, lo abracé y le dije que no volviéramos a pelear.

Regresamos a Londres y me puse a buscar un trabajo. Encontré uno de mesera; por supuesto, dije que ya tenía experiencia. Pensé que no sería difícil, pero al principio era todo un caos: tiraba todo, tomaba mal las órdenes, y dos compañeras se burlaban de mí. El dueño —un portugués—, me tuvo mucha paciencia, era un buen señor. Así alargué mi estadía en Londres. Cancelé el vuelo y, cada seis meses, salíamos a alguna parte de Europa para que me resellaran mi pasaporte por seis meses más. Conocí Ámsterdam, pues fuimos a visitar a un amigo de Sean que se fue para allá y vivía con su novia. Creo que fue una de mis ciudades favoritas: todo el mundo en bicicleta, pero muy glamorosos. La ropa que vendían en las tiendas era increíble, los bares. También conocimos la zona roja, donde todo es para adultos. Hay prostitutas que escoges en escaparates. Había lugares que tenían una especie de lentes, en los que hay que meter dinero para ver sexo en vivo con diversos temas: de mujer y hombre, dos hombres y una mujer, dos mujeres y un hombre, dos hombres, tres mujeres y puras cosas así.

Todo estaba bien locochón en esa zona: *strippers*, *sex-shop* y todo lo que tuviera que ver con sexo.

También había *coffeshop*, que es donde venden mariguana en todas sus variedades. Allá es legal comprarla y consumirla para uso personal. Tienen gran diversidad de pensamiento; la cultura es muy abierta, respetuosa con los inmigrantes; cultos, no tienen tapujos para nada. El índice delictivo es muy bajo y el índice de analfabetismo es más bajo aún.

Probé unos panquecitos con mariguana, ¡oh! Sentía que el suelo se me movía, le decía algo a Sean y luego me quedaba pensando si se lo había dicho en inglés o en español; luego me quedaba pensando si lo que pensé lo había dicho o sólo lo había pensado.

Fuimos a museos, parques y lugares turísticos. También esta ciudad se divide por canales, como Venecia, es muy, muy bonita.

Así transcurrieron casi dos años. Sean habló con un amigo suyo para ver si me conseguía una visa de trabajo, pues podría trabajar con él, ya que el señor tenía una empresa trasnacional y necesitaba gente que hablara los dos idiomas y que supiera de comercio internacional y relaciones públicas. Se metió la solicitud a la Embajada y a la Home Office, donde se tramitan las visas de trabajo. Todos sabíamos que era muy difícil que me la dieran, es como la *green card* de Estados Unidos, pero ya no podía seguir saliendo y entrando de Londres. Kathy, la mamá de Sean, hasta había sugerido que nos casáramos, pero la respuesta llegó: ¡me otorgaron la visa de trabajo! No lo podía creer, celebramos, era maravilloso, ya podía estar legalmente en Londres, trabajar en lo de mi carrera y estar tranquila, sin necesidad de salir del país cada seis meses.

Le hablé a mi mamá. No lo podíamos creer, mi estrella brillaba; Dios y la vida seguían dándome la bendición de obtener las cosas que necesitaba. Eso fue por el mes de noviembre. En el trabajo les comenté y hubo caras de envidia, pero otros me felicitaron honestamente. Le pedí permiso a mi jefe para pasar Navidad fuera, pues estaríamos en Kent, con la familia de Sean. Me dijo que no había problema, pues para ese tiempo ya era una de las mejores meseras. Daba buen servicio al cliente.

Pasamos Día de Acción de Gracias, Navidad y Año Nuevo en casa de los papás de Sean. Yo ya extrañaba mucho a mi familia y le dije a Sean que iba a hacer un viaje para ver a mi familia y lo de mi tesis en enero. Sean se sorprendió por la noticia y tuvimos una discusión. Pensaba que era porque quería irme con mis amigas que trabajaban en Cancún y tal vez quería conocer a alguien más. La verdad, ya estaba deprimida por el invierno de allá, que es tan crudo y porque nunca había estado tanto tiempo sin mi familia. Le expliqué y, al final, muy a la fuerza, me ayudó a comprar el boleto de avión, abierto tres meses, ida y vuelta. Me despedí de sus papás que tanto quise, pues me encariñé mucho con ellos. Mis planes eran regresar en tres meses. Dejé toda mi ropa, zapatos, abrigos, todas mis cosas, que eran muchas, ya que era compradora compulsiva y ganaba bien en el restaurante donde trabajaba. Compré regalitos para llevar a mi familia. Era todo lo que iba a llevar.

Me fui a mediados de enero con dos maletas: algunas mudas de ropa y puros regalos. Sean, cuando me dejó en el aeropuerto, me abrazó y me dijo: "Tú ya no vas a regresar". Le dije que estaba loco, que sólo me iba por tres meses y regresaría. Nos despedimos.

Cuando llegué a la ciudad de México todo me olía bonito, aunque fuera el *smog*. Era mi casa, mi ciudad, todo lo valoraba más. Me recogieron en el aeropuerto, abracé a mi mamá, a mis tíos. Me hicieron una cena de bienvenida ¡el regreso triunfante! Hablé con mi mamá y dije que sólo estaría tres meses, que vería lo de mi tesis y me regresaría.

Triste, me preguntó que si no me podía quedar más, que ya era mucho tiempo fuera de casa. Nos dimos un abrazo. Estuve casi dos semanas en el D.F. viendo lo de mi tesis en la universidad. Me encontré a un maestro de cine que fue maestro de Luis y mío. Le conté lo que me había pasado y me platicó que Luis también se había ido con su novia, pero que les fue mal y se tuvieron que regresar.

Me sentí un poco mal por él, pero le seguí platicando al maestro todo lo que conocí porque sabía que él le iba a platicar a Luis.

Mis amigas que estaban en Cancún me escribían invitándome para que me fuera unos días con ellas, que no tenía que gastar en nada, sólo en el avión. Me fui, según yo, a pasear por quince días y me quedé casi mes y medio. Me la pasé padrísimo, era como estar de nuevo soltera; ya extrañaba el calorcito después de un invierno tan frío como el de Londres. Puro reventón con mis amigas.

Regresé a mi casa. Sean me preguntaba cómo iba lo de la tesis, que cuándo me iba a regresar, etc. Me sentía muy bien, conocí gente, me invitaban a fiestas, me hablaron de una agencia de Cervecería Modelo para trabajar como edecán, acepté en lo que estaba aquí. Se me fue el tiempo. En eso conocí a un galanazo, muy guapo, que traía siempre motos y carros padres.

Me ligó como quien dice. Creo que en todo el sentido de la palabra me apendejé. Empecé a salir con él y todo mi mundo se redujo, estaba como tonta. Me pidió ser su novia y yo no sabía qué hacer, pero me gustaba mucho; todo empezó como algo pasajero, pero me clavaba cada vez más con él. A todos lados donde íbamos lo conocían, íbamos a Acapulco, Cancún, Cuernavaca, pertenecía a un club de motos. Yo me sentía soñada, el tipo me trataba como a una reina.

A los dos meses, sin que nos conociéramos bien, me propuso que viviéramos juntos y yo acepté. Olvidé a Sean, olvidé todo. Era pura fiesta, viajes, diversiones, y así pasó el tiempo. Como a los ocho meses de conocerlo y medio año de vivir con él, me enteré de que tenía un problema por unos carros, eso fue lo que me dijo. Yo no entendía bien, sabía que él se dedicaba a la compra y venta de carros, y me contó que uno de los carros que había vendido estaba remarcado y que había salido mal. Yo le creí.

Un día, me habló mi tía con voz temblorosa y me dijo: "Hija, ¿estás bien?" Me pidió que fuera a su casa urgentemente, pero sola. Le dije a este chavo que tenía que ir con mi tía, que no me tardaba. Me preguntó si me acompañaba, pues era muy celoso y obsesivo conmigo. Le contesté que no, que ya regresaba.

Cuando llegué a casa de mi tía, llorando me contó que habían ido a catear la casa de mi mamá, que traían una foto mía y del chavo con el que andaba, que nos estaban buscando por un secuestro y que yo tenía una orden de aprehensión. Me platicó que mi mamá había ido a la SIEDO a rendir su declaración y que a mi hermanito –que en ese tiempo ya tenía diecisiete años–, también lo querían arraigar porque le habían encontrado una bala de cuerno de chivo, pero era un llavero.

Mi mamá se había puesto mal. Cuando me lo contó, no lo podía creer, no sabía de qué se trataba todo eso. Mi tía me dijo que no iba a dejar que regresara con ese hombre, pues me traería muchos problemas. Acepté y ya no regresé con él. Por el celular me mandaba mensajes diciéndome que por qué lo había dejado. Le escribí que se habían metido con mi familia, que si él tenía algo que ver que se presentara, por favor. Él decía que no tenía nada que ver, pero que si iba, se quedaría por el problema del coche. Fue la última vez que supe de él. Tiré el *chip*.

Fui a casa de otra tía lejana, mandaron a un abogado y escribí una declaración que me pidió, pues al parecer iba a meter un amparo. Le dije que quería presentarme, pues yo no tenía nada que ver, y me contestó que si no sabía cómo funcionaba eso, que ahí golpeaban a la gente y las torturaban.

Me dio muchísimo miedo. En esos días salió en las noticias que habían puesto unos espectaculares con la cara del chavo con el que andaba, y luego de la mía también, ofreciendo recompensa. Empezaba a salir lo del caso en todos los noticieros. Me ponían como si estuviera ya sentenciada: "ASESINA Y SECUESTRADORA", decían los espectaculares, se busca; recompensa. Me llegaron rumores de que me querían viva o muerta. Entré en una psicosis horrible; no podía hablar ni ver a mi mamá o a mi papá. Sólo me mandaban decir que me tranquilizara, que tuviera mucho cuidado, que todo se iba a solucionar. Yo no entendía lo que estaba sucediendo. Me estaban buscando como si fuera la peor criminal del mundo. Mis fotos estaban en las patrullas, en los bancos, en las aduanas para salir de México. Era algo que no podía creer, era como una pesadilla de la que no podía despertar.

Sin que lo supieran mis papás ni nadie, sólo dos personas de mi familia, decidí irme a Estados Unidos. Temía por mi familia y por mi seguridad. Me enteré de que a otras dos personas que estaban en mi caso, con todo y su amparo, los arraigaron y los habían torturado horriblemente.

Le pedí a Dios que me ayudara a pasar bien a Estados Unidos, y así fue. Por poco nos detienen en El Paso, después pararon la camioneta patrullas de Texas, pero no nos deportaron. Yo le agradecía mucho a Dios. Por fin llegué a Kentucky, donde estuve viviendo un tiempo. Lo primero que hice fue buscar trabajo; la estrellita casi apagada aún seguía palpitando con su luz y me seguía dando buena suerte. El primer día que salí a buscar, encontré dos trabajos. Me decidí por uno y empecé en un restaurante de comida cubana. Apenas estaba en mi primera semana de entrenamiento, cuando conocí a un muchacho. Él estaba solo, vestido de militar y se me quedaba viendo, yo me puse muy nerviosa, pues pensaba que era por el problema que tenía. Yo le pedía a Dios que todo se aclarara para regresar a México, sólo quería trabajar para mandarle dinero a mi mamá para el abogado que trabajaba en el caso. No tenía otra meta más que ésa.

Cuando regresé en la tarde a trabajar, uno de los meseros me dijo que habían preguntado por mí, que si trabajaba en las tardes. Me espanté, pues nadie tenía ni siquiera el teléfono del restaurante y las personas con las que vivía eran familia, pero lejana, no tenían para qué hablarme. Me puse nerviosa y me quería salir por la puerta de emergencia. Estaba muy mal de los nervios. En eso me dicen: "Oye, te buscan en la puerta". Me imaginé que era la policía. Cuando salí y me asomé, vi al mismo muchacho de en la mañana, con su uniforme y un ramo de flores. ¡Oh! ¡Cómo descansó mi alma! Cuando pude caminar, salí. Todos los meseros chiflaban y hacían ruidos tontos.

Se presentó, me dio las flores, que ojalá y no me molestara, que le gustaría conocerme. Me dio su tarjeta con su número y su nombre. Le sonreí, no pude decir nada más que gracias.

Él se fue, y yo me metí con las flores. Me sentí un poco mal, no era justo que yo estuviera con estas cosas y mi familia en México sufriendo.

Cuando llegué a la casa, una tía me dijo: "Hija, date una nueva oportunidad", pues me vio llegar con las flores, pero triste. "Dios te está dando otra oportunidad de ser feliz. Tómala, deja los problemas donde están y sé tú otra vez, una chica con sueños."

Le agradecí su consejo y me dediqué a trabajar. Después de una semana me animé a llamarle por teléfono, así empezamos una amistad muy bonita. Yo no quería entrar en otra relación por todo lo que me había pasado.

Mientras, en la ciudad de México, a mi mamá la llamaron a las oficinas de la SIEDO para decirle que si no decía dónde estaba, iba a tener problemas. Mi mamá le preguntó al director que para qué me querían. Dijeron que sabían que yo no tenía nada que ver, pero querían que les hablara del chavo con el que andaba, todo lo que supiera de él, y sería testigo protegido y así me ayudarían. En eso, el abogado que iba con mi mamá, preguntó que si me iban a cuidar tan bien como al testigo protegido que se les había muerto hacía unas semanas. El director de la SIEDO mandó sacar al abogado y le dijo a mi mamá que todo eso no era un juego. Mandó traer a una enfermera y pidió que le tomara una muestra de cabello y de sangre, pues si no le decía dónde me encontraba, lo más seguro era que sólo con el ADN iba a ser posible reconocerme. Después mi mamá me contaría que ese día salió llorando, pues tampoco sabía exactamente en dónde estaba.

Yo seguía en Estados Unidos trabajando. Después de unos meses de tratar al chico que había conocido, empezamos a salir más y entablamos una relación. Yo quería salirme de donde vivía, pues éramos muchos y no tenía nada de privacidad.

Él me ayudó a comprar un coche, y después de varios meses, me fui a vivir con él. Todo parecía estar tranquilo en mi vida, le daba muchas gracias a Dios por la oportunidad que me había dado. Compramos una casa y me regaló un anillo de compromiso. Yo no usaba mi verdadero nombre, él no sabía porqué, sólo le dije que era por los papeles de migración.

Un día nos enojamos y me fui a casa de una dizque amiga del trabajo. Ella siempre me decía que él no era una buena influencia para mí, pues era muy celoso y no me dejaba salir, que yo tenía que divertirme, pues estaba joven. Me veía llorar y me preguntaba que por qué, le decía que extrañaba a mi familia. Me decía que los llamara, pero le contestaba que mi mamá estaba enojada conmigo y no me quería hablar. Un día estaba viendo en internet las noticias de mi caso, esperando que se hubiera aclarado todo, llegó mi amiga, y sólo alcancé a minimizar la pantalla de la computadora. En ese tiempo ella buscaba carros, pues quería cambiar el suyo. Cuando abrió la computadora, apareció la página que yo estaba viendo: mi foto con la leyenda "recompensa a quién entregue o dé datos para la detención de esta persona".

Mi amiga me volteó a ver y yo me eché a llorar. Tenía tanto dentro que ya no aguantaba. Ella me abrazó, me dijo que me entendía, que ella me apoyaría en todo lo que pudiera, que era mi amiga.

Pasó un tiempo, y él me volvió a buscar (voy a usar sólo una letra para llamarlo: H) y me pidió que regresáramos. En eso se me quedó viendo y me dijo: "Tienes como un brillo en tus ojos". Le dije que no estuviera de payaso. "Tú estás embarazada." Me le quedé viendo, pues no había notado nada raro y todavía no me tocaba mi regla.

No me quería llevar a casa de mi amiga, donde estaba quedándome, hasta que me hiciera una prueba de embarazo. Acepté, compró dos cajas de diferentes marcas y fuimos a su departamento. En ese tiempo todavía no comprábamos la casa. Salió positiva, todas salieron positivas. Él brincaba de alegría y yo estaba triste, pues no sabía qué hacer con el problema tan grande que tenía. Mi familia lejos y ni siquiera podía usar mi nombre para registrarlo, sentía miedo. Él vio mi reacción y pensó que no lo amaba, que nunca lo había querido, o de otro modo estaría feliz. Le pedí que me llevara a casa de mi amiga, que tenía que pensarlo. Enojado me llevó y, cuando llegué, ella me preguntó donde había pasado la noche, "con H, ¿verdad?", Asentí, me tiré en la cama y le dije: "¿Qué crees?" Mi amiga me dijo: "No me digas, ¿estás embarazada?" Le dije que sí. Me sermoneó, que no era un buen momento por todo lo que estaba pasando, que, aparte, él me quitaría al niño, pues él era papá soltero y así se había quedado con el niño que tenía.

Me convenció de que no era una buena idea, así que decidí no tenerlo. Cuando le conté a H, se enojó, se puso luego muy triste y, fue algo muy feo. Yo le pedía señales a Dios y vaya que me las dio, pero mi testarudez no me permitió ver más allá de mi nariz y mis miedos. Pasaron tantas cosas que me duele hasta recordar como fueron, pero al final pasó. Ya no estaba embarazada, mi miedo no me permitió pelear por mi bebé y es algo de lo que me arrepiento día a día y le pido perdón allá en el cielo donde se encuentra. No tengo ni fuerzas para dar detalles de tanto dolor. Pero así empezaría el verdadero calvario y dolor de mi vida.

Regresé con H. Fue cuando compramos la casa, me dio el anillo de compromiso, me perdonó por haber hecho lo que hice, y planeábamos volver a intentarlo, todo iba bien. Tenía a un hombre que me amaba como yo a él, porque todo el tiempo me di cuenta de que el amor nace a veces del mismo dolor. Él ha sido el amor de mi vida y espero que lo sepa. Cuando, al parecer, todo pintaba de maravilla, tenía una casa hermosa, una camioneta que me había regalado, el amor de un hombre que vale su peso en oro, con un corazón muy grande, sólo me faltaba algo, mi corazón tenía un hueco que era imposible de llenar: mi madre, mi familia, la lejanía, el no poder tener comunicación con ellos, día a día le pedía a Dios que pronto todo se solucionara y pudiera regresar a México.

3. Del cielo al infierno

Una estrella se cae del firmamento

El lunes 27 de noviembre de 2007, después del día de Acción de Gracias que habíamos ido a celebrar con unos amigos de H a Indianápolis, estaba trabajando como encargada del bar en el nuevo restaurante de mis antiguos jefes.

Vi a dos señores de traje sentados en una mesa tomando sólo un *leed tea*, una bebida sin alcohol. Le pregunté al mesero si no habían pedido nada, pues ya se habían tardado mucho en llevarles la comida. Me dijo que no, que estaban esperando a un amigo. La *hostess* llegó con el teléfono de la recepción para decirme que me hablaban por teléfono. Se me hizo raro. Cuando contesté, cortaron la llamada. Le pedí que me pasara el número que se había registrado, pues se me hacía raro que alguien me llamara al restaurante y no a mi celular. Me lo pasó. Me fui al baño y traté de hablarle a H, pero no contestó. Le mandé un mensaje preguntando si me había hablado. Salí de nuevo y me metí a la barra. Luego, el gerente, que era mi amigo, con la cara pálida se acerca y me dice: "Te buscan". Atrás de él, los dos hombres de traje me hicieron la seña de que los acompañara. Salí de la barra y nos fuimos a las oficinas de la gerencia. Cuando entramos se identificaron con su placa y credenciales del FBI. Me preguntó uno de ellos que cómo había entrado al país. Le contesté que ilegalmente. "¿Su nombre es Nadia Vázquez?" Era el alias que usaba, le dije que sí. "Queda usted detenida". Me pusieron las esposas, me sacaron, y sólo alcancé a decirle a un primo que trabajaba ahí que le hablara a H. Me había delatado mi "amiga".

Me llevaron a un edificio del FBI, en el transcurso me pasaron un teléfono y alguien, un hombre, no supe quién, dijo mi nombre y agregó: "Hasta que te encontré". Me hice a un lado y me quité el teléfono.

Mi vida pasaba mientras veía la calle por la ventana: H, mi vida con él, que a lo mejor ya nunca volvería a ver; mi familia, todo, como si ya me fuera a morir.

Me interrogaban en el edificio del FBI, en oficinas donde, por cierto, ya no había gente, pues eran más de las nueve de la noche.

Me preguntaron mi nombre y yo seguía diciendo que Nadia. Me decían que yo sabía lo que había hecho en México. Les dije que no sabía nada y que no hablaría hasta que estuviera un abogado presente. Es un derecho que respetan allá, no como aquí.

Oí que uno hablaba por teléfono y decía que no me podían tener ahí, pues no había cometido ningún delito en Estados Unidos, que me mandarían a Inmigración. Les pedí una llamada, me preguntaron que a quién le hablaría, les contesté que a mi prometido. Ellos pensaron que era el chavo del problema. Me dijeron que me iban a permitir la llamada, pero que nada de español o la cortaban. Hablé con H, le conté que me habían detenido y que lo amaba. En eso me quitaron la bocina y le dijeron que si él sabía que Nadia no era mi nombre, que me buscaban en México por haber participado en un secuestro y que ya no me vería en mucho tiempo. Les pedí que por favor le entregaran el anillo de compromiso y las llaves de la camioneta.

Los de Inmigración me llevaron a una cárcel de hombres, pues la de mujeres estaba más lejos y tendrían que manejar mucho. Me pusieron en una celda para detenidos psiquiátricos, con una colchoneta, y me dieron un *jumper* anaranjado enorme. Recuerdo que estaba con mi regla. Pegaba en la puerta para decirles que necesitaba un tampax y se tardaron mucho hasta que me consiguieron una toalla. No paraba de llorar, no podía ni abrir los ojos.

No dormí. Al día siguiente me llevaron a una cárcel de mujeres en el estado de Kentucky, horrible. Me preguntaron si quería hacer una llamada, pero no me sabía de memoria el número de celular de H. La oficial, muy linda, un ángel de verdad, me pidió que me acordara. Le dije que estaba en mi celular y éste estaba en otra parte. Le comenté que mi novio era militar, me preguntó si sabía en qué base trabajaba. Eso sí lo recordaba y ella hizo muchas llamadas hasta que encontró la base y me comunicaron. Él, desesperado, me preguntó en dónde estaba. Le expliqué, a punto de llorar. Me dijo que me calmara, que todo estaría bien.

Me fue a ver a esa cárcel. Él lloraba igual que yo, nos vimos a través de un vidrio. Quería despedirme, pues pensaba que ya me iban a deportar. Me dijo que buscaría a un abogado para sacarme de ahí. Pensé que no querría ni hablarme, pero me dijo que me conocía y sabía que lo que decían eran mentiras. Le di las gracias por creer en mí. Se fue.

En las celdas, todas las personas eran raras. Yo no comía nada, me preguntaban si les regalaba mi comida y les decía que sí. Fue muy feo todo ese tiempo. Me sacaban a las oficinas de Inmigración para corroborar mi identidad, misma que salió inmediatamente por la visa que años atrás había sacado.

Sentía que mi vida se había acabado. Cuando hablé con H, me dijo que iría a la próxima visita, que era el sábado.

El viernes en la madrugada me pidieron que preparara todas mis cosas. Tenía miedo, sentía que ya me llevaban a México y yo quería despedirme de H.

Me llevaron en una camioneta, casi ocho horas, con más detenidos. Era la única mujer. Luego sabría que íbamos a Chicago, Illinois. Cuando llegué a la cárcel, una estatal, me metieron a bañar con agua fría y me dieron un líquido para que me lo echara: era para los piojos. No me dieron toalla para secarme, me pasaron unas pantaletas y un sostén usados, una playera, unos calcetines, un pantalón, una camisola color naranja y unas chanclas.

Te gritan cuando llegas, te tratan como a un perro. Me tuvieron en una celda casi ocho horas sola, en recepción, en lo que llenaban el papeleo y todo eso. Lloraba mucho, es algo traumático pasar por todo eso.

Luego me pasaron a población. Me dieron unas sábanas, una cobija, un cepillito de dientes que se pone en el dedo, una pasta y un jabón. Era todo lo que daban.

Cuando entré, todas las internas me voltearon a ver. Había muchas negras y se veían muy malandras. Empezaron a chiflar y a decir "carne nueva". Por un altavoz me indicaron mi celda y la abrieron mecánicamente. Entré, era para dos personas, sólo había una colchoneta delgadita sobre la cama de piedra, un baño de metal y un espejo que no es espejo, sólo como una calcomanía donde apenas te ves. Me quedé adentro tratando de no llorar, pero era casi imposible, es como sumergirte en un mundo o submundo de horror que no sabía que existía, una pesadilla que no se acababa. Y eso que apenas empezaba. Me sentía sola, tan sola como si hasta Dios me hubiera abandonado. A lo primero que salí fue a preguntar si podía hacer llamadas. Me dijeron que sí y me explicaron cómo funcionaba. Le hablé a H. Me dijo que ya se había comunicado con mi familia en México y que estaban de acuerdo en que se contratara un abogado, y que no firmara nada. Que me amaba.

Su amor y su apoyo en ese tiempo me daba mucha fuerza. Me depositó dinero. Además, él podía comprar por internet productos para mí, siempre tenía muchos dulces y comida. Era muy responsable en eso. Me contó que le había preguntado a su jefe si no había problema en que me ayudara. Le dijeron que no, mientras no saliera nada en las noticias de que él era del ejército americano.

Cuando el abogado fue a verme, lo primero que me preguntó fue: "Dime que tienes un hijo con H, le contesté que no. Dijo que eso complicaría más las cosas. Sentí como una piedra caía sobre mí, como un castigo, una señal de mi falla, de mi cobardía. Me preguntó mi versión de los hechos y todo. Realmente sentí que no hacía gran cosa.

Un día que hablé con H, me dijo que si me quería casar con él, y me quedé pasmada. No podía creer que él, viendo mi situación, quisiera casarse conmigo. Ya había pedido permiso en su trabajo y le habían autorizado. Ahora yo tenía que pedir permiso para casarnos en la cárcel. Llené la solicitud. Todo mundo me decía que iba a ser muy difícil, hasta el abogado, porque sería como ayudarme a que me quedara. Seguí metiendo los papeles y pidiéndole a Dios que me ayudara.

Una mañana me sacaron a una oficina fuera de la cárcel. Pregunté a adónde me llevaban, pero no me decían nada. Cuando llegamos al edificio, me dijo la guardia: "¿Pues que no había solicitado casarse? Le dieron permiso y viene a llenar una forma al Registro Civil". En medio del pantano, encontraba la flor más bella. No lo creía, me dieron ganas de gritar de alegría. Yo iba esposada de pies y manos, la gente me volteaba a ver como si fuera Hannibal Lecter, el homicida más peligroso, y eso me daba pena, pero como estaba muy feliz, no me importó. Me tomaron mis huellas, llené el formulario y me regresaron a la cárcel.

Lo primero que hice fue llamar a H, le conté casi gritando que nos habían autorizado a casarnos. Él empezó a reírse y me dijo: "Ya lo sabía. Hace unos días me dijeron, pero quería que fuera sorpresa para ti". Vaya que fue sorpresa. A diario hablábamos por teléfono quince minutos, aunque era un poco caro. En esa cárcel estatal fue a verme una vez con mi tía por Navidad, viajaron casi ocho horas, para verme quince minutos por un monitor. Ya sabía como eran las visitas y les había dicho que no fueran, pero me dieron la sorpresa. No sabía hasta que llegué al área de visitas. De hecho, pensé que era una de las mujeres que iban a hacer servicio comunitario y hacían visitas carcelarias a las personas que nadie visitaba. Cuando llegué al Locutorio, prendieron el monitor, era chico en blanco y negro, y vi a H y a mi tía. Lloré de la emoción. Les dije que por qué habían ido, que era muy poquito el tiempo para tantas horas de trayecto.

Nos felicitamos, H me dijo que me amaba con todo el corazón, y yo también. Mi tía me daba ánimos, fue muy bonito, pero desgraciadamente sólo duró quince minutos.

Así pasó mi vida carcelaria en Estados Unidos. De ahí me cambiaron a una federal, gracias a Dios, porque ahí las visitas eran de contacto, tres horas, sin el vidrio, y podíamos abrazarnos. Seguíamos en la lucha. Mi mamá consiguió su visa y fue a verme en varias ocasiones con mi esposo. Porque ya nos habíamos casado, en la otra cárcel, ante un juez. Por cierto, estuvo muy emotivo, pues él llevaba escrito en un papel los votos que me hacía, y el juez le permitió leérmelos. La oficial y yo estábamos llorando, a mi esposo se le cortaba de repente la voz. Me prometió estar conmigo en las buenas y en las malas, amarme y respetarme, y muchas cosas más que el tiempo se encargó de ir borrando de su corazón y de su mente.

Cada visita que me hacía era un vía crucis para él, nos veíamos una o dos veces al mes. Manejaba seis horas a Indianápolis, para dejar al niño con unos amigos, y luego salía a las cuatro de la mañana, pues eran casi tres horas para llegar a Illinois, y la visita empezaba a las nueve de la mañana. El mismo recorrido de regreso. Aprendí a tejer y le hacía cosas a mi mamá, a mi papá, a mis abuelitas, pero, casi todo era para él. Era mi esposo y lo amaba con todo el corazón.

Un día de mayo, hablé a México con mi mamá, lo hacía sólo de vez en cuando, pues era caro. Me dieron la noticia de que a mi hermano lo habían golpeado en la calle unos tipos que se bajaron de una camioneta, y le dijeron que advirtiera a su mamá para que ya no se metiera en pendejadas. Eso lo hicieron un 10 de mayo, como regalo para mi mamá. Mi hermano reconoció a uno de sus agresores: era uno de los escoltas de la señora que es mi agravio. Inmediatamente se movieron y mandaron a mi hermano a Canadá como asilado político por la situación que vivíamos. Me sentía mal por todo lo que esta gente nos hacía. Mi mamá me platicó que la "señora", si así se le puede llamar a una persona que no tiene escrúpulos, mandó poner espectaculares con mi cara, la recompensa y la leyenda de "ASESINA Y SECUESTRADORA". Puso uno enfrente de la casa de mis papás, otro en la escuela a la que iba mi hermano, otro enfrente del trabajo de mi mamá. Dice que una vez que salía del súper vio a mucha gente voltear hacia un edificio. Estaban colocando una gran manta y, cuando la desenrollaron, vio que era mi cara con la misma leyenda y la recompensa, pero era tan grande que se le cayeron las bolsas del mandado y comenzó a llorar y a temblar. Dios perdone a esa señora el mal que no sólo me ha hecho a mí, sino a mi familia, a quienes sin deberla ni temerla ha hecho sufrir sólo por tener dinero e influencias, pero, sobre todo por su gran prepotencia. Si a mí, por conocer a gente que no debía, me mezclaron en todo esto, ellos no tienen nada de culpa.

Estuve casi un año en la cárcel federal, hasta que un día me cambiaron a otro centro, pues iban a remodelar el edificio. Éramos quince y a unas nos mandaron a una estatal de nuevo. Estaba horrible, a todas nos tenían en un gran cuarto con ocho literas, pero estábamos juntas. Un día vino una custodia por mí y me dijo que recogiera mis cosas, que me iban a reubicar porque mi caso era de máxima seguridad y no podía estar con ellas.

Me llevaron a un bloque donde había muchas negras y dos latinas, platiqué con éstas y me ayudaron a acomodar mi cama. Había un ambiente tenso con las negras, pues no querían a las latinas. Empecé a hablar con ellas en inglés, pues no tenían problemas conmigo. Con las otras siempre se peleaban por la TV, decían que tenían derecho de ver programas en inglés, pues estaban en Estados Unidos, y las latinas no. La regla era que el día que les tocaba limpiar la estancia y el comedor, ese día ellas escogían lo que se veía en la TV. Era un ambiente feo. Hablé con mi mamá y con H, mi esposo, en varias ocasiones, pero salía exageradamente caro, así que, en lo que cambiaban de compañía, casi no hablé y me estaba deprimiendo mucho. A mi esposo cada vez lo sentía más lejos y yo más adentro de la mancha voraz que es la cárcel.

Un día nos castigaron a Aby, una de las latinas, y a mí por haber cambiado un colchón de una estancia a otra. Nos mandaron al hoyo, como le dicen allá. Ése fue el detonador y empecé a llorar de impotencia. ¿Por qué tanto? Me estaban pasando cosas feas. Gracias a Dios, sólo me dieron seis días, que se me hicieron un mes. A Aby le dieron el mes completo y la cambiaron de bloque. Luego me enteré de que nadie la quería porque había salido en las noticias que había matado a su hijo. A mí me platicó la verdadera historia. Ella era ilegal, junto con su pareja, y un día el niño entró mojado por estar jugando afuera, ella le dio una nalgada y le dijo que se metiera a bañar porque se iba a enfermar, pero el niño empezó a convulsionarse, entró en una crisis de hipotermia. Ella habló al 911 para decirles de la emergencia. Cuando llegó la ambulancia subieron al niño, todavía con vida, pero se tardaron en atenderlo y llevarlo a un hospital y se murió en el camino.

El *sheriff*, un chicano que odiaba a los latinos, le echó la culpa a ella para deslindar al estado por negligencia médica. Fue un caso muy sonado. Cuando estuvimos en el hoyo, me contó toda su historia, llorando, jurándome que ella era incapaz de hacerle algo así a su amor, que era su hijo. Pero, por ser ilegal y pobre, le echaron la culpa a ella, de no haber llamado a tiempo al 911. Le querían dar cadena perpetua. Ya llevaba casi tres años en ese lugar tan horrible. La escuchaba y me sentía muy mal de ver cuántas injusticias había en la cárcel.

Me sacaron de ahí y ya no volví a saber de ella. Me regresaron con las muchachas con las que llegué. En ese tiempo le había mandado una carta a mi esposo, pues a veces por teléfono nos enojábamos porque a mí me daban celos, o por cualquier tontería. Le escribí una carta en la que me esmeré mucho y le dije lo que era para mí, que el ser mi esposo significaba entrega, amor y hasta poemas le puse; dibujé varios días unos marcos bien bonitos. Como a la semana de que me cambiaron de módulo, recibí un sobre grande de mi esposo. Emocionadísima, lo abrí esperando noticias de él, como siempre. Eran puras hojas impresas, alcancé a leer, en español: "Solicitud de divorcio, mi nombre versus H. Sentí que las piernas se me doblaban, *versus* significa en contra. ¿Cómo, también él ya estaba en mí contra? Leí una nota con su letra que decía: "Por favor, no hagas esto más difícil, sólo pon tu firma en donde están las cruces". Pensé: "Qué amable de su parte, hasta me indica dónde firmar". Tenía una revolución de imágenes en mi cabeza: de cuando estábamos juntos, todo lo que habíamos pasado, cuántas cosas nos prometimos; era tanto que no podía seguir leyendo. La licenciada del Jurídico que me había llevado las hojas, dijo que regresaría por ellas. Acepté y me fui a una mesa sola, no sé cómo me pude mover, pues mis pies los sentía pegados al piso. Cada vez que pasaba una hoja, me mordía los labios para no llorar. Estaba destrozada por dentro, ya no tenía ningún motivo por el cual estar en ese país. Me dejó. No lloré, firmé todas las hojas donde él amablemente había señalado que firmara. Había una acerca de si yo quería pelear por algún inmueble que tuviéramos juntos. Pensé en la casa: todo lo que compramos, todos los meses que mi sueldo íntegro se fue a esa casa, cómo la decoramos juntos. Aunque no me hubiera puesto una cruz para que firmara, de todos modos hubiera firmado en donde me niego a pelear cualquier inmueble.

Todo ese día estuve como zombi. No le quise decir a nadie, pues no quería que se supiera; hay gente que goza con el dolor ajeno y más en la cárcel. Me aguanté hasta que llegó la hora de dormir. Me cubrí con la sábana y, mordiendo mi almohada, empecé a llorar en silencio. Toda la noche recordé escenas de mi vida, de mi relación con él, del martirio por el cual estaba pasando. Sólo Dios, que era un testigo mudo, supo exactamente el dolor que sentí, la estocada al corazón que me había matado todas mis ilusiones.

Al otro día me prometí a mí misma no volver a llorar por ningún hombre. Le entregué los papeles a la licenciada, que me veía con lástima, pero yo, bien parada, le di las gracias, aunque en mi interior estaba destrozada.

Hablé con mi mamá y ella no lo podía creer. Le pedí que, por favor, sacara todas mis cosas de la casa y se fuera a casa de mi tía, pues mi mamá se encontraba en Estados Unidos. Quise volver a hablar con ella al día siguiente, pero no entraba la llamada. Se me hizo raro. A mi exesposo prometí no volver a hablarle, no quería saber nada de él nunca.

Estuve sin poder hablar por teléfono casi una semana. Un día, en la madrugada, me dijeron que preparara mis cosas. Allá se usaba que cuando ibas a alguna corte, te llevaras tus papeles y todas tus cosas, aunque regresaras. Eran como las cuatro de la mañana, todas estaban dormidas. Sólo una compañera que se alcanzó a despertar, me deseó buena suerte.

Salí del edificio con mis cosas, que no eran más que una caja con cartas y papeles legales. Pensé que había alguna audiencia y yo no sabía. Cuando llegamos al edificio federal donde antes estaba, me emocioné pensando que me cambiarían de nuevo ahí. Me bajaron de la camioneta y vi seis Suburban negras en el estacionamiento subterráneo. Me pasaron, y vi a varios federales con armas largas; uno me puso un chaleco antibalas. Cuando me subieron a una de las camionetas, pregunté a dónde iba. "Te vas de regreso a México."

Cuando dijo eso, sentí las piernas frías y la boca seca. No podía ni siquiera llorar, no lo podía creer. El abogado nos decía que el caso ya estaba en las altas esferas, hasta Washington, pues yo peleaba que no me regresaran a México para evitar la tortura, o hasta la muerte.

Se pusieron en marcha las seis camionetas con torretas abiertas, en sentido contrario en algunas calles. Sentía que venía conmigo el presidente o alguien muy importante. No sabía que yo fuera tan peligrosa como para que implementaran ese sistema de seguridad. Si supieran que yo no era culpable de nada de lo que me acusaban… Ni siquiera tenía dinero como para que me rescataran.

Se me venían a la cabeza imágenes de las cortes o audiencias que habíamos tenido. Mi exesposo siempre iba con su uniforme de gala, llegó a quebrársele la voz ante el juez de la Corte Federal al implorar que me dieran una fianza, que él quedaba de responsable si cualquier cosa pasaba, si yo llegara a huir. En otra de las cortes, fue un testigo protegido a decir que el muchacho que buscaban estaba vivo y que, aunque no me conocía, sabía que yo no tenía la culpa. Mi exmarido se tardó mucho en convencer a ese señor para que fuera a declarar, esa vez la reunión en la corte duró casi siete horas. Uno de los federales me dijo: "Niña, tú tienes que escribir un libro con todo lo que te está pasando". Ese día recuerdo que veía por un ventanal a unas palomas revoloteando afuera, y le pedía al cielo convertirme en una de ellas y volar lejos de toda esa pesadilla.

Todo venía a mi cabeza mientras iba en la camioneta: mi familia, cómo había cambiado tanto mi vida. ¿Por qué me acusaban de esa forma, sí yo no tenía nada que ver?, ¿qué querían saber? A lo mejor el paradero del chavo con el que anduve. Mi boca se secaba más y mis manos empezaban a sudar.

Llegamos al aeropuerto, vi la avioneta con la bandera mexicana y a unos hombres de traje en la escalera. Me entró miedo de pensar lo que me harían al subir a esa avioneta. Me encomendé a Dios, pero sentía que estaba muy lejos de Él.

Me entregaron a la AFI y me subieron a la avioneta. Una mujer se presentó, pero la verdad no oía nada, no entendía, estaba bloqueada, tenía un miedo que no podría describir, me imaginé lo peor. Desde que me subí, me estuvieron filmando con dos videocámaras. Gracias a Dios, no me golpearon. La señora vio que estaba pálida y con los labios secos, pero yo no quería tomar agua. Me preguntó si me sentía bien, yo decía que sí, pero estaba mal. Al final me consiguió una Coca-Cola cerrada, pues se me bajó la presión. Los hombres querían que les hablara del caso, pero les dije que no hablaría nada hasta que estuviera con mi abogada y el juez. No volvieron a tocar el tema.

Llegamos a México. Pregunté si habría periodistas, pues no quería. Me dijeron que no. Cuando abrieron la compuerta y bajé por las escaleras, había cincuenta personas con cámaras de TV y fotográficas. Sólo pensaba en mi familia cuando viera en los noticiarios todo esto.

Me recibieron muchas personas. Casi no podía ver por los *flashes* de las cámaras. Dos AFI me traían del brazo, una de cada lado, estaba esposada, con el uniforme naranja y el chaleco antibalas que pesaba mucho.

Estuve en una oficina en el mismo aeropuerto con personal de derechos humanos que me preguntaron si me habían torturado o me habían tratado mal en el camino. Yo estaba aturdida con tanta gente y cámaras, contestando preguntas, todos hablándome al mismo tiempo. Quería hablarle a mi familia, pues nadie sabía que me habían extraditado y mi mamá estaba en Estados Unidos. Después me enteraría de que todos lo supieron por las noticias, que se espantaron al verme por televisión bajando las escaleras y al conductor diciendo: "La secuestradora tan buscada, por fin es regresada a México". Yo estudié la carrera de Comunicación y pienso que la ética de muchos periodistas y comentaristas a veces es muy mala. Sin hacer una investigación real, te destruyen con una sarta de mentiras, sin pensar en el daño moral que te hacen a ti y a tu familia.

Yo tenía un amparo para no pisar la SIEDO ni ser arraigada y evitar cualquier tipo de tortura. Me tenían que presentar directamente al juez de mi causa en el D.F. y llevarme a Santa Martha. Antes de esto, en el aeropuerto, cuando acababa de despedirse el representante de derechos humanos y otras personas que estaban haciendo los debidos papeleos, me sacaron de esa oficina y me llevaron a otra. Ahí se encontraban los altos mandos de la policía y la señora que tanto daño me había hecho. Les dije que no quería hablar nada con ella, que me había hecho demasiado daño, que por favor me sacaran de ahí. Uno de ellos dijo que sólo me iba a hacer unas preguntas. La señora me propuso un trato: si ponía a mi exnovio y a todos los implicados, tendría beneficios.

Le contesté que cómo iba a decir algo que no sabía, y que no haría ningún trato con alguien que había mandado a golpear a mi hermano y me había difamado de la manera en que lo estaba haciendo.

Le dije a uno de los mandos que, por favor, me sacara de ahí, que él sabía perfectamente que la orden del juez era que yo no declarara hasta estar en el Juzgado Decimosexto del D.F., y que haría esto del conocimiento del juez. Empecé a caminar hacia la salida. Pensé que me detendrían, pero no lo hicieron. La señora me gritó de cosas, una de ellas, que me iba a arrepentir y que iba a saber de lo que era capaz. Les dije a todos que habían oído que me estaba amenazando. Nadie dijo nada.

Salimos del lugar. Me subieron de nuevo a una Suburban, iban tres adelante y tres atrás. Me llevaron a Santa Martha, estuvimos varias horas afuera, en las camionetas. De repente, el comandante que me llevaba recibió una llamada y nos fuimos a la SIEDO, pero yo me quedé en la camioneta con unos AFI. Me urgía ir al baño, pero el comandante no me quiso bajar, dijo que yo no podía entrar a ese lugar por orden del juez. Lo sentí como burla, por que sí me pudieron pasar a una oficina con la señora esa que quería sacarme una confesión. México, ¡bienvenida a la corrupción total!, al tráfico de influencias, a la evasión de las leyes y de los derechos humanos.

Me llevaron a otro penal. El camino hacia allá se veía macabro en la madrugada, con neblina y brechas. Me imaginaba que me estaban llevando muy lejos. Le pedía a Dios que me cuidara. El comandante me dijo que habían hablado con el juez y que me mandaron a Almoloya de Juárez. Cuando escuché ese nombre, hasta se me enchinó la piel. Ese lugar es conocido por recibir a los peores delincuentes. Después me daría cuenta de que no era tan malo.

Cuando llegamos, nos abrió un velador. Traía una cobija para taparse del frío. Me metieron y vi todas las instalaciones en estado deplorable. Todavía tenían máquinas de escribir de las viejitas. Nada que ver con las instalaciones de Estados Unidos. Pero tenía algo de bueno: olía a bosque, a México, estaba cerca de mi familia. Les pedí hacer una llamada, pues siempre que llegas te deben permitir avisar a tu familia de tu traslado. El velador se rio y me dijo que no, que allá abajo había teléfonos, y preguntó que si no traía tarjeta de teléfono. Le contesté que venía de Estados Unidos, extraditada y que no traía conmigo más que una bolsa con cartas y papeles jurídicos, pues el dinero que tenía depositado allá, se lo tenían que mandar por cheque a mi familia en la dirección que tenía autorizada, pero hasta eso se quedó mi exesposo.

Llegó una oficial. Yo seguía rogando por una llamada, pues no tenía dinero ni nada, que por favor me ayudaran. Uno de los AFI, discretamente, me dio un billete de veinte dólares. Le di las gracias y le pedí que me diera su nombre y teléfono o algo para que mi abogado se los pagara. Me dijo que no, que así estaba bien. Angelitos en medio del camino de oscuridad nos pone Dios, no hay duda.

Esperaba que me dieran una cobija, sábanas, papel de baño y todo eso que daban en Estados Unidos. Acá nada me dieron. La oficial me llevó al dormitorio de mujeres. Pasamos por una explanada donde había pasto y unas como cabañitas de cemento. Pregunté si ahí podíamos ir los que estábamos presos. La custodia, sorprendida, contestó que sí, que ahí iba a estar cuando tuviera visita. Yo estaba feliz, tenía casi dos años sin ver y menos tocar el pasto. Había un jardín muy bonito con flores y al final parecía como una gran casa. Entré al dormitorio y me metieron en una celda. Todo estaba oscuro, había dos literas con tres personas cada una, y dos colchonetas en el piso, con dos en cada una. Todo en un espacio de tres por tres metros. Ni siquiera prendieron la luz. La oficial sólo gritó que me hicieran un lugar, que era nueva. Las muchachas ni siquiera se inmutaron. Ese día no dormí nada, sólo esperaba que amaneciera para ver si podía hacer una llamada. Escuchaba a un bebé, y todo se veía como si fuera una vecindad. Olía a comida, a baño, a todo. Pensé que estaba imaginándome cosas. En la mañana, cuando abrieron las puertas, rápido me salí; tenía ganas de ir al baño, pero ni siquiera tenía papel y las muchachas seguían bien dormidas. Salí y me llamaron de comandancia del módulo, donde estaban las oficiales. Me dijo una de ellas que me tocaba hacer la "talacha" porque acababa de llegar. Vi que había varias oficiales y unos oficiales que trabajaban en las torres y me volteaban a ver como bicho raro. Barrí la parte que me dijeron, y luego me di cuenta de que había una TV adentro. Estaban en las

113

noticias imágenes mías de cuando llegué. Por eso me habían mandado a hacer la talacha, para verme. Cuando me di cuenta, le dije que ya no lo haría, pues me dolía mucho mi mano.

En las noticias decían que estaba en Santa Martha. Mi familia y mi abogada debían estar buscándome allá, y yo sin poder acordarme de los números de mi casa o de mi abuelita; estaba bloqueada. No faltó la buena compañera que me prestó papel de baño, jabón y una tarjeta de teléfono. Salía en todas las noticias a todas horas. Yo me quedé afuera, en un jardincito, tomando el sol, pues hacía dos años que no me asoleaba, estaba pálida, pálida. Todavía traía mi uniforme naranja. Muchas salían a verme sólo para chismosear de la nueva interna.

Por fin me acordé del número y pude hablar a casa de mi abuelita. Mi papá llegó a verme por Locutorios y me llevó una bolsa con ropa interior, unas playeras y unos pantalones. Me dijo que era mientras mi mamá me traía mis cosas, que ya estaba por regresar en el primer vuelo que pudiera. ¡Tenía tanto de no ver a mi papá! Lo veía a los ojos y notaba que se aguantaba para no llorar. Veía mi uniforme y trataba de voltear la vista. Sólo me decía que todo estaría bien, que estaban conmigo. Me abrazó cuando nos dijeron que ya era hora de que me regresaran. Me dijo que iba a venir el día de visita, que estuviera tranquila, que después me visitaría mi mamá. Me sentí más segura. Me habían llevado ahí para que hiciera una declaración. Yo sólo negué los cargos y me apegué al artículo 20 hasta que estuviera mi abogada.

Llegué el viernes 25 de septiembre de 2009. Estuve "normal" en ese lugar, me iban a ver mis papás, mis tías, mi abuelita, me sentía mucho más tranquila cerca de todos.

Casi dos meses después, el 27 de noviembre, me llamaron como a las siete de la noche. Estaba jugando volibol con las muchachas. Me dijo la *jefa* —así les dicen a las oficiales allá— que tenía una llamada, que el director me quería ver. Subí a mi estancia a cambiarme y, cuando íbamos en camino, le pregunté si sabía para qué me querían. Me dijo que no, que le acababan de decir que era una audiencia. Le dije que no era posible, pues mi abogada no me había comentado nada y acababa de hablar con ella un día antes. Además de que era ya muy tarde para una audiencia. La *jefa* me decía que no sabía, pero que estuviera tranquila. Le dije que no me latía, que por favor no se fuera a apartar de mí, pues tenía mucho miedo. Me dijo que no, que estaría conmigo todo el tiempo, que ella tenía un familiar que había estado en la cárcel y lo habían torturado y ella no estaba de acuerdo, que me iba a cuidar bien, que no me preocupara.

En eso, le hace una seña uno de los oficiales para que me metiera del otro lado, donde están los oficiales. Un lugar donde no entraban los internos. De repente, vi a dos hombres de espaldas con traje, y cuando les dieron una señal, se pusieron unos pasamontañas y se me dejaron venir los dos.

Me alcancé a colgar del oficial, pero me agarraron uno de cada brazo. Yo gritaba que quiénes eran, que de qué se trataba todo eso. Mi corazón latía tan fuerte que pensé que se saldría de mi pecho. Me dijeron que ya sabía de parte de quién venían, que no sabía con quién me había metido. Me vendaron los ojos y me pusieron unas esposas. Había una mesa y unas sillas, alcancé a ver que sacaron un maletín donde traían las esposas, una grabadora de audio, hojas blancas, una pluma, unas inyecciones con un líquido rojo, vendas y una máquina plateada, creo que era de toques eléctricos; sacaron también unas bolsas de plástico.

Todo lo recuerdo ya como en un sueño, un horrible sueño. Me gritaban cosas terribles, mentadas de madre, me humillaban diciéndome toda clase de groserías. Me enseñaron una foto de mi hermano y su dirección en Canadá, y de mis papás. Me decían que me iban a sacar de ahí y les daría direcciones, y pobre de mí si no eran ciertas, porque levantarían a mi familia y los matarían enfrente de mí, y que a mí me iban a tirar en un lugar donde nadie me encontraría.

Me golpeaban en la cabeza, con la palma abierta en los oídos, me jalaban el pelo hasta tirarme de la silla, me ponían una bolsa hasta que sentía que me ahogaba, que me desmayaba. Todavía con la bolsa puesta y yo en el piso, uno me daba rodillazos en el estómago y en las costillas. Llegó un punto en que pensé que ya no aguantaría. Me preguntaban cosas que no sabía, les decía que no sabía, que cómo podía contestar algo que no sabía. Seguían golpeándome y ahogándome con la bolsa. Me pedían que firmara las hojas y pusiera mis huellas. Yo no quería, no me echaría la culpa de algo que no había hecho. Decían que iban a estar toda la noche ahí, hasta que les diera lo que querían: la dirección de mi exnovio y una confesión firmada.

Aventaba las sillas de la desesperación, ellos me tapaban la boca y me decían que no hiciera ruido, que no gritara. También decían que todos estaban de acuerdo con que hubieran entrado. Había un tercer hombre que entraba y salía del cuarto, también encapuchado, era alto y blanco —se le veían las manos— también llevaba traje. Yo gritaba, pues me pusieron una de las agujas en el cuello, diciéndome que era sangre de un sidoso en fase terminal y que iban a venir cada mes a ponerme más. Ya no sabía ni oía nada. Empecé a rezar con todo mi corazón el Padre Nuestro en voz alta. Me acuerdo de que uno me golpeó la cabeza y me dijo que ahora sí creía en Dios. Seguí rezando. De repente me sentaron en la silla y me dijeron que tenía que confesar que era responsable del secuestro, igual que los demás. Ya me habían quitado la venda, y me jalaron el pelo horriblemente, sentí cómo tronaba mi cuello. Dije que no sabía nada. Empezaron a tocar a la puerta, y uno de ellos me dijo que ya había valido madres, que me iban a sacar del penal. Me entró un miedo horrible y me puse a gritar que no por favor, que no. Abrieron la puerta y recogieron todo lo que había en la mesa. Vi a muchos hombres de negro en la puerta, afuera, pensé que eran parte de ellos, que me iban a sacar. Los tres hombres se escabulleron entre los otros y en eso entró un comandante de seguridad y me preguntó qué me estaban haciendo. Entré en crisis, no podía ni hablar, estaba temblando. Me dejaron esperando ahí como tres horas. Según esto, mandaron llamar al médico para que certificara mi estado, certificación que nunca apareció cuando la pedimos.

Me bajaron al módulo femenil, le hablé a mi abogada, pero no contestó. No le quise hablar a mi mamá, pues la iba a preocupar y al otro día era de visita, mejor se lo diría en persona. Entré a mi estancia. Estaba temblando, tenía pánico de que esta gente entrara a sacarme de ahí. Lloré toda la noche, todo me dolía.

Al otro día subí a visita. Primero llegó mi papá, venía sonriendo con su bolsa de comida y las cosas que me traía, como siempre. Yo tenía puesta una bufanda, pues me habían quemado y marcado el cuello con las bolsas y un lazo que traían, se veía muy feo. Cuando lo vi, traté de hacerme la fuerte; él me vio y se le borró la sonrisa, me preguntó qué me pasaba. Empecé a llorar y lo abracé. Le conté lo sucedido. Mi papá volteó la cara, dejó las bolsas en el piso y me abrazó muy fuerte. Se estaba haciendo el fuerte para no llorar. Fuimos a hablar con el subdirector, quien negó cualquier hecho de ese tipo. Mi papá preguntó por las cámaras, el tipo dijo que no servían. Era inútil, ellos mismos se tapaban.

Al poco rato llegó mi mamá con mi tía, y cuando le conté, se puso a llorar y a temblar de coraje. Sólo decía: "No se vale, no se vale que hagan esto". Después de eso, a mi mamá le dio diabetes por la impresión. Hicimos muchas cosas, bueno mi familia: demandas, amparos, metieron queja a derechos humanos. Todo salía negativo, pues desde arriba estaba la orden de tapar todo. Era realmente desesperante, frustrante, vivir con ese miedo diario. Decían que había precio por mi cabeza, eran los chismes en los pasillos del femenil. Nunca les conté eso a mis papás, ya no quería preocuparlos más. Seguimos una batalla incansable, desgastante. Todos los que llamaban a atestiguar decían que no era cierto. Un día hasta los mismos oficiales, cuando se enteraron de lo ocurrido, hicieron un paro, pero el director los convenció de que no iba a pasar nada.

Estuve casi un año en ese lugar, gracias a Dios, no volvieron a hacerme nada. Traté de seguir con mis actividades y conocí a muy buenas personas: a mi mejor amiga y a un hombre que me dio su apoyo incondicional y me cuidaba mucho, al igual que me enseñaba que el amor todavía existía. Les agradezco por enseñarme el valor de la amistad, por el cariño que me demostraron a lo largo de todo ese tiempo que estuve ahí. Veía a mi familia cada semana, y por eso estaba cada día más fuerte.

Un día, exactamente el 7 de octubre de 2010, me hablaron en la madrugada para decirme que iba a subir a una certificación médica. Volví a pensar en lo peor. Hasta que una de las oficiales, que era muy linda, me dijo: "M'ija, te vas de traslado. Agarra lo más que puedas y no digas que te avisé". Sentí un nudo en la garganta, ¿por qué?, me preguntaba, ¿a dónde? Dejaba ahí a personas que eran importantes en mi vida en esos momentos.

Tomé lo que pude: dinero, una agenda con números telefónicos, ropa y cosas personales. Le pedí a la jefa que le dijera a mi amiga que la quería mucho. Me subieron, me certificaron y me llevaron al aeropuerto. No podía entender a dónde me llevaban, por un momento pensé que me llevarían a Santa Martha. Cuando llegamos al aeropuerto, de nuevo traía esa sensación horrible que se siente en el estómago y en las piernas, los nervios me traicionaban. El comandante que me trasladó me dijo que no me preocupara, que iba a las Islas Marías, que todo iba a estar bien.

Cuando oí eso, sentí que me caía en un pozo sin fondo ¿tan lejos?, ¿por qué? Mi familia fue lo primero en que pensé. Me aguanté las ganas de llorar, pero ya en la avioneta fue inevitable. Veía el mar, quería tener una varita mágica y desaparecer de ahí. Cuando llegamos, me preguntaron que si conocía a alguien ahí. Les contesté que mi coprocesada estaba ahí, así que me mandaron a población directamente sin pasar por COC. Me revisaron de pies a cabeza. Al llegar al campamento femenil, hubo una nueva revisión exhaustiva. Todo era rural. Nos bañábamos en piletas de agua y hacía un calor infernal. Yo soñaba que estaba muerta y mi alma era la que vagaba por ese lugar. Sólo estuve cuatro días en población. Un día llegaron varias camionetas y marinos y nos dijeron que nos formáramos afuera de nuestra estancia. Era un cateo. Todas las chavas estaban nerviosas por alguna cosa ilegal que pudieran tener, una plancha de pelo, cartas de sus novios o algo así. Yo me sentía tranquila pues acababa de llegar y no tenía nada.

Cuando tocó en nuestra estancia, me llamaron. Entré sorprendida y me preguntaron si ésa era mi cama. Contesté que sí, y me enseñaron una tira completa con pastillas. Les dije que eso no era mío, que acababa de llegar, que me habían revisado. Dijo el comandante que eran pastillas prohibidas, un medicamento controlado: Carbomazepan. Ni siquiera conocía el nombre cuando me lo dijeron. Les dije que no eran mías, que tal vez alguien las puso ahí. Me mandaron a ponerme el uniforme. Me iba castigada a la llamada "borracha". Todas las chavas estaban enojadas, pues decían que era muy poca madre si alguien me había puesto esas pastillas, si apenas iba llegando.

En la "borracha", que es un cuartito en un campamento, Valleto, que es el principal, me tuvieron un par de horas. En la madrugada llegó un comandante con dos oficiales, me sacaron, me subieron a una camioneta y me llevaron al otro lado de la isla. Yo sólo oía el rugir del mar. Mi brazo derecho se me estaba durmiendo. Nada de eso era normal. La orden del comandante era que yo no podía hablar ni nadie podía hablar conmigo.

Temblaba de miedo como un estúpido conejo, mis nervios ya estaban mal, sabía que todo eso no era para nada bueno. Llegamos, por fin, a una casa al lado de un peñasco en obra negra. No había luz. Cuando llegamos eran las dos de la mañana, aproximadamente. Me metieron a la casa en un cuarto donde sólo había una cobija apestosa, horrible, y me encerraron. Las ratas pasaban a mi lado. Lloraba, me mordía la mano para no gritar, oraba, rezaba, le pedía a Dios que mejor ya me llevara con Él que vivir todo ese martirio.

Así pasé la madrugada hasta que amaneció. Como a las nueve, oí que llegó un coche, me asomé por una ventana. Era una Van blanca con los vidrios polarizados. Abrió la puerta una de las oficiales y me dijo que no me asomara, que me sentara. Estaba supernerviosa. En eso, abrieron la puerta y entraron seis hombres encapuchados, todos con pantalones de mezclilla, una camiseta blanca sin mangas y zapatos negros, todos iban iguales.

Yo grité: "¡Otra vez, no, por favor, no!" Uno de ellos me dijo que, ahora sí, aunque gritara, nadie me iba a escuchar, que ahora sí había chingado a mi madre. Traté de cubrirme con las manos y se me abalanzaron todos, me pararon y me envolvieron con una cobija, la pegaron con cinta canela, me vendaron los ojos y me quitaron los pantalones y los calcetines.

De nuevo la tortura, pero todo era peor. Sentía que ahora sí estaba sola, que hasta Dios ya me había dejado. Me golpeaban no sé con qué, si con el puño, los codos, las rodillas. Estaba en el piso. Luego me volteaban para echarme agua por la nariz y la boca para ahogarme. Uno de ellos no se me olvida, porque lo alcancé a ver por abajo de la venda, gordo y peludo de los brazos, todo sudado, se me aventaba. Como estaba boca arriba, me sacaba todo el aire con el codo, me golpeaba mis senos. Todavía tengo una bola de esos golpes, no se me ha quitado. Me golpeaban la cabeza, me decían que mi mamá la iba a pagar si yo no cooperaba. Me hablaban de una operación que mi mamá había tenido —de los ojos porque tenía glaucoma—, que se veía bien fea con sus lentes, que la iban a matar. No aguanté y me puse a llorar por todo lo que me decían de la persona que más amo en el mundo. Se burlaban de mi madre. También de mi hermano, de mi papá. Me decían que mi exesposo no me había querido, que todos me iban a dejar, así como él me dejó, que me quedaría sola. Se me derraman las lágrimas en estos momentos en que estoy recordando todo, como entonces. Prefería que ya me mataran. Estuvieron golpeándome y torturándome más de seis horas. Seis hombres contra una mujer vendada y amarrada. Eso sí es ser un maricón de primera, como cada uno de esos perros que me hicieron todo lo que me hicieron. Uno me metía el puño cerrado en mi parte, hasta que empecé a sangrar. Me decían que me veía como una golfa miada, que no valía ni un centavo. No se cansaban de humillarme ni de pegarme. Yo ya tenía rato de no estar ahí, me había ido lejos. Mi mente ya no estaba en ese lugar, sólo mi cuerpo martirizado seguía presente. Uno de los golpes que me dieron en la cabeza fue tan fuerte que casi me reventaron el oído, de todos modos, ya no sentía. No quería sentir, quería morirme. Creía que, de verdad, todos me habían dejado sola, hasta Dios, principalmente Él. Me decían que para que esto no volviera a ocurrir, tenía que ir con el juez que estaba en islas y decirle que estaba arrepentida y echarme la culpa del secuestro, que todos fuimos responsables, que el tipo se había muerto y lo habíamos cortado en pedazos. Que si no lo hacía, volverían, que ya había visto que sí tenían palabra, que nada de mis mamadas de andar diciendo todo esto a los de derechos humanos, pues quien la pagaría sería mi familia. Yo les decía que sí, que haría lo que me dijeran, pero que por favor ya me dejaran tranquila. Todavía al final uno se quedó y me dio una cachetada y me dijo: "Así siéntate, no te vayas a lastimar".

Se fueron después de todo lo que me hicieron. Las dos idiotas custodias que entraron con sus estúpidos lentes oscuros me vieron, y les grité que a ellos no los había visto, pero que a ellas sí, y que me iba a ir contra ellas. Me dijeron que esas personas decían que eran mis abogados. Y que ya me metiera, pues no podía estar abriendo la puerta del cuarto. Casi no podía caminar. Me puse a llorar con todo el sentimiento de impotencia que tenía, de dolor. Por la ventana se veía el atardecer, paradójicamente, muy bonito. Se veía una piedra en medio del mar, que es como otra isla, y el despeñadero. Quería morirme. Me imaginaba saltando al mar y estrellándome en las rocas, acabando ya con tanto dolor. Me puse el pantalón. Tenía las manos llenas de sangre, dejé varias huellas en la pared al agarrarme para poder caminar, pues tenía que sostenerme. Estaba enojada con Dios, había perdido la fe, mi integridad, mi valor como persona, ya no tenía dignidad, todo se lo habían llevado esos animales.

Me tuvieron otro día ahí, fue como un secuestro. Al siguiente día, en la madrugada, llegó el mismo comandante y me regresaron a la "borracha", de donde me habían sacado. No podía ni caminar, tenía mi pantalón lleno de sangre y todos me veían y parecía que nadie podía hacer nada. Estaba ida, no pensaba, me movía por instinto.

A las dos horas llegaron por mí y me llevaron a otro campamento. Ahí me tuvieron cinco meses aislada.

Cuando tuve mi llamada, le hablé a mi papá para contarle todo. Pensé muchas veces si decirles o no, tenía mucho miedo, pero si no les decía, corría el riesgo de que regresaran. A mi papá esta vez sí se le cortó la voz, sé que estaba llorando. Me dijo que no me preocupara, que si estaba bien. Yo le mentí y le dije que sí, cuando estaba literalmente destrozada por dentro y por fuera. Colgamos. Mi familia metió amparos y demandas. Todo lo malo se repetía, pero más complicado, pues no podían ir a verme, la única comunicación era por teléfono quince minutos cada doce días.

No me atendieron ni me llevaron al médico hasta después de casi quince días, por órdenes de "arriba".

Gracias a Dios, cinco meses después me trasladaron a un centro federal en Tepic, Nayarit, que es donde me encuentro en estos momentos. Llevo casi dos años aquí y cinco años detenida. Sigo en la lucha. Mi mamá es una guerrera que ha peleado con uñas y dientes. Me ha enseñado que no debo temer a nadie más que a Dios; mi papá igual. A mi hermano tengo seis años sin verlo. Mi fuerza es Dios —ya hice las paces con Él—, y mi familia, que me ha demostrado su amor y apoyo incondicional en cada paso que doy. Trato día a día de recobrar la seguridad en mí misma. Pero me pasan cosas extrañas, que no me ayudan. Ahora estoy segregada, aislada. No sé porqué pasan las cosas, pero le pido a Dios que me permita saber para qué. Sufro de nervios y estoy tomando pastillas para dormir y relajarme. A veces quisiera tomar una para olvidarme de todo lo malo que me ha pasado y otra para volver a reír de nuevo.

Día a día intento no volver a sentir lo que ese atardecer, esas ganas de no vivir y de estrellarme en el fondo del mar.

Sé que Dios me ama, que mi familia me ama. Que cada tropiezo o cosas malas que pasan en la vida tal vez no son un castigo, sino un aprendizaje. Ahora valoro las cosas más pequeñas e insignificantes. No pierdo la esperanza de volver a tener una vida fuera de este monstruo de siete cabezas que nos traga día a día, sin importar tu edad, si eres hombre o mujer, rico o pobre. Sé que debo ser fuerte. Mientras haya esperanza, hay vida, y la fe mueve montañas. Dios bendiga a todos los corazones que, como el mío, han llorado y sufrido dolores inimaginables que sólo nosotros sabemos.

Ésta es mi historia.

Centro Federal de Readaptación Social núm. 4, Noroeste Femenil
El Rincón, Tepic, Nayarit

LA VIDA DE UNA ADOLESCENTE INTERNA

Rosa Karina Borjas Luis

Soy Rosa Karina y estoy interna en la Dirección de Ejecución de Medidas para Adolescentes de Oaxaca. Ésta es mi historia desde niña hasta que llegué aquí. Soy la última hija después de dos hermanos. Tengo diecisiete años y mi color favorito es el *fiusha*, me gusta el espagueti, ir al gimnasio y mi pasatiempo es leer.

Mis padres son Rosa Luis Vázquez y Juan Manuel Borjas Antonio (finado). Mis hermanos: Juan Manuel y Leila Saraí; los dos están casados. Tengo tres sobrinos hermosos a los que amo.

Desde pequeña fui muy risueña y juguetona. Mi papá falleció cuando yo tenía diez años y fue algo muy duro para mí. Antes de eso, ya había sufrido abusos. Como a los seis años, junto con mi hermana, sufrí el acoso de parte de un tío que nos besaba, nos tocaba y nos decía que no le dijéramos a nadie. Hasta ahora, casi nadie lo sabe. Es algo que me duele y me da vergüenza comentar.

Como a los tres o cuatro años tuve un accidente. Iba en una bicicleta y, por no saber manejar, me estrellé contra una barda. Recibí ocho puntadas y hasta la fecha tengo una cicatriz en la ceja derecha.

Ingresé a la escuela a los siete años, a los seis no me aceptaron por mi fecha de nacimiento. Cuando iba en segundo grado, sufrí otro accidente, ahora más grave: me quebré el fémur de la pierna izquierda y estuve hospitalizada varios meses. Tengo dieciocho puntos y es una cicatriz horrible. A raíz de eso, por el yeso me salieron dos llagas en la parte de la espalda baja. Mi mamá sufría mucho por mí.

Cuando falleció mi papá, entré en depresión, me la pasaba llorando, extrañándolo mucho. Hasta la fecha, su recuerdo me duele. Mi papá me hablaba en mis sueños. Yo me quería morir y no comía nada, deliraba, pues hablaba con él despierta. Le reclamaba por qué me había dejado, que no era justo, que yo quería estar con él.

Me llevaron con varios médicos. Algunos me encontraron piedras en el riñón y que por eso no quería comer. Me inyectaban y me daban medicamentos, pero nada me quitaba el dolor del corazón. Mi madre ya estaba muy desesperada, así que buscó ayuda con los curanderos. Me llevaba con ellos y la mayoría mentía, porque me preguntaban qué tenía y eso le decían a mi mamá; otros no sabían nada. Hasta que un día me llevó a Juchitán de Zaragoza, Oaxaca, con una curandera muy buena. Me sobó, me tocó la cabeza, me rameó y le dijo a mi mamá lo que tenía: yo tenía un don y por eso estaba recibiendo el espíritu de mi papá. Luego le dijo lo que teníamos que hacer para que dejara de estar así. Fuimos al panteón, mi mamá regañó a mi papá y yo salté sobre su tumba varias veces. Ya no me acuerdo mucho, porque creo que Dios quiso que esa caída se borrara de mi mente. Y así fue como sané.

Cuando tenía como once años, mi mamá tuvo que irse a trabajar. Cruzó a Estados Unidos, nos dejó con nuestros abuelos maternos y tíos. Nos maltrataban mucho, sólo querían el dinero que mandaba mi mamá. Nosotras, como estábamos más grandes, nos dábamos cuenta de cómo nos trataban como sirvientas y nos pegaban por cualquier cosa. Aguantamos mucho, pero luego nos fuimos a vivir con mi hermano que ya estaba casado, pero fue lo mismo o peor. Nos ponía a hacer todo y le pedía dinero a mi mamá. Sufrimos. Él nos traumó porque tenía relaciones sexuales con su mujer frente a nosotras. No tuve una infancia buena. Siempre había regaños. Con la única que era feliz era con mi hermana. Sufrimos mucha violencia, pero sabíamos que mi mamá se había ido para darnos una vida mejor, pues siempre buscaba lo mejor para sus hijos. Yo siempre me ponía a llorar y, hasta la fecha, sufro de depresión. Es algo que no puedo controlar: trastornos emocionales, dicen.

A los doce años nos fuimos a vivir a Tuxtla Gutiérrez, Chiapas, con una tía. Ahí sí cambió nuestra vida. Ella nos quiere mucho, así que nos dio nuestro lugar y fuimos muy felices todo ese año y pasamos la Navidad bien padre. Mi mamá nos hablaba seguido, pero la extrañábamos mucho. Éramos muy felices, pero no se compara el amor de madre con una tía.

A los trece estaba en sexto año y era la mejor alumna, pues ponía mucha atención. Era una niña superdisciplinada, todo me iba muy bien y mi felicidad la acompletó mi mamá con su regreso tras dos años lejos. Ella me ayudaba con lo que yo no entendía, me sentía plena, completa conmigo misma. Ya en otros grados, como en segundo, tercero y cuarto, había sido muy buena alumna; en tercero había sacado diploma de primer lugar en conocimiento. Mi mamá me festejó mi cumpleaños con mi comida favorita; en fin, no todo fue malo.

Estuvo conmigo hasta que decidí cortarme las muñecas; para todo quería cortarme: si me angustiaba, si me ponía triste o me molestaban, me cortaba. Siento mucha frustración al pensar en eso, pero también me desahogo al comentarlo. Así pasaba siempre. Mi madre no sabía que lo hacía.

Llegué a los catorce años y fue la primera vez que probé la mariguana. En ese momento no me gustó. Fue un día en que, luego de clases, fuimos a casa de una compañera con varios amigos. Ella fumaba y tenía mariguana. Todos quisimos y la probamos. Desde entonces empecé a tener malísimas calificaciones, me deprimía más y no me controlaba. Además, ese año estaba muy celosa porque mi hermana era novia de un muchacho y yo sentía que me estaba quitando su cariño.

Mi mamá decidió que nos regresáramos a Salina Cruz y estudié ahí. Las clases me valían, no ponía atención y todo se me fue para abajo. A los quince años tuve mi primera experiencia sexual, y fue muy a la fuerza. Yo quería al chavo, quien era más grande que yo, y llegamos al hotel, pero a la mera hora me arrepentí. A él no le pareció y lo hicimos. Esa experiencia estuvo horrible.

Yo me peleaba mucho con mi mamá y estaba muy molesta. Mi hermana se había casado y me había alejado de ella porque su marido se la llevó a vivir a otro lado. Yo le gritaba de cosas a mi mamá y, aunque ella me disculpara, me ponía siempre en su contra. Éramos como rivales, siempre peleando.

A los dieciséis años me metí a las drogas, dejé de estudiar y no trabajaba. Mi mamá me daba todo, pero yo quería comprensión. Escribía todo lo que sentía en mis cuadernos y ahí puse que me gustaban las mujeres, lo cual es cierto, pero lo encontró mi hermano y empezó a hacerme burlas. Todo fue peor, me hacía sentir mal, tomaba, fumaba mariguana y me drogaba con pastillas que me llevaban a hacer muchas cosas. A esa edad conocí a un chavo con el cual me escapé. Estuve con él dos días y luego me dejó debajo de un puente esperándolo. No llegó. Le pregunté a uno de mis amigos qué pasaba, y me dijo que mi mamá nos estaba buscando por todas partes. Tal vez por esa razón me dejó toda la madrugada en ese puente. Por miedo ya no regresé a mi casa.

Estuve escondida en casa de un amigo que me dio hospedaje. Ahí era diferente, yo no podía salir. Nos llevábamos muy bien, pero luego tuvimos problemas porque, al parecer, mi mamá me había encontrado. Le pedimos el favor a otro camarada y me llevó a Jalapa del Marqués, donde tiene familia. Llegamos una noche y me quedé dos meses. Primero trabajé con su primo, quien es un señor muy mala onda y me trató mal, aunque para mí estar fuera de mi casa era lo mejor. Además me llevaban a cazar y me divertía mucho. Cazaban venados, conejos y palomas; estaba padre, pero después tuve problemas porque el señor quería algo más conmigo.

Yo trabajaba con su esposa, que es muy enojona, cuidando a sus hijos. En fin, que no recibí buen trato de ellos y no me pagaron lo que debía ser. Mientras trabajaba ahí, vivía en su casa. Después me fui a vivir a San Cristóbal, adelante de Jalapa, con otro primo de él. Me encantó estar ahí, me llevé bien con su primo y me puse a trabajar en un comedor con una señora que es mi amiga; estaba de mesera. Ahí tuve muchos conocidos y dos amigas. Me fui a vivir con una de ellas y pagábamos la renta entre las dos. Con uno de sus novios conocimos varios lugares: Huatulco, Puerto Escondido, la sierra para ir a jaripeos. Ese año fue emocionante, pero no estaba bien, bebía demasiado. Conocí la cocaína y siempre la consumía para ir a fiestas, a todos lados. Mi amigo fue por mí porque ya estaba preocupado, y me tuve que regresar a mi casa. Cuando mi mamá me vio, se soltó a llorar, me abrazó y me dijo que la perdonara. Me sentí tan mal, tan arrepentida… Desde ahí estuvimos juntas, platicamos nuestras diferencias y estuvo bien. Mi hermana llegó a vivir a donde vivía mi mamá, que se había cambiado de casa porque mi abuelo la había corrido diciendo que era su terreno y que no la quería ver ahí. Para evitar más problemas, mi mamá se salió. Mi hermana llegó con su hijo, pues la había golpeado su marido.

En mi cumpleaños, me hicieron una comida y comimos pastel; estuvo muy alegre. En el cumpleaños de mi sobrino todos estuvimos muy contentos, pero todo fue cambiando. Me fui por unos días a trabajar y mi hermana se peleó con mi mamá, pues ya quería regresar con su marido. Así lo hizo y mi mamá se puso muy triste cuando se fue y yo también. Me había prometido no regresar, ya había venido en varias ocasiones, pero se regresaba.

A los diecisiete empecé otra vez con las drogas. Ya estudiaba, ponía atención, pero seguía metida en eso. Yo ya estaba muy desorientada, fumaba piedra, mariguana, tomaba y me seguía metiendo pastillas. Era una pérdida total; siempre lo hacía cuando salía.

Una vez —y me arrepiento de lo sucedido— tuve que vender mi cuerpo, estaba tan confundida que me prostituí. Aunque fue una vez, admito que me marcó para siempre, pues me hizo sentir asquerosa. Eso es lo que siento, es algo que no debemos hacer.

128

Luego conocí a una niña hermosa que me encanta. La vi y me enamoré de ella, era de mi mismo rol. Nos hicimos novias, anduvimos un mes y me fui a vivir con ella. Era la novia de mis sueños; ahora es mi amiga, porque me fue infiel. Pero les contaba que me fui a vivir adonde ella vivía, nos drogábamos, nos veíamos a diario con amigos para fumar y así nos divertíamos. Todo esto me llevó a malos caminos. Después peleábamos mucho, a cada rato, cada vez que se nos acababa la mariguana, hasta que dejamos de rentar y nos fuimos a vivir a la nueva casa de mi mamá. Ahí estuvimos, siempre drogándonos cuando mi mamá no estaba. Llegamos hasta los golpes.

Un día que estábamos en una fiesta, me molesté porque se había salido con un chavo. Le reclamé y me empezó a golpear hasta dejarme la cara hinchada. Llegamos a mi casa y al día siguiente, mi mamá habló con nosotras para que no pasara lo mismo. Pero seguía pasando. Como yo la amaba, siempre la perdonaba, pero salíamos a tomar. Esto fue lo que provocó que esté aquí. Estábamos tomando, salimos de un convivio con otro amigo y llegaron tres hombres. Nos amenazaron con matar a nuestra familia si no les ayudábamos a asaltar un taxi. A nosotras se nos hizo fácil, así que nos subimos al taxi los seis: mi novia, mi amigo y yo con los tres sujetos que no conozco. Pedimos que nos llevara por nuestro domicilio. Lo hicimos que manejara hasta una cancha que estaba oscura, lo bajaron y le dijeron que era un asalto. Golpearon al taxista mientras a nosotros nos daban la orden de que nos lleváramos el taxi a un terreno baldío. Lo hicimos por miedo y porque estábamos tomadas, también porque matarían a nuestra familia y a nosotros. Nos dirigíamos al lugar donde nos dijeron, pero dejaron que el taxista escapara. Él le dio aviso a los policías, así que nos salió una patrulla y chocamos con ella, y otra nos chocó por detrás. Del miedo salimos corriendo, pero nos dieron alcance y nos golpearon.

Cuando llegamos a la comandancia, nos siguieron golpeando. Nos tomaron fotos y nos revisaron. Al otro día, mi mamá llegó, pues le había mandado un mensaje. Estaba molesta y después se puso muy triste. No creía que yo me hubiera metido en eso. Yo estaba desesperada y, junto con mi novia, llorábamos mucho. Nos dijeron que era grave lo que habíamos hecho y que a mí me trasladarían a Oaxaca porque soy menor de edad. Llegaron por mí a las cinco y media de la mañana. Mi novia y yo nos abrazamos y lloramos, ella no quería que estuviera aquí.

En Oaxaca me recibieron muy bien en el lugar donde llegué. Primero me tuvieron un rato con mi defensora para hacerme algunas preguntas, después me trasladaron aquí, al DEMA. Ingresé un 20 de septiembre a las ocho y media de la noche, llorando, desde entonces estoy aquí, en el dormitorio 1.

Los primeros días me sentía muy mal, acabada, con ganas de morir. Ya llevo dos meses aquí y no me acostumbro, pero he aprendido. Aquí hay gente que estimo mucho y me da muchos consejos. Estudio y espero seguir así y no dejarme caer. También me siento bien porque mi mamá me visita cada fin de semana y eso me hace sentir mejor. No le aconsejo a nadie estar aquí. Piensen las cosas, porque cada acto tiene consecuencias, y yo estoy pagando por lo que hice. Ahora soy mejor persona por el tiempo que he estado aquí.

Centro de Internamiento Especializado para Adolescentes
Oaxaca, Oaxaca

DESCUBRÍ MI LIBERTAD

Cinthya Cárdenas Gutiérrez

A mis padres y a mis hijos:

Los recuerdo todo el tiempo con amor y con la ilusión de algún día volver a estar a su lado. Quiero que sepan que los amo, que son el motor de mi vida y que, pase lo que pase, siempre estarán en mi corazón. Gracias por su amor y su apoyo, que Dios los cuide y los proteja siempre.

A Vico:

Todos los días pienso que Dios te puso en mi camino para cambiar mi vida, llenarla de amor y para que me diera cuenta de que muchos años de mi vida los desperdicié, pero que nunca es tarde para empezar de nuevo. Gracias, que Dios bendiga todos los días de tu vida.

A mi hermana, cuñado y sobrinos:

Gracias por su amor, paciencia y apoyo, por todo lo que son y lo que han hecho por mí, que Dios me los cuide y proteja.

Nací el 5 de septiembre de 1971 en un hospital de la avenida Constituyentes, en Belén de las Flores, en la ciudad de México. Tuve una infancia muy bonita, a pesar de que mis padres estudiaban y trabajaban. En ese tiempo nos dejaban con una muchacha que limpiaba la casa y nos cuidaba; así crecimos mi hermana y yo.

Sólo fuimos dos hijas y, afortunadamente, gracias al esfuerzo de mis padres, no nos faltaba nada. Aunque de lunes a viernes mis padres no estaban con nosotras, sábados y domingos nos dedicaban un tiempo de calidad: íbamos de compras y de paseo, en vacaciones nos divertíamos, y los días de Santa Claus y Reyes siempre nos traían todo lo que pedíamos.

Amo a mi hermana y, desde siempre, me preocupé por su bienestar. Aunque a veces le hacía una que otra travesura, no permitía que nadie la molestara, era muy sobreprotectora con ella. Cuando entré al kínder, mi hermanita quería ir conmigo para no separarse de mí, pero era más chica que yo. Por esa razón las muchachas que nos cuidaban se encariñaron con ella. Además, mi hermana siempre fue muy obediente y tierna. Como yo era más renuente, no les simpatizaba mucho a esas mujeres, y digo mujeres porque, por mi temperamento, desfilaron varias empleadas domésticas, y al final ya nadie quiso trabajar para nosotros. Así le cargué más la chamba a mi mamá, ya que era ama de casa, estudiaba y trabajaba.

Vivíamos en una unidad habitacional al oriente de la ciudad de México, en la delegación Iztapalapa, y la escuela estaba en la esquina de la casa. No había ningún riesgo de accidente y las vecinas se encargaban de ver por nosotras.

Fuera de los corajes que me hicieron pasar las personas que trabajaron en casa, tuve una bonita infancia. Nos juntábamos con los niños del andador, éramos muchos, y jugábamos muy padre. En ese tiempo había un programa llamado *La casa del árbol* y quisimos hacer algo parecido en los Días de la Madre, del Padre y del Niño. Hacíamos festivales, sacábamos sillas y una mesa, y con nuestros ahorros festejábamos esos días. Presentábamos bailables de Timbiriche, Parchís y Menudo; era padrísimo.

Así transcurrieron mis años de infancia, los mejores años de mi vida. Cuando entré a la secundaria, fui a la núm. 51, Carlos Benítez Delorme, en Isabel la Católica y Villa de Cortés, ya que mis padres trabajaban en la Secretaría de Comunicaciones y Obras Públicas, en el Centro SCOP.

De ahí me cambiaron a la secundaria 274, en Iztapalapa, y me reencontré con mis compañeros de kínder y primaria y muchos amigos de infancia. Ahí comencé a destramparme. Ya había tenido mi primer novio, se llamaba Saúl y era mayor que yo. Me propuso tener relaciones y no acepté; yo tenía trece años.

A los catorce empecé a andar con Carlos, iba a la secu, yo en segundo y él en tercero. Vivía cerca de mi casa y fue mi primer amor. Era muy especial para mí, guapo y agradable, pero muy inquieto. Era fan de Jim Morrison, se vestía, cantaba y se parecía a él, incluso le decían *Morrison* (vocalista de los Doors). Fue mi único novio formal. Cuando iba a cumplir mis quince, lo elegí como chambelán y él invitó a su mejor amigo, Jorge, y yo otros dos amigos, Alejandro y José.

Yo cumplía quince el 5 de septiembre de 1986, sólo que la misa y el salón estaban programados para diciembre, tres meses después de mi cumpleaños. Convivíamos muchas horas al día. Sus papás, al igual que los míos, trabajaban y no había un freno para ninguno de los dos, así que nos la pasábamos todo el día juntos, incluso en la escuela. Y pasó lo que tenía que pasar: me entregué por primera vez a un hombre, perdí mi virginidad y ¡sorpresa!, quedé embarazada. Para no echar a perder los planes de mi fiesta, no dije nada. Se celebró la fiesta y pasaron los meses. Seguí yendo a la escuela y terminé la secu.

Llegó el día en que tuve que decir la verdad. Mi madre pegó el grito en el cielo y mi papá, con toda la tranquilidad del mundo, me ofreció su apoyo, incluso que podría seguir estudiando. Pero mi mamá llamó a los padres de Carlos y todos tomamos la decisión de casarnos, yo con quince y él con dieciséis.

Él es muy responsable y trabajador. Tuvimos un hermoso bebé: Ricardo. Mis padres me apoyaron para seguir estudiando y así lo hice. Cuando mi bebé cumplió seis años, un 15 de junio, nació mi hermosa princesa, Koni.

Estudié Tráfico Aduanal, y luego nuestra inmadurez y la falta de experiencia nos hizo tomar caminos distintos. Carlos emigró a Estados Unidos y aún vive en Nueva York, pero nunca dejó de pasarnos una pensión. Es un padre muy responsable; aunque lejos, siempre está al pendiente.

Estuve nueve años sola, siendo madre y padre de mis hijos. En ese tiempo trabajé con mi padre en gestoría en aviación; él había comprado un terreno cerca de donde vivíamos. Después empecé en una empresa Agencia de Promociones, primero como demostradora y luego como edecán, animadora, vendedora, supervisora y promotora. Así trabajé en varias agencias y mi currículum se extendió. En cualquier empresa donde me paraba, me contrataban. Mi trabajo era en tiendas de autoservicio, departamentales y mayoristas. En todo ese tiempo conocí a mucha gente. Frecuentaba discos y antros los fines de semana, me divertía. Sentía que me lo merecía, pues toda la semana trabajaba y me hacía cargo de mis hijos. No les faltaba nada, o eso creí. Les faltaba su papá y su mamá.

Durante esos nueve años sin pareja, conocí gente, lugares y viví muchas cosas que quedaron bien grabadas en mi mente. A mí el alcohol me daba asco tan sólo de olerlo. Un día, en una fiesta, un amigo me dijo que, para que no me pasara eso, me tapara la nariz, y así me lo tomara. Ésa fue la primera vez. A partir de ahí empecé a consumir alcohol, porque me gustaba no saber la realidad de las cosas o de mi vida. Era joven, guapa y con suerte, pero no feliz, porque al final mi soledad yo la provoqué. Me alejé de mi familia, me volví, apática, soberbia, frívola y, me atrevo a decir, que sin sentimientos, egoísta y que sólo me importaba estar bien yo y sólo yo. Mientras mis hijos estuvieran bien y no les faltara nada, lo demás no me importaba.

Mi alcoholismo crecía y mi ausencia en casa más. Me juntaba con todo tipo de gente, desde fresas hasta reventados, y los utilizaba según mis necesidades. Si no tenía ganas de una megafiesta, era con los fresas con quienes salía, pues ellos se iban a dormir temprano, pero si quería alargar la fiesta, me iba con los reventadísimos, y eso era mi perdición, pues salíamos a carretera y amanecíamos en algún lugar lejos de la ciudad. Probé el famoso truco (cocaína) para llegar a mi casa aparentemente en mis cinco sentidos.

Así pasó el tiempo y se volvió una adicción. Al principio todo era diferente, divertido y creí que eso era lo de hoy, la moda, lo más *cool*. En ese tiempo no cualquiera consumía cocaína y eso me hacía sentir bien y diferente a cualquiera (qué gran error). Mi círculo social era de droga y alcohol. La mayoría de mis amigos reventados consumía cocaína y yo empecé a aumentar la dosis. Aunque no tocara el alcohol, consumía cocaína. No me daba cuenta de que ya tenía un fuerte problema de adicción y de malos juicios, de que me estaba perdiendo en un abismo. Con el tiempo, comencé a faltar al trabajo, a llegar tarde y, en ocasiones, hasta a tener que inhalar ese veneno para estar bien o rendir en mis actividades diarias. Pensé que era transitorio y que cuando yo quisiera lo dejaría. Me equivoqué. Cada vez crecía más la necesidad de estar intoxicada. Mi consumo era diario y mi vida estaba destruida. No quería darme cuenta, así que mi mamá y mi papá hablaron conmigo y me dijeron que me veían rara, que había cambiado mucho, que estaba ausente mental y físicamente, que mis hijos y ellos me necesitaban y que les dolía verme así. Lo tomé como sermón y seguí con mi vida. Llegó un momento en que sentí no merecer la amistad de los bien portados y mis amigos ya eran sólo compañeros de fiesta.

Una mañana, la cruda moral y el sentimiento de culpa me hicieron sincerarme con mis padres y pedir auxilio. Me mandaron a un Centro contra Adicciones y ahí recibí ayuda profesional psicológica, grupal y ocupacional, pero el diablo de la droga y el alcohol me jalaban más y yo lo permitía. Pedí, entonces, un anexo de veinticuatro horas y me llevaron a uno en Cuernavaca. Estuve tres meses y tuve una "recuperación" de un año. Volví a caer y, afortunadamente y gracias a Dios, no anduve estirando la mano por la droga ni delinquiendo. Mi trabajo servía sólo para eso. Obviamente, mis padres me apoyaban con mis hijos y siempre aportaba dinero para ellos. Para mis fiestas, trabajaba muy duro, incluso hasta llegué a tener dos trabajos a la vez, para tener lo necesario. Yo decía que les daba tiempo de calidad y no en cantidad para justificar mi ausencia por mi vida desenfrenada. Eso sí, fui muy respetuosa con mis hijos y el hogar de mis padres. Jamás me intoxiqué en casa y nunca llevé hombres. Ante ellos disimulaba mis adicciones.

Volví a otro grupo de veinticuatro horas de Alcohólicos Anónimos en el Distrito Federal y viví muy bien en ese tiempo, ya que en el grupo Pescadores Factor 4 se trabajaba con los niños de la calle de Hogares Providencia (hijos del padre *Chinchachoma*), lo cual me llenaba como ser humano.

Amaba a mis hijos y a mis padres, aprendí a valorarlos. Llevaba una vida muy relajada. Anduve con Carlos, un chico que era mayor que yo por un año, aunque la verdad yo no quería compromisos de pareja. Apenas me estaba rehabilitando y le hui a ese compromiso. Me alejé y volví a caer.

Al analizar mi vida, me doy cuenta de que la soledad me orillaba a reincidir en las adicciones. Ya no sólo era droga, alcohol y cigarro, ya fumaba *crack* y tomaba psicotrópicos. Además, me gustaba todo tipo de excesos, a todo lo que fuera rebeldía yo me sumaba.

Tuve varios lapsos de abstinencia de meses, hasta de un año, pero volvía a caer. Salí con Roberto (Bob), que era guapo y muy agradable, sólo que no fue por mucho tiempo, ya que se fue a trabajar a Cancún. Después me enteré de que allá estaba su ex y lo di por olvidado, aunque cada semana me llamaba y su mamá me quería mucho.

Volví a la fiesta. Yo cubría mis carencias afectivas con mis amistades y el desm... Me juntaba con Marcos, Melvin, Uriel, Luis, Juan (en paz descanse) y Lorena. No se drogaban, sólo tomaban y nos divertíamos bien *chido*, sin olvidar a Abraham, Ranferi, Toño, *Gallo*, Anabel, Sandra y Jessi; éramos únicos. Igual eran sanos en el grupo de AA Pescadores, donde también tuve buenos amigos, aunque duré poco tiempo ahí: Carmen, Esteban, José Luis, Javier, Diana, David y todos mis ahijados del grupo, fueron lo mejor que me pasó en ese lugar y en esa etapa de mi vida.

Volví al destrampe y conocí a Iván, que me presentó a Vico, muy guapo y agradable. Al principio no lo tomé en serio, creí que era algo pasajero, pero se metió tanto en mi vida y en mi corazón que ya no lo pude dejar. Al ver que era lo que yo necesitaba, lo acepté. Pasamos juntos muchas cosas, malas y buenas. Él me conoció alcohólica y no le importó, se enamoró de mí y soportó todo: humillaciones, golpes y mis adicciones. Llegó el momento en que abrí los ojos. Era el amor de mi vida y yo, ciega, no me daba cuenta, hasta que descubrí que mis papás y mis hijos le habían tomado un cariño especial. Después de mi esposo, es el primer hombre que presenté a mi familia, y el último.

Vivíamos en unión libre, me ayudó a alejarme de esa vida de infierno y trajo luz a mi vida. Viví los mejores años en familia, con él y con mis hijos. Mis padres participaban de nuestra felicidad y, por fin, lo que tanto soñé, una pareja perfecta, mis hijos, mis padres y yo contentos.

Después de cinco años de vivir juntos, un bebé venía en camino, mi bombón, el más pequeño.

Él trabajaba en un Centro de Distribución de Walmart y yo en una empresa como promovendedora. Nos iba muy bien, diría yo excelentemente. Él compró un taxi para tener un dinerito extra.

No faltó la envidiosa en mi trabajo que, al ver mi felicidad, porque a pesar de ser madre soltera había encontrado un buen hombre, reportó mi embarazo a la empresa, y al momento de renovar contrato (que era cada año) ya no me permitieron firmar, argumentando que tenían que hacer recorte de personal para que yo no los denunciara por discriminación, aunque hasta después me enteré de que no me habían contratado por el embarazo. Ni modo, mi bebé y nuestra felicidad eran primordiales.

En ese tiempo mi madre andaba tramitando su retiro voluntario, ya que trabajó muchos años en el gobierno federal. Yo tenía tres meses de embarazo y estaba sin trabajo. Afortunadamente, contaba con servicio médico.

Mi esposo, por querer darnos una excelente calidad de vida, emigró a Estados Unidos cuando yo tenía casi cinco meses. La verdad, nunca había pasado un embarazo sin el papá del bebé y menos un parto, pero tengo unos excelentes padres que son un gran regalo de Dios y ellos siempre han estado a mi lado.

Mi bebé nació en agosto de 2007, rodeado de amor y cuidados, pues mi niña ya tenía catorce años y mi niño veinte. Es su adoración, lo aman y lo cuidan mucho.

Mi madre, al ver que yo iba a regresar a trabajar, me ofreció, con tal de que yo estuviera cerca de mi bebé, poner un negocio con el dinero que recibió de su retiro voluntario en el gobierno, y como mi esposo y yo teníamos pensado dedicarnos a la telefonía celular, mi mamá me apoyó en ese proyecto y lo llevamos a cabo.

Mi bebé tenía ocho meses y otra vez mi vida tomó su curso. Todo iba de maravilla. El papá de mis hijos mayores les manda un giro quincenal y algunos regalos, y el papá de mi bebé hacía lo mismo. Los dos han sido muy responsables y muy buenos con sus hijos, mis hijos.

El negocio iba muy bien y la relación con mis hijos y mis padres era buenísima. Tenía unos años de no probar ningún tóxico, estaba limpia y descubrí que tengo una gran capacidad de reinserción y mucha fuerza de voluntad. Además aprendí a amarme y a valorar a mi familia, mi hogar y a todos los que me quieren. Todo era color de rosa, estaba enamorada de la vida, de todo lo que me rodeaba, de mi hermana, la única que tengo, casada con un muy buen hombre y tres hijos hermosos (Asdri, Nabil y Zoé), así como de mis padres y mis hijos. Tenía varios proyectos de vida con Vico, él volvería pronto y yo era inmensamente feliz. Pensé que no cambiaría un día de esa felicidad por toda mi vida de reventón. Mis hijos cumplirían años el 15 de junio, Koni dieciséis y Ricardo veintidós, pues son del mismo día, y mi Fabio dos añitos el 13 de agosto. Era 2009, quién iba a pensar que ese año cambiaría mi vida.

El negocio de telefonía celular estaba en la esquina de la casa de mis padres. Vivíamos en una privada. El terreno en que mis padres construyeron la casa que me vio crecer, con tantos años de trabajo, lo vendieron, y ya teníamos ocho años viviendo en otra colonia. El jueves 27 de agosto, a las cuatro y media o cinco de la mañana, aproximadamente, se escucharon muy fuerte y muy cerca unos disparos. Mi niña salía de bañarse porque estudiaba la prepa y se iba a la escuela a las seis. Al escuchar los disparos, mis padres, mi hijo el mayor y yo nos levantamos, y cuando volví a mi cuarto, mi bebé estaba asustado y paradito en su cuna. Intenté llamar a la policía por la línea de la casa, pero el teléfono estaba completamente muerto y mi celular no daba línea. No entendía qué pasaba. Cuando me asomé por la ventana de mi habitación, vi a muchos hombres que apuntaban con armas largas. Era gente encapuchada vestida de negro. Abrí la ventana y les grité que no dispararan, que les abriría la puerta. Bajé, y cuando encendí las luces, por la puerta de cristal vi que ya estaba invadido el patio de la casa. Al abrir, uno de ellos aventó la puerta y gritó: "¡Nombre!" Contesté que Cinthya y dijo: "¡Aquí está!" Me jaló, me sacó de la casa mientras mis padres y mi hijo el mayor miraban asustados.

El federal que me sacó, me quitó las llaves de la mano y mi celular y me subió a una camioneta sin vidrios, adonde entraron también una mujer y otros hombres de negro armados.

Me preguntaron si conocía a un tal Arturo y a un Padrino. Cuando quise saber qué pasaba, qué querían, me golpearon y me abrumaron con preguntas que no entendía. Cuanto menos entendía, más me golpeaban.

Mientras a mí me tenían en la camioneta, entraron a la casa de mis padres sin orden de cateo ni orden de aprehensión. Hasta la fecha, no hay averiguación previa en mi contra.

Aquellos encapuchados de negro y armados tenían a mi familia dentro de la casa. Uno de ellos tomó a mi hijo mayor y lo llevó a recorrer la casa. En una de las habitaciones estaba mi pequeña con su hermanito, bien asustados, y a mi hijo lo sacaron para interrogarlo y amenazarme con que si no decía lo que querían escuchar, se lo llevarían. La verdad, yo no sabía de qué hablaban, hasta que me pusieron enfrente a dos tipos que eran clientes de mi negocio.

Hasta ese momento me dijeron que ellos y yo, con otras personas que no conozco, habíamos secuestrado a alguien. En ese momento me llené de coraje, pero me siguieron pegando hasta que se cansaron. Arrancaron las camionetas y fuimos a otros dos domicilios desconocidos para mí. Por lo que me pude percatar, estábamos cerca de mi casa, por Periférico oriente, y de ahí fuimos hasta Ecatepec, a otro domicilio que, al igual que los otros, fue cateado. Después nos trasladaron a las instalaciones de la Subprocuraduría de Investigación Especializada en Delincuencia Organizada (SIEDO).

En todo ese tiempo en el que me trajeron dando vueltas en la camioneta, llegué a pensar que traían a mi familia en otra. Luego de que hicieron el cateo en una unidad habitacional de condominios, me cambiaron de camioneta, a una con ventanas, en la que iban un tal Meinardo y un tal Arturo, donde los iban interrogando.

Al llegar a la SIEDO nos pusieron a disposición del Ministerio Público. Al verme, preguntó: "¿Y ésta quién es?" El comandante le dijo que los otros detenidos afirmaban que también había secuestrado.

140

—Déjame revisar —dijo el licenciado, y al regresar con unas hojas en la mano exclamó—: ¡No!, ésta no aparece en la investigación. Ni siquiera tiene averiguación previa.

Entonces, ¿qué hacemos con ella, jefe? —preguntó el comandantucho ese.

—Ahí aviéntala con ellos, que se chingue.

Me metieron en una oficina pequeña y me volvieron a interrogar. Dijeron que se habían portado bien con mi familia, pero que si no cooperaba, regresarían por ellos.

Afortunadamente, me di cuenta de que no venía mi familia, pero no les iba a decir algo que no sabía. A los otros dos que venían en la misma camioneta que yo los obligaron a decir que yo también tenía que ver. Al salir de esa oficina, vi a la novia del tal Arturo, embarazada, que también era cliente en el negocio, y a otros dos hombres a los que jamás había visto. Me llevaron a una sala de juntas, en donde el MP de apellido Lobato me golpeó en la cabeza para que aceptara las imputaciones, pero como no funcionó, me amenazó con enviarme al sótano, donde me iban a hacer de todo.

Cuando me sacaron de esa sala, me hicieron rendir declaración y como ese hombre sabía que yo no tenía nada que ver, me bajaron a unos separos de ese mismo edificio, mientras que a los otros los dejaron declarando.

Mientras yo pasaba por todo esto, mi familia estaba en una agencia del Ministerio Público levantando una denuncia por lo sucedido en su casa y por mi desaparición. Cuando me sustrajeron del hogar de mis padres, ni siquiera dijeron de qué se trataba y menos a dónde me llevaban. Mis padres investigaron mi paradero y hasta el día siguiente me fueron a ver a ese detestable lugar, lleno de gente trinquetera y deshonesta. Ahí descubrí que los delincuentes no sólo están en las calles; en las corporaciones policiacas abundan.

Transcurrieron dos días y, en la madrugada del 29 de agosto, nos trasladaron como arraigados a la colonia Doctores, en la ciudad de México. Yo no sabía qué era todo eso. Nos etiquetaron con una playera roja que, luego supe que significaba secuestro. Según el supuesto delito, era el color de la playera.

Cuando mis padres me fueron a visitar, me dijeron que en ese lugar me iban a tener mientras me investigaban. Como yo me sabía inocente de cualquier imputación, me tranquilicé y confié en que, al terminar, me dejarían ir.

Me di cuenta de que estaba en un lugar donde había mucha gente acusada por supuestos vínculos con la delincuencia organizada y que todos, antes de llegar a ese lugar, pasamos por varios medios de comunicación y por internet. El gobierno federal se colgaba una medallita por cada uno de nosotros, aunque no fuéramos culpables. Desgraciadamente, somos estadística.

Ahí todo era raro: una habitación de hotel y una chica de Michoacán. En ese piso, supuestamente, eran puras mujeres, pero al fondo del pasillo y al principio había como cuatro hombres, según esto de máxima seguridad, y los tenían como aislados, uno por habitación. Después no sé que pasó en los pisos de abajo (nosotros estábamos en el cuarto piso), porque de repente comenzaron a subir a los hombres de otros pisos, dizque porque un piso estaba en remodelación. Todo eso alborotó el gallinero.

Como era de esperarse, comenzamos a convivir con ellos, y digo comenzamos porque me hice amiga de varios, entre ellos de Rocío y de Tamez, con quienes, a más de tres años de eso, sigo teniendo contacto.

Hubo tres jovencitas y una señora con las que me llevé muy bien y a las que les tomé cierto aprecio (Sandy, Éricka, Jaqui y Rosi); desgraciadamente les perdí la pista. Dios quiera y ya estén con su familia.

Aletia, que era clienta del negocio de telefonía, se volvió mi compañera del mismo dolor. Así transcurrieron los días: pase de lista antes de las seis, baño, desayuno, visita, comida, caminata y cena; así era de lunes a domingo. Se cumplió el arraigo de cuarenta días y, como no lograron comprobarnos nada, nos lo extendieron por otros cuarenta. Mientras pasaban los días, violaban muchos derechos constitucionales y descubro que no existe la verdadera justicia, que el sistema es una basura y que aquí no se trata de encontrar a quien la hizo, sino a quien la pague. ¡Qué decepción!

En el día setenta y seis no permiten el acceso de nuestra visita, nos bajan a certificar por la mañana y, aproximadamente a las cinco de la tarde, nos dicen que preparemos nuestras cosas.

Yo le había dicho a mi madre que, aunque fuera inocente, me trasladarían a un penal, porque me había tocado ver a gente como yo que, aunque presentara muchas pruebas a favor, en la SIEDO las hacían nulas. Nada valía, nada servía. Sólo se burlaron de mi madre que, con desesperación y esperanza, hacía lo que el méndigo abogaducho de oficio de esa dependencia gubernamental le decía. Mi madrecita nunca había estado en una situación como esa y fue vilmente engañada.

Nos notificaron que quedamos en libertad del arraigo, pero el juez segundo de distrito en el Estado de México (Toluca) nos extendió la orden de aprehensión inmediatamente. Aletia preguntó: "¿Y los demás?" "Ellos se van a Nayarit", le contestó el MP. Eran tres hombres, pues a uno que era gay no lo pudieron cuadrar con los secuestros.

Mis coprocesados son Paco, Mei, Arturo y Aletia, todos ellos miembros de un grupo de Alcohólicos Anónimos, y de ahí los sustrajeron para incriminarnos. Una vez que firmamos lo notificado, nos subieron esposados a una camioneta y con la cabeza abajo. Dimos muchas vueltas. El AFI que iba manejando se perdió, no sabía cómo llegar al penal de Santiaguito, en Almoloya de Juárez, parecía nuevo. Al final llegamos. Era el viernes 13 de noviembre de 2009, aproximadamente a las ocho de la noche. Al bajar de la camioneta me di cuenta de que afuera del penal había gente formada. Después me enteré de que era visita para entrar al día siguiente. Al entrar sentí un escalofrío y un ambiente de

143

soledad, injusticia, incertidumbre, desamparo, y muchas dudas sin aclarar.

Mi cuerpo era un cúmulo de emociones y dudas. Daba por hecho que me iría libre del arraigo. No sabía por qué se me había consignado a un penal, si mi madre había metido todas las pruebas necesarias para comprobar mi inocencia. Sólo le dieron atole con el dedo para ganar tiempo e involucrarme como acostumbran. Son unos desgraciados sin escrúpulos y podridos por dentro, frustrados y llenos de prepotencia, enfermos de poder. Que Dios los perdone y los bendiga. Al principio los odié y acumulé resentimiento, pero ahora creo que son dignos de lástima porque esa gente no vive en paz (no son felices ni lo serán).

Mientras caminábamos, a nuestras espaldas se iban cerrando las puertas de aquel monstruo que me iba devorando a cada paso. Me sentía más hundida en el abismo de la cárcel. Nos llevaron a la clínica de ese centro penitenciario y, después de ser certificadas, nos condujeron al dormitorio 5, que era el de mujeres. Atravesamos un buen tramo para llegar. La custodia que nos llevó nos trató bien, incluso nos preguntó si habíamos comido y nos llevó a la cocina de custodias, donde una interna, Tomasa, cocinaba para ellas y nos sirvió de cenar. Platicamos un rato con ella y, al terminar, nos llevaron a la celda que nos tocaba. Me sentía en una pesadilla que en ese momento creí eterna. Las internas ya estaban encerradas en las celdas con candado. Me abrieron la 4 del piso de arriba y entré. Había seis en camas y una en el piso. Cuando se cerró la puerta tras de mí, las compañeras se presentaron: eran Gaby, Belinda, Violeta, Jenny, Inés, Éricka y Minerva. Me preguntaron todo sobre mí y el porqué me llevaron. Me cayeron muy bien, me hicieron sentir menos terrible. Me tocó dormir en el suelo con Mine.

Cuando amaneció, salí a caminar y me encontré con mi "causa" (coprocesada). Nos dimos cuenta de que la zona donde me habían instalado era lo mejor del dormitorio. Había planta baja y planta alta, cada una con diez celdas. La seis, ocho y diez eran las más grandes, con nueve camas, y las demás con seis. Había una tienda arriba y otra abajo. Cada piso tenía su comedor y dos baños con puras regaderas, porque cada celda tenía su sanitario (WC). Las regaderas eran comunitarias. A los costados del edificio había cuatro saloncillos. A la izquierda, uno era un salón de usos múltiples, y otro, un taller de costura. A la derecha, los otros dos, llamados "guardería", ya que anteriormente ése era su uso. Uno tenía doce camas (cuatro literas de tres), y en el otro, no recuerdo si dieciocho o veintiún camas. Entre estos dos había un cuarto de baño, sanitarios comunitarios y, enfrente, un consultorio médico. Alrededor había jardines, palapas, lavaderos, cancha de voli y basquet. Así es el dormitorio 5 (sólo de mujeres).

Aletia vivía en las guarderías y no estaba muy a gusto en el lugar que le tocó. Ese día llegaron Mónica y Mari, a las que conocimos en el arraigo, y ya no me sentí tan sola, ya había caras conocidas.

Así estuve un mes. Luego se presentó la oportunidad de comprar una cama, y lo hice en la celda 6. Al principio todo era raro, y las compañeras eran extrañas para mí. Yo tenía visita todos los sábados, y veía cómo batallaba mi familia para ir hasta allá. Comencé a sentirme moralmente mal y entré en depresión. Me trató un psiquiatra y me controló con medicamento. Le pedí a mi familia que fueran cada mes, pero mi mamá no quiso. Iban cada quince días.

El tiempo pasaba y yo les hablaba a todas las compañeras. A mí me gustaba salir de la celda y saludar a todas. Hice buena amistad con Aris y Brenda, todo el tiempo andábamos juntas. Ellas tenían su novio en el dormitorio varonil. Los sábados y domingos eran días de visita, quien recibía a su familia salía de la monotonía y el tedio de ese lugar. Los días no eran tan pesados y contaba con gran ilusión cuánto faltaba para abrazar a mis padres y demostrarles mi amor.

Cuando teníamos audiencia, nos trasladaban a Aletia y a mí a los juzgados federales de Toluca. Afortunadamente, el proceso avanzaba con buen tiempo y todo iba bien.

Cuando cumplimos dos meses en Santiaguito, nació Ashley, la niña de Aletia. Yo jamás había convivido con esa compañera, pero después del arraigo y de todo lo que vivimos, no digo que fuéramos las mejores amigas, pero aprendimos a llevarnos bien y me encariñé con su niña. A ella casi no la visitaban y eso me daba tristeza, pero ni modo, a ella le tocó vivir así.

Gracias a Dios, mis padres, hasta la fecha, me apoyan. Me pusieron licenciado, pagaron mis periciales y eso me pone mal, pues lo que con tantos sacrificios ahorraron para vivir más o menos, por esta situación han gastado hasta lo que no tienen.

En la celda donde permanecí un año dos meses, yo estaba muy bien. Había una bebita con la que la niña de Aletia convivía cuando me la dejaba mientras ella trabajaba.

Con los meses, comencé a trabajar con Isabel una de las *Ma Baker*, que tenían la tienda de arriba, y después me fui a la tienda de abajo, que era de Cris, hermana de Lupita (*la Loba*), así trabajaba en las dos tiendas. También le vendía a doña Teresita, una señora que vivía en la misma celda que yo y que tenía su puesto de varias cosillas en el área de visita. Yo le tejía bufandas y gorros, y me pagaba. Comencé a vender entre las internas, perfumes, cremas, champús, desodorantes, chanclas, pinturas, dulces, galletas y, a veces, térmicos y ropa. Me iba bien, al menos me alcanzaba para vivir más o menos, ya que ahí todo cuesta. Había mucha corrupción y todo era dinero.

Seguía conviviendo con las chicas de la celda 4, a la que llegué por primera vez. Ya había comprado unos muebles de madera que iban en la pared. Yo vivía en la cama de arriba.

A veces asistía a fiestas de compañeras que, por su dinero, tenían cierto poder. Había alcohol y droga, y descubrí que ya no me interesaba consumir ningún tóxico. Siempre he pensado que la droga en la cárcel es lo peor que puede vivir un ser humano, es hundirse en el infierno dentro del mismo infierno.

Había una compañera que venía de Barrientos y que me invitó a formar parte de un proyecto para abrir un grupo de Alcohólicos Anónimos. Acepté, y todo iba bien hasta que una fulana, de la misma celda que yo, nos desaparecía todo: azúcar, jabón, térmicos, comida y hasta el dinero del grupo de AA. Ella tenía visita íntima con su esposo, y como él era alcohólico y un vividor, ella a veces trabajaba, y otras, tomaba lo que se le atravesaba para dárselo al esposo.

En ese tiempo ya estaba Juan Flores, director de Seguridad y especialista en traslados, un hombre corruptísimo y sinvergüenza. Le pedimos que sacara a esa mujer de la celda y la mandó a la guardería. Era coscolino y buenísimo para robar a las internas. Con dinero, las dejaba hacer lo que se les diera la gana.

Cuando llegó Cerda, otro comandante que hasta con las internas se metía, ese lugar era un mar de corrupción. Todo lo que nunca imaginé que hubiera en una cárcel, ocurría, no había freno, todo era libertinaje.

Las únicas fiestas que me gustaban eran las que hacía Lupita (*la Loba*). Ella era una mujer muy buena con todas, siempre se preocupó porque estuviéramos bien y abogaba porque en el penal hubiera lo necesario para nuestro bienestar.

A finales de 2010 ya estaba por irse el tal Juan Flores, cuando le aventaron un periodicazo en el que la familia de una interna les dijo a los medios de comunicación que ahí había corrupción, prostitución y más, y que el señor Juan Flores era responsable de todo lo que pasaba en ese lugar. Y era cierto todo lo que decían, excepto que no "todas" se prostituían. Como todo mundo sabe, en la mayoría de los Ceresos hay prostitución, pero eso no quiere decir que "todas" participaran. En realidad, las que no tienen apoyo familiar ni de ningún tipo, recurren a ese oficio. Es triste ver que hasta por cincuenta pesos se meten con un interno, a veces insalubre.

El tal Juan Flores juntó a un grupo de internas que le debían favores –y que tenían que pagárselos–, y les pidió apoyo para que lo sacaran de ese fuerte problema, ya que en la radio, la televisión y el periódico ventilaban todo lo que ocurría en el Centro. Así lo hicieron. Desde el Centro se hicieron algunas llamadas a los medios de comunicación y el señor Juan Flores ofreció favores a cambio de limpiar su nombre. Se juntaron como doscientas firmas en su favor y, por último, quiso quitar de su camino a Janeth, a quien culpaba de todo ese alboroto.

A una compañera con cierto poder, a la que yo apreciaba mucho, le dijo el señor Juan Flores que consiguiera a alguien de confianza para provocar una trifulca con Janeth. Así él, con ese pretexto, la trasladaría, y él se quitaría de encima ese problema. Y así sucedió.

Un domingo me mandó llamar esta compañera y me pidió ese favor. Le dije: "Si no me voy a meter en líos, está bien". Ella contestó: "¡No!, el jefe Juan está detrás y él te va a apoyar". Nos pusimos de acuerdo y se llevó a cabo el plan. Todas las internas se unieron a la causa, nos apoyaron y querían golpear a Janeth. Cuando bajó el señor Juan Flores, venía escoltado por varios custodios (para actuar es muy bueno). Hizo creer a todo el mundo que estaba sorprendido de lo ocurrido, cuando en el fondo él sabía de qué se trataba.

Cuando fue a ver a Janeth, a la que las custodias ya tenían en una celda con candado para su seguridad y protección, habló con ella, no sabemos de qué, pero se la llevaron a un área de seguridad en el hospital del Centro. Ahí la tuvo muchísimo tiempo.

Después me enteré de que el tal Juan Flores es muy astuto. Por el lado de la población, le convenía estar bien porque recibía sus rentas de algunas internas, y con Janeth también, porque era protegida de una exinterna con mucho poder y dinero, que además le pagaba para que su gente que estaba adentro fuera bien tratada.

Este señor resultó ser ambicioso y muuuuy colmilludo; él nunca perdía. De alguna manera supo hacer bien las cosas.

Los días pasaban. Una tarde, en el comedor de arriba, llegó una chica (Carmen) que al pasar me aventó. No me dejé y le pegué. Me di cuenta de que olía a alcohol. Por la mañana ya habíamos tenido una diferencia porque nos quiso mandar como si fuera la encargada, ya que la custodia Eva le había dado esa autoridad, porque se llevaba muy bien con ella y sus compañeras, pues se metía con los custodios y los ayudaba a vender bebidas embriagantes en el dormitorio femenil. El caso es que se armó de valor y volvió a provocarme, así que me defendí y la mordí hasta arrancarle la piel del brazo y de una pierna. Las custodias me querían fregar y levantaron un reporte en mi contra. Afortunadamente, Lupita (*la Loba*) se dio cuenta y le exigió a la custodia Uriarte que, si iba meter su reporte, lo hiciera para las dos o para ninguna.

La custodia lo metió. Nos llevaron a certificar un viernes y yo di negativo. La otra iba intoxicada y en mal estado. Como el Consejo Técnico Interdisciplinario sería hasta la siguiente semana, nos dijeron que no podíamos andar libremente por el dormitorio hasta que el Consejo determinara nuestra situación.

Arriba había teléfonos y tienda, así que ni se daban cuenta de si yo salía de la celda, porque el cubículo de vigilancia estaba abajo, a la entrada del edificio.

Por fin se llegó el día de ir al Consejo. Ya habían pasado cinco días desde el reporte, y el Consejo determinó que yo ya había cumplido con la sanción. A la otra interna le dieron quince días, porque era reincidente.

Se llegaron las posadas y, como el año anterior, hubo piñatas, ponche y todo lo que se requiere. Lupita (*la Loba*) era muy buena conmigo y su hermana Cris también, así que me uní al grupo de *las Lobas* y se organizaron las fiestas decembrinas y todo salió bien, aunque nada se compara con la felicidad de la unión familiar en esas fechas. Lupita y Cris hacían de todo para las cenas de Navidad y Año Nuevo y compartían con todas las internas. Estoy segura de que Dios va a poner sus ojos en la libertad de esas mujeres tan buenas. Yo, en lo personal, estoy muy agradecida con ellas, porque por momentos hicieron que mi vida en prisión fuera agradable. ¡Quién iba a decir que ésa sería la última Navidad ahí!

Era una tradición de Lupita que el 12, día de la Virgen, se levantaban a cantar *Las mañanitas* a las seis de la mañana, y el 24 se arrullaba al Niño Dios, se cargaban los peregrinos y se hacía la última posada. Bailábamos, algunas tomaban, pero al final todas nos divertíamos. Cabe señalar que desde ese Centro comencé a experimentar un cambio y una paz espiritual con las hermanas Lourdes, América y Paty, con las que nos congregábamos los viernes. Venían de afuera; Dios las bendiga.

Aquel 24 de diciembre me quedé con Gaby y Mine hasta las tres de la mañana, bailando y cantando. Nos fuimos a meter a la guardería para seguir la fiesta con permiso de las custodias. Obviamente, no fue de gratis, pues por ser 24, a más tardar a las doce de la noche tendríamos que haber estado encerradas todas.

A principios de enero, el papá de mi bebé fue a verme. Nos la pasamos increíble, tal vez porque fue la última vez que lo vi (es el mejor hombre del mundo, después de mi padre). A mi princesa sólo la vi tres veces en Santiaguito; a mi bebé, una vez en el arraigo y una vez en Santiaguito. Al mayor, desde la última vez que estuve en la casa (la noche de mi aprehensión), no lo he vuelto a ver.

En febrero fue el cumpleaños de Lupita y de Cris y me invitaron a su pastel. Luego hicieron una comida a la que sólo asistimos algunas personas y, ¡desde luego!, las custodias *gorronas* que, como siempre, se aprovechan de cualquier situación y acostumbran obtener beneficio de las internas (y más cuando hay dinero de por medio). Lupita y Cris eran muy buenas anfitrionas, todas estábamos a gusto.

La última fiesta que viví en Santiaguito fue la de Zuri, la hija de Norma (*Ma Baker*). Por la tarde fue de niños, y por la noche terminamos bailando y tomando agua a morir. Aunque la cárcel no es agradable, pasé algunos buenos momentos con todo y su corrupción. La vida en ese penal era como cada quien se la quería hacer. Es muy cierto que la cárcel se la hace cada quien. Aprendí que odiando no se vive bien, por el contrario, el daño es para quien odia, no para el que es odiado.

El 27 de febrero de 2011, cuando ya estábamos a punto de dormir, la pequeñita que vivía en la celda, que me seguía mucho, le pidió a su mamá que la cargara para subirse a mi cama. Jugamos y nos reímos mucho Vero, Tamis y yo, sin pensar que era la última noche que estaría con ellas.

Me dormí tarde y no platiqué con Berenice, mi vecina de cama. Ella y Vero vivían en la última cama, igual que yo, y las tres veíamos tele, escuchábamos música, comíamos chucherías y platicábamos. Esa noche, Vero me dijo que tenía un recado para mí, pero por el medicamento me quedé dormida. No supe qué era eso que me quería decir.

El lunes 28, a las seis de la mañana, se abrió la puerta de la celda 6, donde yo estaba, y dos custodias y gritaron: Cárdenas Gutiérrez, Cinthya, va a clínica. Yo no había reportado ninguna enfermedad, y a esa hora era raro. Recordé, entonces, que así le hicieron a Brenda tres meses antes y que fue un traslado. Cuando bajé, ya estaba el tal Juan Flores con unos custodios.

—Póngase unos tenis y una chamarra (había bajado en pijama y chanclas).

—¿Adónde voy?

—A una plática al Centro contra Adicciones dentro del penal.

—No me engañe, si yo no me drogo. Me va a trasladar, ¿verdad? —y no me contestó.

Me llevaron al Centro, que estaba vacío, y ahí me dejaron esperando, hasta que subieron a las demás y me llevaron a la clínica que estaba a un costado. Ya estaba ahí doña Paty (*Ma Baker*), sus hijas Norma e Isa y sus bebés; Aletia con su bebé, Belinda, Liz, Gina, Alicia y a la última, como vivía con doña Lupita, no dejaron que la sacaran.

Nos certificaron y nos metieron al Centro contra Adicciones hasta que llegaron las custodias estatales de traslados. Nos cachearon y, cuando llegaron las camionetas, nos sacaron. Ya eran como las ocho de la mañana y ya estaban todos los internos realizando sus actividades diarias, así que se dieron cuenta de cuando nos sacaron. Todos pegados a la malla gritaban: "¡Que Dios las bendiga. Suerte". La voz quebrada de Charli, el novio de Beli, me dio ternura al oírlo gritar con desesperación. Cuando volteé a verla a ella, llena de lágrimas gritaba: "¡Te amo!"

En esa camioneta venía Gina conmigo, y del otro lado, Belinda y Liz. En otra más grande venían las demás. Nos traían esposadas.

Había rumores de que se abriría un penal federal en Tenango del Río, y creí que íbamos para allá, por eso iba tranquila, porque en cualquier parte del Estado de México, mi familia estaría cerca.

Tardamos algún tiempo en llegar. Alcanzamos a ver una puerta de cristal. Belinda y Liz me dijeron que estábamos en el aeropuerto, y cuando abrieron la camioneta, era el aeropuerto de la ciudad de México. Nos dejaron bajar al baño. Era el hangar de la Procuraduría General de la República (PGR). Conozco el aeropuerto como a la palma de mi mano porque trabajé en aviación.

Ahí nos tuvieron varias horas. Nos cambiaron de camioneta. A las tres que traían a sus niñas, las pasaron a la camioneta chica, y a nosotras cuatro (Gina, Beli, Liz y yo) a la grande, donde estaba doña Paty, Alicia y otra que había llegado por la misma causa de la señora Paty y que estaba en Neza Bordo. El caso es que éramos siete. Nos entregaron unas bolsas con lo básico (jabón, champú, cepillo dental y uno de cabello, crema, desodorante, toalla, papel higiénico, pasta dental y esponja de baño). Nos dijo doña Paty: "Vamos a Nayarit. Mis hijas y Aletia no pueden ir con nosotras porque adonde vamos no aceptan bebés y Juan Flores ya no las quiere de regreso, así que las van a llevar a un penal estatal".

En ese momento, todas desconcertadas, nos tomamos de las manos, nos dimos ánimos y prometimos que, pasara lo que pasara, nos apoyaríamos y estaríamos juntas.

Nos bajaron de la camioneta y enfrente había otra blindada de la Policía Federal. Nos pidieron que levantáramos la cara hacia una cámara de foto y video que tenía esa gente. Ordenaron que nos quitáramos los artículos de valor y nos hicieron ponerlos en una bolsa, junto con lo que nos acababa de dar la estatal. La Federal nos subió a su camioneta negra. Cuando nos pasaron lista, oí el nombre y apellidos de una coprocesada, cuyo caso, junto con el de otros dos hombres, involucró a los casos que nos imputaron. Ahí conocí a Nallely y a *la Reina del Pacífico*, que venían con otras compañeras de Santa Martha, y a Mari Paz, que venía de Tepepan.

Nos tuvieron otro buen rato más, hasta que llegaron las del penal de Tabasco. Yo seguía en *shock*, quería pensar que todo era una pesadilla. Me preocupaba mucho la salud de doña Paty, que tenía cáncer y se sentía mal, pero ella no se quejaba. Sólo veía su rostro lleno de dolor y de impotencia.

Cuando estuvimos todas las de la lista, nos metieron en las camionetas a una sala del aeropuerto, donde las cámaras y los medios de comunicación ya nos esperaban. Y todo porque íbamos a estrenar el Centro Federal Femenil de Nayarit. Además, venía *la Reina del Pacífico*, que para los medios era noticia, sin darse cuenta de que es un ser humano que merece privacidad y respeto.

Nos subieron a un avión, al parecer un 727 o algo así, lleno de federales de ambos sexos, y una vez todos en su sitio, despegamos. El ambiente era de tensión y el viaje se me hizo larguísimo, aunque sólo habíamos llegado a Guadalajara, donde hicimos una escala de dos horas o más, porque tenían que llegar dos compañeras que venían de Puente Grande. En cuanto aparecieron, despegó el avión, y en unos minutos estábamos en Nayarit.

Al aterrizar el avión, inmediatamente el comandante de la policía nos llamaba por nombre del caso con voz fuerte: *Reina del Pacífico, Ma Baker*, Casitas, Marino, caso Martí, la banda del *Pájaro, jaja*. Esa banda no existe, así nos apodaron los federales cuando nos pusieron a disposición, sólo porque a uno de los inculpados le dicen *el Pájaro*.

Afuera había todo un circo. Cámaras y mucha gente (qué pena). "¡Levante la cara!", nos decían, para el video y la foto. Una vez que pasamos por ese tumulto de cámaras y todo lo demás, nos azotaron contra unas camionetas blindadas y nos abrieron de brazos y piernas. Todo el tiempo nos trajeron esposadas. Nos revisaron y nos subieron a esas camionetas. Me sorprendió ver que traía grilletes en el piso y nos esposaron a ellos. En todo momento nos gritaban: "Mirada al piso", "Guarde silencio". Después de un buen rato, apagaron las luces. Ya era de noche, perdí la noción del tiempo. Arrancó el artefacto ése. Las ventanas estaban muy altas. A mi lado venía Liz y le pregunté si estaba bien. Me dijo que sí. Les pregunté a todas si estaban bien, contestaron que sí y les dije: "Que Dios las bendiga".

El camino se me hizo corto. Al voltear hacia el techo, alcancé a ver por las ventanas el cielo lleno de estrellas. Hacía un calor infernal. Traíamos el cabello mojado de sudor, y como veníamos esposadas al piso con grilletes, sentadas en los asientos y con las manos en el piso, era muy incómodo.

Yo venía adelante y alcancé a ver por el parabrisas a un guardia y una malla. Habíamos llegado. Todavía cruzamos más entradas y mucha vigilancia. Dejé de ver el cielo. Comenzaba otra vez la pesadilla, como en la SIEDO. Era lo mismo, pero más lejos. Gritos, humillaciones y el desconcierto de por qué otra vez, ¿qué hice?

Mi familia estaba lejos, mis hijos, mis padres... Estaba enojada, triste, no sabía qué pensar. Todo en mi mente era confuso, quería despertar de ese mal sueño. Me volví a olvidar de Dios (qué mal-agradecida). Nos bajaron y nos metieron por el área de Aduana.

Había un patio donde nos tiraron al piso, con las esposas, y la mirada al suelo. Pasaron a la primera y oí los gritos: "Acaba de ingresar a un Centro Federal. A partir de este momento a todo lo que se le diga va a contestar 'sí, señor', 'no, señor', ¿entendió?", y como no contestó, le gritaron más. La compañera les dijo: "A mí no me grite". "Guarde silencio", y ella, otra vez, "a mí no me grite". Total, que volteo, y era la *Reina*, ¡qué bien!, no se dejó. Pasó la que seguía y luego todas por esa letanía. Nos revisaron el calzado y sólo por encima. Aquello era demasiado bueno, pero nos llevaron a un lugar con cámaras donde nos hicieron desnudar y hacer sentadillas. Nos entregaron playera, pantalón, camisola, calcetines, zapatos y ropa interior. Al salir de ahí, nos indicaron que hiciéramos un inventario de lo que traíamos y a cambio nos dieron un comprobante. Luego hubo fotos y video con los Deltas (Policía Federal). Al terminar con esos trámites, nos fueron llevando una a una al módulo correspondiente.

Me pusieron en la estancia 6, un cuarto solo, con dos literas, todo en silencio. Si había otras compañeras en las otras estancias, ni siquiera lo sentí. El lugar era solitario, triste; en el ambiente se respiraba estrés. Tenía en mi mente a mi familia. No sabía dónde estaba exactamente, sólo que era Nayarit y que era un lugar distinto. No se parecía en nada al penal de Santiaguito. Me senté en la que sería mi cama y, con sentimientos encontrados y un nudo en la garganta, oí la puerta. Era Ceci, otra interna que metieron en la misma estancia. Dejé que aterrizara porque la vi muy confundida, tal vez así estaba yo cuando entré a ese cuartito, sólo que a mí nadie me vio, más que las paredes de ese lugar, que guardaron mis emociones y ahí se quedarán para siempre.

Una vez que se tranquilizó, me presenté y le pregunté su nombre y de dónde venía. Así comenzamos una conversación. Nos dieron un sándwich; no habíamos comido nada en todo el día. Así terminó aquella jornada. Aunque tardé para conciliar el sueño –tomaba medicamento para dormir–, al fin me dormí.

Al otro día, a las seis de la mañana, nos pasaron lista. Los primeros días nos daban los alimentos dentro de la estancia y nos trataban como si fuéramos muy peligrosas, como a un perro encerrado cuando se le va a dar de comer. No nos dejaban estar cerca de la puerta cuando los oficiales iban a abrir. Al segundo día nos permitieron hacer una llamada.

A la señora Paty (*Ma Baker*) la metieron a la estancia 7 con Lupita, pero se quejaba mucho por los dolores de colon que tenía y nadie le hacía caso.

Cuando le hablé a mi mamá, ella ya sabía todo. Una amiga, Vero, de Santiaguito, le habló el mismo día que nos trasladaron y le dijo lo ocurrido. Mi mamá, de inmediato, fue al penal y no le quisieron dar información ni el director, que en ese momento era Héctor Guadarrama, ni Juan Flores. Sólo le dijeron que era una disposición del Órgano. El caso es que mi madre ya había conseguido toda la información sobre el lugar donde estaba y qué tenía que hacer. Me preguntó cómo estaba y me dijo que no me preocupara, que me vendría a ver.

Cuando doña Paty llamó, me partió el corazón. Habló con su papá y enseguida le preguntó por sus hijas, ya que dos de ellas no pudieron llegar con nosotras porque traían a sus niñas y la otra se quedó en Santiaguito. El papá le dijo que no se preocupara, que ya estaban viendo la forma de regresarla a Santiaguito por su estado de salud. "No, papá, por mí no se preocupen, estoy bien. Mejor dile a mi hermano que le encargo mucho a Gaby, y tú hazme el favor de ver a Isa y a Norma." Cuando colgó, le pregunté cómo le había ido. Me platicó su conversación telefónica. Le dije que se fuera de aquí, que aprovechara que tenía la oportunidad de hacer algo para que la regresaran a Santiaguito. "¡No, Cinthya! Cuando veníamos prometimos algo y no las voy a dejar aquí. Me quedo con ustedes."

A los tres días se la llevaron al hospital varonil, porque aquí no había. Al poco tiempo murió y yo aún guardo su imagen y sus palabras bien clavadas en mi mente. Dios se la llevó, y yo sé que, dondequiera que esté, está mejor que aquí. Tampoco olvido que por pedir atención médica para doña Paty, una oficial me gritaba: "¡Guarde silencio! Deje que la señora hable por ella". "La señora no puede hablar del dolor", le explicaba, pero doña Paty me decía: "Déjalas, ya no digas nada, te van a regañar". A mí no me importaba. Además, yo traía mucho coraje porque me trasladaron lejos de mi familia.

Así transcurrieron los días y, cuando menos me lo imaginé, me mandaron llamar a Locutorios. *La Reina del Pacífico* y yo fuimos las primeras en recibir visita. Qué sorpresa me llevé al ver que era mi mamá, esa mujer que con todo y su diabetes y todos sus años de dedicación y gran amor, siempre ha estado para mí y para mis hijos (gracias, madrecita, por ser quien eres, por todo, y lo mejor: por ser mi madre). Me dio gusto verla, pero a la vez mucha tristeza de saber que mi madre nuevamente está batallando. Y si es pesada una visita en una cárcel cerca de casa, es mucho más difícil trasladarse hasta el norte de la República para una visita de cuatro horas. Ése es el motivo de que no me guste que venga.

Ese día, en Locutorios, platicamos como treinta minutos (la gente de aquí es muy manchada con la visita), pues como estaba en "clasificación", todavía no tenía derecho a visita familiar (por los trámites). No la pude abrazar ni besar, pero sentí su amor, lealtad y su gran apoyo. Como siempre, me dijo: "Pórtate bien, no estás sola, y así sea lo último que haga en mi vida, te voy a sacar de aquí. Aunque me quede en la calle. Tú tranquila, que yo me encargo de todo. Todos te mandan saludos y nos apoyan. Cuídate. En cuanto me autoricen la visita, aquí voy a estar". Me quedé con un nudo en la garganta al ver cómo se iba la mujer que tanto amo.

Volví al módulo y otra vez a la rutina. Los días pasaban y todos eran iguales. Seis veces al día pasaban lista y algunas oficiales jugaban al internado de señoritas, preocupadas por que uno camine con las manos atrás y la mirada al suelo, pero no se ocupan de lo que realmente vale, de la salud y una buena reinserción. Qué triste ver que inviertan tanto dinero en un Cefereso, habiendo tanta hambre afuera, y sólo para que el pueblo vea que el gobierno trabaja y cumple, cuando hay prioridades.

Al cumplir los tres meses en este Centro, recibí mi primera sanción de cinco días parciales porque, cuando fui a los juzgados, varios internos me saludaron y uno me dio un recado para *la Reina del Pacífico*. Yo no sabía que estaba prohibido hablar con los hombres, porque en Santiaguito eso no era ningún problema.

Yo recibía mis visitas y tenía mi radio (que es lo único bueno aquí). El 14 de junio fui llevada al Consejo Técnico Interdisciplinario (CTI) y me castigaron por cuarenta y cinco días por despintar con las uñas una mesa del varonil. Me llevaron a segregación y, estando ahí, otra vez al Consejo, que por amenazar a una interna. El caso es que me dieron otros quince días y no por ese reporte, sino por mi actitud en el CTI. En total fueron sesenta días en el Centro de Observación y Clasificación (COC). Cuando salí, me regresaron al mismo módulo, sólo que en la segunda sección. Ahí duré quince días, porque cuando llegué, había problemas entre las que vivían en la estancia y yo salí involucrada. Me sacaron de ahí un 28 de agosto, y todo porque decían que había golpeado a una interna y metieron un reporte (ahora me acuerdo y me da risa). La verdad es que si le hubiera pegado, como dicen, las cosas habrían sido muy distintas.

Me encerraron en tratamientos especiales y, como era domingo, me presentaron en el Consejo hasta el martes. Me dieron setenta y seis días. Esos castigos cambiaron mi vida en prisión, me sirvieron para reflexionar y darme cuenta de mis errores. Lo llamé "el túnel del tiempo", donde mi vida fue proyectada en mi mente desde la infancia hasta ese día. En aquellas cuatro paredes blancas veía mi niñez, mi adolescencia y mi mayoría de edad, cosas buenas y malas, a todos mis seres queridos, familiares y amigos. Busqué a

Dios, entré en comunión con Él. Asimilé mi encierro y ya no me preguntaba ¿por qué a mí?, sino ¿para qué? Comencé a perdonarme, a perdonar y a pedir perdón. Me propuse que al salir de ese encierro, mi vida cambiaría radicalmente.

Y así lo hice. Experimenté una nueva vida dentro de prisión, alcancé la libertad espiritual, esa libertad del alma que sólo Dios y uno mismo puede proporcionar, sin olvidar jamás que estuve en ese cuartito que se quedó con mis recuerdos y muchas cosas bonitas. En el COC estuve diez días con Luz, y en esa convivencia hablamos de muchas cosas y nos confiamos otras tantas; se lo agradezco.

Se fue ella y llegó Mari Paz, un excelente ser humano con una historia de vida impresionante. Aprendí a quererla por su confianza y por todo lo que en ella hay. Le agradezco lo que me dijo en los veinte días que estuvo en la estancia al lado de la mía.

Cuando ella salió, llegó Adriana, otra compañera que compartió conmigo muchas cosas de su vida y de su caso. La considero una buena amiga y compañera, una mujer maravillosa y con una chispa increíble. A ella le doy las gracias por compartir muchos sentimientos de alegría y tristeza conmigo.

A ellas ya las conocía desde el módulo. Adri y Paz llegaron conmigo desde el 28 de febrero, pero en ese lugar fue donde las conocí de verdad y les tomé un afecto especial.

Cuando me llevaron a tratamientos especiales conocí a Lupita, una chica muy agradable y muy inteligente, con mucho carisma y un gran corazón. Su confianza y su nobleza son lo más valioso que ella depositó en mí, y se lo agradezco. Sólo estuvimos treinta y seis días juntas, y fue suficiente para conocernos.

Cuando la regresaron al módulo, llegó Luz de nuevo. Por un momento creí que se quedaría como sancionada, y no. ¡Sorpresa!, se iba libre. Sólo estuvo veinticuatro horas conmigo. Nos despedimos y nos deseamos lo mejor.

Al otro día llegó Yoyis, una compañera a la que también le tocó inaugurar este Centro. Con ella estuve un mes once días, e igualmente tiene un ángel increíble. Es muy hablantina y me cae bien. Me gané su confianza y su afecto, así como ella ganó los míos. Esas cinco mujeres vivieron junto a mí momentos de aflicción, de alegría y compartimos muchas cosas. Son unos seres increíbles que se llevaron una parte de mi vida, así como yo me quedé con lo mejor de ellas. Que Dios las bendiga.

Se cumplió mi sanción y me dejaron tres días más, dizque para una "reclasificación". Me quedé en el módulo 1, sección 1, como dicen aquí. Seguí siendo rea de máxima seguridad, aún en un Centro de "máxima". Regresé a vivir con Rosita, Liz y Fabi, tres muy buenas compañeras que me apoyaron mucho y que vivieron mi transformación. Yo venía de muchos meses de encierro y me costó trabajo adaptarme al bullicio y volver a convivir con las demás. Afortunadamente, tengo una gran capacidad de adaptación y lo logré. Participaba en todas las actividades y tuve buena conducta desde mi última visita al CTI. Pasé otra Navidad y Año Nuevo en prisión, tranquila, extrañando a mis hijos, a mis padres, a mi hermana, a mis sobrinos, a toda mi familia y demás seres queridos.

Era el año 2012, y yo esperaba el cierre de instrucción. Se llevaron a Rosita a otra estancia y metieron a Yadira, una compañera que ya había vivido conmigo antes de nuestra sanción en el COC. A ella también se la llevaron y vivíamos con Vicky y Toñita, dos compañeritas muy queridas.

Aquí se duerme en un lado, y mañana quién sabe. En abril cambiaron a todo el módulo, sección 1 y 2, y me mandaron a la estancia 1, con Yadira (Yaya), Elena (Nena), Cristina (Tita). Con Nena y Yaya ya había vivido, y Tita me caía bien. Me sentí muy tranquila, muy a gusto. Nena, Yaya y yo teníamos radio y nos la pasábamos leyendo, escribiendo y escuchando música. A ratos platicábamos. Tita no tiene radio porque, desde que llegó a este Centro, la han tenido castigada. De hecho, creo que sus sanciones terminan en enero de 2014, y eso me hace sentir mal, porque es muy jovencita y porque por cualquier motivo te castigan. En este lugar lo único que puedo hacer por una compañera es brindarle apoyo moral, inducirla a lo positivo y motivarla a que tenga un buen comportamiento.

Yo recibí visita, me acercaba a Dios y asistía a todas mis actividades. Un día regresaron a una compañera muy querida al módulo: Brenda. Era muy agradable salir a la cancha y a cualquier actividad con todas las compañeras. Nos divertíamos y disfrutábamos las actividades. Era padre jugar volibol y, a veces, tener una buena conversación.

La tranquilidad terminó cuando nos llevaron a varias al CTI, a mí entre ellas. La segunda vez que fui tampoco me sancionaron. Pasaban los días y me seguían llevando. Yo había metido una papeleta para reportar a dos oficiales (Yamil y Orión) por abuso de autoridad, daño psicológico y acoso. Insistían en llevarme al CTI y, casualmente, el mismo turno de oficiales era el que metía los reportes, afortunadamente sin efecto. Hubo un momento en el que de dieciséis que éramos en esta sección, sancionaron a once compañeras por muchos meses. Ahí me di cuenta de que aquí nada era suficiente. Algunas compañeras que jamás habían sido castigadas se quedaron con sanciones fuertes. Llegó un momento en que sólo quedamos cuatro sin sanción.

Ya nada era igual. Éramos pocas, ya se habían llevado a *la Reina* del módulo y en agosto la extraditaron. Después se llevaron a Bren y a Mari de la sección 1, y a Vero y a Claus de la sección 2. Ya no somos muchas. No sabemos por qué se las llevaron. Ojalá y algún día las saquen de tratamientos especiales y del COC, que es donde las tienen, para volverlas a ver. Aunque hay rumores de que próximamente nos van a trasladar al nuevo penal que quién sabe desde cuándo están construyendo y aún no terminan. Aunque en febrero de 2012 vinieron grandes mandos y medios de comunicación a "inaugurar" las nuevas instalaciones, todo fue pura pantalla, porque hasta la fecha ni varonil ni femenil han sido movidos a las nuevas instalaciones. Según esto, a los hombres los iban a acomodar por eso de la sobrepoblación que hay, y a las mujeres porque van a traer a las que tienen delitos federales y están en los estatales, pero las compañeras que están en los estatales y que aún tienen contacto con nosotros dicen que es mentira, que a ellas ya no las van a mover. Entonces, ¿para qué le hacen creer a todo el mundo que las cosas van a mejorar si nada es cierto? Todo fue para que el jefe de Seguridad Pública y el presidente demostraran su buen desempeño que, al final, terminó en sobrepoblación en las prisiones, la captura de gente inocente y de chivos expiatorios que sólo somos estadística, para engañar a la ciudadanía, a todo el país, haciendo creer que se han dado golpes duros a la delincuencia. Eso es mentira, y en vez de estar montando operativos magnos, deberían depurar las cárceles, avanzar en tantos procesos estancados y dejar ir a quienes ellos mismos saben que no son culpables. El sistema carcelario está por los suelos, y ¿el presidente? ¡Bien, gracias!, vendiendo a su país y feliz, de brazos cruzados. Al fin ya se va y le deja la bronca al que sigue (qué comodín resultó).

En Santiaguito viví algunos cateos estatales, pero jamás federales, ¡afortunadamente! Aquí he venido a conocer cateos distintos, pero el que hubo en el varonil superó todo lo que había vivido en prisión. Una noche de febrero de 2012, se escucharon gritos de internos y de oficiales (mucho escándalo), y es que hubo un cateo en el que participaron las fuerzas federales. Los golpearon, los despojaron de algunas pertenencias y, por si eso fuera poco, ponían a ladrar a sus perros para que no se escucharan los gritos de los compañeros. Mientras tanto, sorprendidas, enojadas, tristes y muy sacadas de onda, escuchábamos todo, porque sólo nos divide una barda. Así estuvieron varias horas. Hasta la madrugada quedó todo en un silencio sepulcral. Así dormimos esa noche.

Jamás me había ocupado en denunciar la violación de nuestros derechos constitucionales y humanos, pero ya me cansé de guardar silencio. Por querer portarme bien, no exigía mis derechos, pues quien lucha por justicia es tomada como peligrosa, conflictiva, y es víctima de represalias.

¡Ya basta!

Decidí tomar mi pluma y quejarme ante Derechos Humanos y un juez de amparos, porque desde marzo me recetaron una dieta contra la obesidad que yo jamás solicité. Soy talla cinco y me ha afectado a la salud, perjudicando mis intestinos y mi organismo. Además, acusé a dos oficiales y la comandante de un turno que nos traen a raya, y no por disciplina, sino porque ejercen tortura psicológica, acoso y abuso de autoridad (Gueco, Yamil y Orión). Gueco, antes de ser comandante, era una oficial que se ponía a platicar con nosotras y nos daba información del Centro, además de quejarse todo el tiempo del sistema. Yamil es una jovencita con la que, si viene de buenas, todo es broma, pero si no, son reportes por nada. Orión excede la disciplina y se mete mucho con nuestra intimidad, es grosera, nos grita y nos humilla. Las tres nos dañan psicológicamente e, incluso, Orión ha hecho que todo el módulo se altere y que algunas compañeras entren en crisis. Julieta tuvo que ser hospitalizada por eso; Carolina por los nervios, se puso muy mal, y Fabiola comenzó a golpearse hasta lastimarse. Aún así, la volvieron a mandar a este módulo y se burla.

El 9 de noviembre mandaron a Orión y, como siempre, no faltó el momento en que levantó un falso en contra de Julieta, quien se defendió, y todo el módulo terminó en crisis. La compañera se quedaba sin respirar, y la oficial Orión no le daba su inhalador con Salbutamol. Llegó Gueco y, en vez de controlar la situación como comandante, se puso a maltratar a Julieta, que por la misma crisis asmática se estaba golpeando.

Es triste ver cómo la impotencia nos invade y que aquí sólo se encargan de la seguridad del Centro. Nosotros no importamos.

163

Con la muerte de doña Paty comprobé que no contamos. Para algunos miembros del personal administrativo y de seguridad somos sólo delincuentes en prisión (gran error), porque la mayoría somos procesadas y víctimas de las circunstancias.

El 5 de noviembre me llevaron al Consejo y me sancionaron por cincuenta días, sólo por bañarme. Todas mis sanciones las he pagado sin repelar, porque cuando cometo errores, asumo la responsabilidad y enfrento las consecuencias de mis actos, pero esta vez no voy a permitir que se sigan cometiendo injusticias, y menos porque la comandante Gueco venía de mal humor. ¿O sería porque era yo? ¡No lo sé! Callé demasiado y, con todo y que Orión me mandó al Consejo varias veces y habían quedado sin efecto sus reportes, en una de ésas, el 1 de octubre, me sancionaron parcialmente quince días. Me lo guardé, porque para mí es desgastante, pero mi proceso ya terminó, estoy en las conclusiones y, cualquier día, me traerán la sentencia, así que ya me puedo concentrar en exigir trato digno y mis derechos como interna.

Ahora sigo en la estancia 1 y vivo con Mari, Sandra y Tita. Estoy tranquila, todos los días hago oración, me acerco a Dios y, a pesar de algunos malos ratos, trato de vivir bien. A veces hay momentos de felicidad. Mi familia está bien, a Dios gracias, y su bienestar es el mío. Me amo y me cuido, y si Dios me permite volver al lado de mis seres amados, jamás olvidaré lo vivido en prisión. Me llevaré lo bueno, y lo malo lo aventaré al abismo para dejarlo ir para siempre. Caminaré hacia adelante sin voltear atrás para no tropezar.

Sufrí tres pérdidas humanas, personas de las que me hubiese gustado despedirme personalmente, pero ya lo hice a través de un taller de tanatología. No todo es malo en este Centro. Así como hay personal técnico y de seguridad sin escrúpulos, también hay gente que nos ve como seres humanos, que nos valoran y nos respetan. Gracias por eso.

Reciban mil bendiciones, mi gran cariño y mi agradecimiento: Liz, por ser buena, darme paz, enseñarme a dibujar y por su gran amistad; Yaya, por su amistad; Lety, por esa lección que me dio; Nena, por ser tan buena y respetuosa; Caro, por su confianza; Yoyis, por su amistad y afecto; Juli, por su discreción y respeto; Hildita, por su cariño; Mari, por sus dosis de alegría, aunque a veces me haga enojar; Sandy, por esa sonrisa contagiosa; Tita, por su franqueza y cariño; Pili, por demostrarme que la tolerancia es lo mejor en este lugar; Rox y Diana, por su entusiasmo y alegría; Bebé, por su fortaleza y afecto; Fabi, por su amistad y su cariño; Julieta y Adilene, por su temple, igual que Vicky y Rosita; Toñita, por su afecto; Lani, por su confianza y cariño; Sofis y Anita, por su paz y tranquilidad; Norma, Yesi y Naomi, por su gran espíritu, fortaleza y cariño; Éricka y Anel, por saber cuándo opinar; Brenda, por su confianza, amistad y afecto. En general, a todas en el módulo, gracias, porque me han demostrado que aun en prisión estamos vivos, que sí existe el mañana, que hay que vivir este día como si fuera el último de nuestras vidas, y que el dolor es la base del crecimiento. A todas las llevo en mi corazón y en mis recuerdos. Gracias, Dios, por regalarme esta experiencia de vida.

A toda la gente en prisión:

Salmo 118:5-7

En angustia clamo al Señor y Él me respondió y me libró.

Él está de mi parte, no tendré miedo. ¿Qué podrá hacerme un simple mortal?

El Señor está de mi parte, Él me ayudará. ¡Yo veré triunfante a los que me odian!

Salmo 142:6-7

Escucha mi clamor, pues estoy muy deprimido. Rescátame de mis perseguidores, pues son demasiado fuertes para mí.

Sácame de la prisión para que pueda darte gracias. Los justos se reunirán a mi alrededor porque eres bueno conmigo.

Quiero decir que por todo lo vivido descubrí mi libertad del alma, ahora sólo espero la física.

Centro Federal de Readaptación Social núm. 4, Noroeste Femenil
El Rincón, Tepic, Nayarit

Un nuevo amanecer

Rosario Margarita Cavazos Reyna

Nunca pensé que mi vida cambiaría en un instante, nunca imaginé sentir tanto dolor en mi alma y en mi cuerpo y sin poder entender el porqué me pasó esto. Soy *Chío*, y mi historia tal vez se parezca a la de muchas mujeres, pero el dolor que cada mujer siente es distinto.

Nací en el municipio de Montemorelos, Nuevo León, pero desde los cinco años me crie en una localidad de Santiago, Nuevo León, llamada "El Ranchito". Allí viví mi infancia y parte de mi adolescencia. Desde el kínder hice muchas amigas, pero las mejores y únicas fueron Mireya, Érika y Diamani, con las que pasé muchos momentos muy lindos. Entre nosotras no había secretos. Nos contábamos cuando un niño del salón nos gustaba, cuando fue nuestra primera menstruación, en pocas palabras: todo.

Mis padres, doña Irma y don Adán, son los mejores padres que Dios me pudo dar. Mis hermanos Claudia, José Adán, Yaneth y Zindy son los mejores. Adoro y amo a mi familia. Nunca hubo golpes ni nada parecido. Mi hermana la mayor, Claudia, no es hija de mi papá, pero mi papá nos ama a todos por igual y eso no ha cambiado.

Mi papá siempre ha sido muy trabajador y mi mamá también, se han esforzado por darnos lo mejor. Vivíamos en una quinta que mi papá cuidaba; se encargaba de tenerla limpia y el pasto cortado para cuando el patrón llegara. Mi mamá trabajaba en casas haciendo el aseo, y los fines de semana preparaba tamales para vender. Cuando los hacía, nos mandaba a mí y a mi hermana a levantar los pedidos entre los conocidos y siempre nos compraban. No es por nada, pero mi mamá hacía unos tamales muy ricos.

Mi mamá también organizaba viajes especiales a lugares cercanos a donde vivíamos, como a la virgen del Chorrito, un lugar muy visitado en Nuevo León, y también fuimos a Real de Catorce, a Tampico, etc., y eran muy bonitos. Cuando ya tenía doce años e iba a terminar la primaria, en unos de esos viajes conocí a un niño guapo que me gustó mucho. Fue un amor inocente porque jamás hubo ni agarradas de mano, ni mucho menos besos.

En la primaria siempre me gustó participar en bailables, concursos de lectura y, por supuesto, también fui parte de la escolta junto con mis mejores amigas.

Después pasé a la secundaria, que no quedaba nada lejos de mi casa, y allí seguí viendo al niño guapo, Ernesto, pero la secundaria lo hizo cambiar mucho. Nunca llegamos a ser novios, aunque no había duda de que yo le gustaba y él a mí. Con el tiempo se olvidó de mí y yo de él y seguimos nuestra hermosa adolescencia.

En aquellos tiempos las fiestas eran muy distintas a como son ahora. A mi parecer, eran mejores las de antes. Solíamos ir a bailes que organizaba la secundaria y no faltábamos a ninguno. Lo único que no me gustó fue mi graduación. Nos hicieron unos vestidos plateados horribles y, para colmo, me tocó bailar con el más feo de mi salón, ¡cómo olvidarlo!

Al terminar la secundaria, me metí a estudiar una carrera técnica, pero no me gustó y la dejé. Me puse a trabajar con mi hermana en un Oxxo como cajera, pero sólo hasta antes de mi fiesta de quince años. Fue algo muy familiar y con amistades muy cercanas. Mi vestido era azul rey, muy bonito.

Antes de volver a trabajar, tuve que esperar a que me reinstalaran en otra tienda. Todas las noches me iba a casa de mi amiga Mireya y nos sentábamos en la banqueta de su casa a platicar con

Érika y Diamani, que siempre ha sido niña bien y a la que casi no dejaban salir.

Mi amiga tenía un vecino que me empezó a llamar la atención. Ella me decía que si quería, me lo presentaba. Yo no me animaba porque él era siete años mayor que yo, tenía veintitrés años y yo dieciséis, pero más temprano que tarde me decidí. Salimos y nos hicimos novios. Al principio fue bonito, pero nos veíamos a escondidas para que mis papás no supieran porque, seguramente, no iban a estar de acuerdo.

Siempre salíamos con mis amigas y sus novios, hasta que un día pasó lo que tenía que pasar: tuve mi primera experiencia sexual a mis dieciséis, pero nunca me arrepentí. Fue un amor muy hermoso, mi primer y gran amor. Me enamoré ciegamente y nunca me imaginé que me engañaría, pero lo hizo. Lo peor fue que me enteré cuando su hijo ya había nacido y sólo faltaba una semana para su boda. Me dolió muchísimo.

Después de unos meses un primo suyo me dijo que no se casó, que estaba muy mal, que él me amaba y que había decidido, dos días antes de su boda, no casarse. Como ya se imaginarán, volví con Jorge. Después de varios meses, me incorporé de nuevo a la tienda Oxxo. Todo estaba bien, pero yo sentía que ya no era lo mismo.

Un día mi papá me dijo que su patrón, Beto Zapata, integrante del grupo norteño Pesado, había vendido la quinta y que teníamos que salirnos de allí. Para ese entonces, mi papá ya había terminado la casa en el terreno que había comprado en Allende, Nuevo León, y tuve que dejar el trabajo y también a Jorge.

Mi amiga Mireya ya se había casado y era mamá de una hermosa niña; Érika, con sus papás divorciados, se fue a vivir con su mamá; y Diamani andaba de viaje y de compras con sus primas ricas. Nosotras nunca teníamos dinero para salir, así que nunca nos invitaba.

Llegamos a nuestra casa nueva el 3 de octubre de 2003. No había ido ni conocía el lugar porque no me gustaba y me sentía triste;

extrañaba donde vivíamos, a mis amigas y a Jorge. Pronto conocí a mis vecinas y, aunque no fueron de mi agrado, al menos tenía alguien con quien platicar y me llevaron a conocer un río muy bonito cerca de mi casa.

Mi cumpleaños se acercaba (7 de octubre) y yo quería pasarlo con mis amigas, así que me fui con ellas y me organizaron una fiesta que también fue como despedida, porque ya iba a ser más difícil vernos. De Jorge ya no supe nada. Aunque todavía lo extrañaba, me resigné a no verlo.

Las cosas en la nueva casa iban bien. Casi no salía porque no tenía amigas, sólo a mis dos vecinas. Un fin de semana por la noche me invitaron a cenar a un restaurancito de hamburguesas y tacos cerca de ahí, y como caído del cielo llegó a mi vida un hombre que hasta hoy sigue siendo y será el amor de mi vida. Yo no lo había visto, pero supe que él me observaba porque mis vecinas me decían que no me quitaba la vista de encima. Entonces se acercó, me saludó y me preguntó cómo me llamaba. Y me dijo:

—Pues yo soy César, pero me puedes llamar *Chegui*.

—Mucho gusto, *Chegui*.

—Me da mucho gusto ser tu vecino, vivo a un lado de tu casa.

No sabía que era mi vecino, y al principio no me simpatizaba mucho. Todavía pensaba en mi ex, pero de verlo casi a diario, algo en mí fue cambiando. Me fui olvidando de Jorge y lo único que deseaba era platicar con *Chegui*.

Una noche me estaba bañando y escuché que alguien tocaba a la puerta de mi casa. Mi mamá abrió y, después de cinco minutos, me dijo que un muchacho me buscaba. Sorprendida salí, y vi que era *el Chegui*.

—¿Qué haces aquí?

—Les pregunté a tus papás que si te daban permiso de salir a cenar conmigo. Dijeron que sí, ¿vamos?

—Estás loco, ¿por qué no me avisaste?

Claro que quería ir con él. Me metí, me arreglé y nos fuimos. Nos besamos, nos enamoramos, y a diario estaba en su casa o él en la mía. Salíamos juntos a todos lados. Mi mamá no estaba muy de acuerdo con nuestro noviazgo, y menos cuando, después de tres meses, me pidió que nos casáramos. Puso el grito en el cielo; mi papá también, pero no tanto, sólo me decía que estaba muy chica para casarme. Tenía diecisiete y él dieciocho.

Después de mucho discutir con mi mamá, al final aceptó. La pedida de mi mano fue algo chistosa, pero me encantó. Era domingo por la tarde y ni siquiera me avisó que iría a mi casa con sus papás. Yo estaba en *short* y sandalias, acostada, cuando llegaron. Él iba con el uniforme de beisbol, lleno de tierra, todo sucio. Llegó, pidió mi mano y me entregó un anillo hermoso. Antes de que decidiéramos casarnos, ya teníamos intimidad.

Mi boda fue sencilla, sólo por lo civil. Asistieron nuestros familiares y hubo una cena. Mi vestido de novia estaba muy bonito; nos casamos muy enamorados. No tuvimos luna de miel, ya que no teníamos dinero, pero eso no importó.

El primer mes de casados, salí embarazada de mi princesa Melany. Mi esposo y toda mi familia me consentían mucho. Cada cosa que se me antojaba, lo comía. Todo iba muy bien en mi vida de casada, hasta que mi mamá empezó a meterse mucho.

Mi esposo, mi cuñado Alan y mi suegro, se dedicaban a la pisca de naranja, y en el mes de mayo se vinieron unos días muy difíciles, pues no paraba de llover. No se podía trabajar y tenían que esperar a que las huertas estuvieran completamente secas para que las camionetas pudieran entrar. Así pues, no había dinero. Fue muy difícil porque éramos muchos los que vivíamos en casa de mi suegra: mi suegro *Kiko*, mi suegra Anabertha, mi cuñado Alan, mi cuñada *Chiquis* y sus tres niños: Brianda, de cuatro años; Nachito, de un año y medio; Jasan, de seis meses; mi esposo y yo embarazada.

Mi cuñada estaba separada de su marido y no le ayudaba con los gastos de los niños, que todavía eran de pañales y leche. Ella tenía unos anillos y esclavas de oro y las empeñó para comprar el mandado, la leche y pañales, pero el dinero se acababa muy pronto. Decidí empeñar una cadena y unas esclavas que me habían regalado en mis quince años, así como mi anillo de compromiso. Mi esposo se sentía muy mal, decía que no era el hombre indicado para mí, que no me podía dar lo que necesitaba y que le dolía mucho que yo empeñara el anillo. A mí no me importaba vender lo que tuviera; como decía mi abuelito: "Los bienes son para remediar males", y eso era lo que se tenía que hacer. Lo importante era que estábamos juntos. Todo matrimonio pasa por momentos difíciles, y esos momentos son los que lo refuerzan más. Eso pensaba yo, sin embargo, a mí mamá nada de esto le pareció. Se enteró de que había empeñado mis cosas para comprar comida y pañales para los hijos de mi cuñada y fue a la casa de mis suegros y les gritó a todos que me tenían muerta de hambre, que mi marido era un huevón mantenido y que ella no iba a descansar hasta vernos separados. Nos dejamos de hablar por meses.

El día en que fui madre, ella no estuvo conmigo, ni siquiera fue al hospital y a mi hija no la conoció hasta pasados más de quince días. Y fue porque mi suegra habló con ella y le dijo que tenía que conocer a su primera nieta.

El 5 de diciembre era domingo, y en la mañana me empezaron los dolores de parto. Como era mi primera hija, pegaba de gritos y, entre más gritaba, mi marido se ponía más nervioso. Mis suegros nos acompañaron al hospital.

Me subió la temperatura a 39° y vomitaba a cada rato. Me dieron medicamento hasta que me la controlaron. Los doctores me dijeron que tenían que prepararme para quirófano porque la niña no bajaba y ya se había reventado la fuente. Tenían que practicarme una cesárea. Alrededor de las siete y media de la noche nació mi Melany, muy bonita, con sus ojitos bien abiertos y su cara muy finita y afiladita. Todos pensábamos que nacería con bajo peso porque no engordé mucho, y porque la mayor parte de mi embarazo me la pasé con muchos ascos y vómito, pero nada de eso: mi hija pesó tres kilos y cien gramos, y los doctores dijeron que estaba muy bien. Todos estábamos felices con su llegada y más mi marido.

En ese tiempo, cuando empezaba a aprender cómo ser madre, me enteré por mi hermana Claudia de algo que no sospeché nunca, algo que me dolió mucho y a raíz de lo cual me fui distanciando de mi mamá: ella tenía un amante, y lo peor fue saber que tenía con él más de veinte años de relación. Eso, hasta la fecha, me sigue doliendo.

A pesar de que vivía al lado de la casa de mis papás, dejé de ir. Los domingos, cuando estaba mi papá, mandaba a mi hermana Zindy, la más chica, a invitarme a comer con ellos porque estaban haciendo carne asada. Siempre le decía que no y ponía pretextos. Me daba coraje, mucho coraje, no poder decírselo. No quería que por mi culpa se separaran. Además, no me correspondía, de ahí que ya no tolerara a mi mamá. Las pocas veces que iba, por cualquier cosa discutíamos, y siempre me quedaba a punto de gritarle, de insultarla y preguntarle por qué le hacía eso a mi papá si él siempre se desvivía por darnos lo mejor y por estar siempre con nosotros, a pesar de que su trabajo de chofer se lo impedía. Pero nunca lo hice. Sé que no soy nadie para juzgarla, es la mejor madre que Dios me pudo dar, pero hubiera preferido no enterarme. Ésas son cosas que pasan en muchos matrimonios, y el matrimonio sólo es de dos. Ellos son los que deben solucionar esos problemas.

Mi matrimonio ha sido muy normal. Discutimos y en varias ocasiones hemos estado a punto de separarnos, pero el gran amor que nos tenemos es más fuerte que todo.

Compramos nuestros muebles poco a poco. Cuando los tuvimos, tomamos la decisión de irnos a vivir solos. No es que no estuviéramos a gusto con mis suegros —los quiero muchísimo y ellos a mí—, pero creíamos que, como marido y mujer, debíamos dar ese gran paso para madurar y ser personas responsables. Más aún porque ya éramos padres y de nosotros dependía un hermoso angelito.

Los cuatro años que tardé en volver a embarazarme fue el tiempo que vivimos pagando renta. Cuando supe que nuevamente sería madre, no me lo esperaba. Me cuidaba para no tener familia, pero a mi marido y a mí nos alegró mucho la noticia. Sin embargo, las cosas en lo económico empezaron a empeorar.

Mi esposo trabajaba en una fábrica de puertas de madera llamada Quality y ganaba muy bien. Podíamos pagar renta y todos los gastos, pero la fábrica fue perdiendo clientes y, desgraciadamente, tuvieron que cerrarla. Regresamos a vivir a casa de mis suegros, cosa que no me incomodó en lo más mínimo ni a mis suegros tampoco. Se pusieron muy contentos.

Mi esposo había comprado una camioneta y la cambió por una de doble rodada para trabajar en la pisca de naranja. Cuando eres propietario de una camioneta, la ganancia es mayor que cuando sólo vas de piscador. Mi suegro también vendió su carrito y compró una camioneta en pagos para trabajar en lo mismo. Nos iba muy bien. Con el tiempo nos hicimos vendedores de abono para sembrar plantas y empezamos también a cultivar palmas, encinos, naranjas y plantas de olor, como orégano, yerbabuena, albahaca y otras. Mi cuñada y yo íbamos al mercado a venderlas, y los días que no piscaban, mi suegro y mi marido se encargaban de llevar los viajes de tierra a viveros. Se nos ocurrió también vender elotes preparados. Al principio casi no vendíamos porque había muchos puestos iguales, y cuando no había muy buena venta, toda la mañana nos la pasábamos comiendo elotes. ¡Nos daban unas diarreas! Pero ¿qué más podíamos hacer? No los íbamos a tirar, ¡alguien se los tenía que comer!

Entre el mercado, la casa y el kínder, nació mi segundo ángel el 7 de enero de 2009. Con ella no me dieron tantos dolores de parto ni nada y todo fue más rápido. Estábamos cenando, cuando me paré de la mesa y sentí que algo se había roto dentro de mí.

Empezó a escurrir por mis piernas mucha agua y ahí me di cuenta de que se me había reventado la fuente. Como no tenía miedo ni nervios ni nada, todavía me tomé el tiempo para bañarme, rasurarme, hacer mi maleta y la de la bebé. Cuando todos habíamos cenado y nos habíamos bañado, nos fuimos al hospital.

Llegué como a las nueve y media de la noche e inmediatamente me checaron, me pasaron a quirófano y a las once y veinte de la noche nació Arianna, mi angelito de ojitos azules, muy diferente a Melany. Tenía su cara redondita y chata, y nació más gordita, con 3.400 kg; otra niña hermosa.

Seguimos yendo al mercado a vender plantas y me llevaba a mi niña chiquita; a la mayor la dejaba en el kínder. El mercado quedaba cerca de donde vivíamos, en Allende, Nuevo León.

Después se nos ocurrió pedir permiso en la Presidencia municipal para poner un puesto de *snacks* a orillas del río en Semana Santa, porque en esos días se llenaba de gente que venía de otros lugares, la mayoría de Monterrey, gente de la ciudad que deseaba descansar en el campo y que se quedaba en casas de campaña a dormir. Se ponía muy bonito y se vendía mucho. Nos dieron el permiso y pagamos la cuota al municipio. Nos iba muy bien. Ya en ese entonces no nos faltaba nada económicamente, porque todos trabajábamos y ya no había tantos gastos. Mi cuñada se había divorciado y su esposo le daba una pensión cada mes para los niños. Además le ayudó a construir unos cuartos en el terreno de mi suegro para que viviera aparte. Mi marido y yo éramos los únicos que vivíamos con ellos.

Mi esposo tiene, aparte de mi cuñada, dos hermanos: Alan, el más chico, y Francisco, que es mayor que mi marido. Ellos ya estaban casados y vivían aparte. Francisco, cerca de ahí, y Alan, un poco más lejos. A él casi no lo mirábamos porque era trailero.

Nuestra vida era tranquila y honesta, y cuando creíamos estar otra vez bien, nos pasa esto. Pero sólo Dios sabe porqué pasan las cosas.

Cuando mi hija Arianna empezaba a caminar, noté que se caía mucho, al punto de que no era normal, y decidí llevarla al doctor. Dijo que debía tomar una radiografía porque notaba algo extraño y el diagnóstico fue displasia de cadera (significa que su cadera estaba salida), y como ella ya tenía un año, no se podía arreglar el problema con aparatos. La operación costaba más de veinte mil pesos y no contábamos con Seguro Social. Como el problema de la cadera es algo delicado, no quería que la operara ningún practicante del Centro de Salud. El doctor que la estaba atendiendo era particular y con mucha experiencia, pero trabajaba en un hospital privado y tendríamos que pagar esa cantidad para que la operara.

En ese momento lloré mucho, no sabía qué hacer. Mi marido quería vender su camioneta para pagar la operación, pero estaba descompuesta y cobraban mucho por arreglarla. En las condiciones en las que estaba nadie la quería. Mi suegro quería que vendiéramos la de él, pero si se vendía, se acabaría el trabajo del que dependíamos todos. Mi suegra me dijo que fuéramos al DIF y a Cáritas de Monterrey para pedir ayuda con los gastos de la operación. Diosito, que siempre ha estado con nosotros, hizo que nos apoyaran económicamente. Hasta el alcalde de Allende nos ayudó. Organizamos también loterías en la localidad hasta juntar el dinero.

El día de la operación llegamos al hospital La Carlota, en el municipio de Montemorelos. Sentí un dolor muy grande de ver a mi hija en esas circunstancias, y más dolorosa fue su recuperación. Tuvo que permanecer tres meses inmovilizada con yeso desde su cintura hasta las plantas de sus piececitos.

Los primeros días después de la operación, mi niña lloraba mucho, no dormía, se desesperaba por no poderse mover, sólo tenía descubierta su partecita, y cada vez que le cambiaba el pañal, era desesperante y doloroso. Ni se diga para bañarla. Sólo podía hacerlo de la cintura para arriba. Sufríamos todos, pero más mi niña. Las semanas se me hacían meses, pero gracias a Dios salimos adelante y mi princesa está sana y muy hermosa.

Mi esposo tuvo la oportunidad de un trabajo mejor como chofer de camiones de carga pesada y ganaba muy bien. Juntamos dinero y nos hicimos de un carro más o menos bueno.

Mi suegro empezó a preocuparse mucho porque mi cuñado Alan ya casi no iba a visitarnos. Supimos que había dejado el trabajo de trailero y que se separó de su esposa. Desde entonces nuestras vidas cambiaron por completo.

El lunes 23 de enero de 2012, muy temprano, me levanté para hacerle el lonche y su maleta a mi esposo. Su trabajo estaba muy lejos y se quedaba toda la semana en Linares y regresaba hasta el sábado. Lo fui a dejar a la oficina como a las nueve, llevé a mi hija a la escuela y la recogí a la hora de salida. En casa estábamos mi cuñada, sus niños, mis suegros, mis hijas y yo. Como a la una de la tarde, bajamos mi cuñada, mis dos hijas y yo, para dejar a Melany en casa de una amiguita para que jugara un rato. Cuando subimos de nuevo el camino hacia la casa, vimos que estaba completamente cerrado el paso por marinos y agentes, creo que ministeriales. Nos asustamos. Pensamos que había habido un accidente o una balacera. Seguimos en el carro, pero los marinos me hicieron señas de que me detuviera. Dijeron que bajáramos del auto, que era una revisión de rutina. Nos bajamos mi cuñada, mi hija de tres años y yo. Revisaron y, obviamente, no había nada. Nos dejaron paradas un buen rato afuera del vehículo. Después se retiraron unos metros y empezaron a hablar por radio. No entendíamos qué pasaba, por qué nos tenían allí, afuera de nuestra casa, y no nos dejaban pasar. Llegaron unos hombres vestidos de civil, pero con capucha, y nos jalonearon. Yo cargaba a mi hija, me la quitaron de mis brazos y se la entregaron a mi suegra. Mi niña no paraba de llorar. No entendíamos por qué nos esposaban.

—Pinche perra mugrosa, ya las cargó la chingada.

—¿Por qué, de qué habla? —decía yo.

—Dime tú, pinche vieja, ¿conoces a Alan?

—Sí, es mi cuñado, ¿por qué? ¿Le pasó algo?

—Hazte pendeja. Dinos dónde está, si no, van a ver qué putiza les vamos a meter.

Me asusté, y mi cuñada se empezó a sentir mal. Tenía cinco meses de embarazo. Nos subieron a una ambulancia de la Marina y allí nos tuvieron vendadas de los ojos y esposadas. Después subieron también a mi suegro y a su hermano Baldo. Cuando les decía que quería ir al baño, me bajaban y me llevaban a mi propia casa. Cuando me quitaron la venda, vi los destrozos que hicieron; quebraron vidrios.

Mi suegra estaba muy asustada, y cuando vio que me metieron al baño, me preguntó qué pasaba. Contesté que no sabía, pero que buscaban a Alan.

De nuevo en la ambulancia, mi cuñada se desmayó. Se sentía muy mal, y más por el estado en que estaba. En horas de la madrugada nos trasladaron a la base de los marinos. Ahí nos golpearon hasta cansarse, nos dijeron groserías y nos humillaron. Lo único que faltaba era que me violaran, pero Dios es muy grande y no lo permitió. Cada vez que me golpeaban, me preguntaban una y otra vez dónde estaba mi cuñado, que no nos querían a nosotras, que si les decíamos dónde estaba, nos dejarían ir. No sabía qué hacer ni qué decir. Cada vez que respondía era un golpe seguro.

Nos pararon enfrente de una mesa y nos gritaron a los cuatro: "A ver, pinches culeros, estas armas que ven aquí son suyas, y la droga también. Como no quisieron hablar, se los cargó la chingada. Cuando su hijito (le dijeron a mi suegro) sepa que están aquí, solito va a caer, ya verán. Si hemos agarrado a gente chingona, que no agarremos a ese cabrón.

Al día siguiente nos llevaron a la Ministerial, y cuando creíamos que la tortura terminaba, descubrimos que apenas era el comienzo. Nos sacaron de las rejas y nos metieron a otro cuarto. Otra vez hubo golpes y agresiones verbales. Nos preguntaban una y otra vez por el cártel para el que trabajaba Alan. Después de un rato, nos volvieron a meter a los separos. Les pedía que nos dejaran hablarles a nuestras familias, porque estarían preocupadas por no saber nada de nosotros.

De repente llegaron unos señores que traían playeras negras y decían AEI (Agencia Estatal de Investigaciones). Nos subieron en carros particulares, nos quitaron las esposas y nos pusieron cinchos; a mi suegro y a su hermano en uno, y a mi cuñada y a mí en otro. Nos llevaron a unos edificios y allí nos tomaron huellas, datos y también fotografías. De ese lugar fuimos a la PGR de Escobedo y nos metieron en unos separos. Hacía mucho frío y ni colchas nos daban para taparnos. Ahí tampoco nos dejaron hacer llamadas ni nos dieron explicaciones de nada.

Al día siguiente, por la mañana, nos sacaron dos señores y nos subieron a una camioneta. Sólo a mi cuñada y a mí. Al preguntar a dónde nos llevaban, dijeron que al penal de Topo Chico. "¿Por qué nos hacen esto –dije llorando–, si nosotros no hemos hecho nada malo?" "Pues van a tener que demostrarlo. Consíganse un buen abogado para su defensa."

Así fue como llegué a ese infierno, como lo llamo yo, porque lo que viví en ese lugar a nadie se lo deseo.

Al llegar, nos tomaron datos y huellas y después nos llevaron a población. Nos metieron a unos cuartos. Había una litera y unas siete mujeres. Nos llevaron con una señora, una interna, que nos haría una entrevista. ¿Para qué o por qué? No tenía ni la menor idea. Me preguntó por qué delito venía y con cuál cártel me relacionaban. Le dije que lo ignoraba, lo único que sí sabía era que iba por portación de arma del uso exclusivo del ejército y la fuerza armada, daños contra la salud y delincuencia organizada.

Volvimos a la celda que les platiqué y ahí estuvimos. Empecé a notar que mis compañeras tenían cara de asustadas y que ni siquiera hablaban. Una chava me empezó a hablar. Me preguntó de dónde era, y así estábamos, hasta que me dijo que los internos del varonil se pasaban para allá y por las noches las golpeaban. No lo creí, pero lamentablemente me tocó presenciarlo. Mirábamos y oíamos los gritos de las mujeres que golpeaban, y una noche nos tocó a nosotras. Nos sacaron en la madrugada a mi cuñada y a mí, nos llevaron a una cocina y nos sentaron en sillas de plástico. Nos amarraron las manos y los pies a la silla con cinta adhesiva, nos encintaron toda la cara y empezó la tortura. Es muy difícil para mí contarlo, pero es parte de mi vida y deben saberlo.

Nos daban toques eléctricos y nos insultaban una y otra vez. Preguntaban cuántas propiedades teníamos y para quién trabajábamos, que de quién eran las armas. Por más explicaciones que les dábamos, no entendían y no dejaban de golpearnos. A mi cuñada le quemaron sus pechos con los toques y su pancita también.

Al día siguiente nos mandaron llamar. Dijeron que teníamos visita y que tuviéramos mucho cuidado de no decir lo que nos había pasado. Cuando mi hermana nos vio, no necesité decirle nada. Mi cuñada apenas podía caminar y mi ojo casi estaba reventado. Mi hermana empezó a llorar y yo también. Me preguntó qué me habían hecho y no supe qué responder. Se acabó la visita y mi hermana me dijo que hablaría con nuestros abogados y con el director para que nos sacaran de ahí.

No dormíamos, no comíamos, sólo deseábamos que no llegara la noche, pero era inevitable. Temblábamos, teníamos mucho miedo. Como a las diez de la noche, fue un oficial a decirnos que nos hablaban en la entrada. Nos preguntábamos quién podía ser a esas horas, pensamos que tal vez era el abogado. El caso es que nos llevaron a un cuarto al lado de la conyugal y nos dijeron que ahí nos iban a dejar, que no volveríamos a población.

Después de una semana supimos que habían detenido a mi cuñado y que lo tenían en una casa de arraigo. Después de quince días ahí, lo llevaron al penal de Topo Chico, y esa misma noche que llegó, lo mataron los internos. Nunca supimos en realidad por qué lo mataron. No tenía ni doce horas de haber ingresado. En las noticias dijeron que se trató de una riña. Después de eso, todos estamos destrozados, con un dolor inmenso. No sabíamos en qué andaba metido, pero aun así era parte de nuestra familia y su partida nos dolió mucho. Ni siquiera lo pudimos ver por última vez.

La familia tenía mucho miedo por nosotros porque estábamos en el mismo penal. Nuestros abogados pidieron nuestro traslado y sólo nos lo concedieron a mi cuñada y a mí. Mi suegro y su hermano están en otro penal en Monterrey y nosotras en el Centro Penitenciario Femenil Noroeste, de Tepic, Nayarit.

Mi cuñada dio a luz a Rafael y están bien, gracias a Dios. En este lugar estamos tranquilas y sin miedo a que nos golpeen. Hay cosas en la vida que no se pueden cambiar y sólo Diosito sabe el porqué de esta prueba tan grande. Mi familia ha estado siempre con nosotros. Mis hijas no están solas, están con su papá, que es un hombre maravilloso, al que amo profundamente y es el amor de mi vida.

Sólo pido a Dios paciencia y fe para esperar el día en que el juez vea que somos inocentes, que todo se aclare y me den mi libertad.

Gracias a mis seres queridos por estar siempre con nosotras y no dejarnos solas. Quise contar mi historia para que supieran cuántas injusticias se cometen en nuestro México. Ojalá y todo este infierno se acabe pronto, haya paz y exista un nuevo amanecer.

Centro Federal de Readaptación Social núm. 4, Noroeste Femenil
El Rincón, Tepic, Nayarit

Episodios de amor

María Lourdes de Ramón Bringas

Mientras tomaba un jugo sentada, contemplaba el panorama. A lo lejos había personas haciendo ejercicio en una verde pradera, mientras en mi mente escuchaba: "Escribe cuánto amas a tu bebé", "que no es fácil tener aquí a Dany", "que no he disfrutado la niñez de mi hija Azucena", "duele tenerlas separadas".

Veo pasar el tiempo y aún sigo aquí. Llevo siete años con seis meses de los veintitrés de mi sentencia, junto con mi padre José Antonio de Ramón de los Santos, de sesenta años, y mi hermano José Alfredo de Ramón Bringas, de treinta y tres años, un año mayor que yo. Aunque separados, estamos en el mismo barco.

Me emociona escribir para ti, mi Daniela hermosa, y saber que un día estarás leyendo cada una de estas líneas, que tal vez te resulten tristes y dolorosas, como en su momento lo fueron para mí. Pensé que sería bueno redactar lo sucedido, pues sé que llegará el tiempo en que serás grande y deberás conocer esta realidad que para toda la familia ha sido dolorosa.

Estoy en este lugar y hago lo mejor que puedo, me porto bien. Cada mañana Dios renueva mis fuerzas para luchar por ustedes y salir adelante. Lo que hago y lo que vivo gira en torno a ti. Lo único que sé es que mis palabras quedarán plasmadas en el papel como testimonio del inmenso amor que hay en mi corazón. Conocerás detalles de tu existir, de lo importante que has sido para mí.

No ha sido fácil estar sola, mi amor. Trato de que no me envuelva el pasado ni la adversidad. Cada mañana digo: "Un día más de vida, un día menos en este lugar", y doy un paso más hacia la puerta de mi libertad.

A ninguno de mi familia le digo lo difícil que es caminar aquí. Hay veces en que no puedo, que siento ganas de llorar. Quiero correr y salir ya con mis pequeñas nenas y, si no fuera porque estás conmigo, mi vida sería más complicada.

Tu presencia llenó de luz mi caminar. Eres un pedazo de mi vida y quiero cuidarte, darte mucha atención, llenar de amor tu corazón. Eres una princesa mensajera del amor de Dios, eres un ángel en este lugar.

La noticia que nadie esperaba y que me hizo feliz junto a mi hija Azucena fue la confirmación de mi embarazo, por lo que me dispuse a platicar con mi niña.

De más pequeña, Susy no concebía la idea de tener un hermanito. Siempre que alguien le preguntaba: "¿Quieres una hermanita?", era motivo de enojo y, llorando, me pedía que, por favor, ya no hablara de eso. Ahora temía que, al decirle del bebé que venía, se distanciara de mí por celos. No soportaría algo así, pues Susy es mi amor y uno de mis tesoros más valiosos. Cada vez que venía a visitarme al penal, preparaba un discurso diferente para que tomara la situación lo más tranquilamente posible.

—Es bueno tener un hermano o hermana para jugar con ellos cuando son pequeños.

—No, eso no.

—Tener un hermano es una bendición de Dios, no todas las niñas tienen oportunidad de disfrutar a un bebé.

—Creo que no.

—Tu hermana será tu mejor amiga, tu aliada en juegos, convivirán mucho.

—Pero, ¿y si no es niña?

Tal vez me adelanté al pensar por mi hija. Lo que sí tengo claro es que de verdad sufría al imaginar que yo podía tener otro bebé.

Le pedí a mi amiga Andrea que me ayudara a decirle a Susy que tendría un compañerito en su vida, que platicara lo bueno que había vivido con sus hermanos y lo bien que ahora se llevaba con su hermana.

Azucena, hija: quiero que sepas que cuando yo tenía siete años de edad, nació tu tío Antonio. La verdad, yo esperaba que fuera niña. Tú no tienes idea de cuánta falta me hizo una hermana, y no sólo por el juego, sino porque he visto que son amigas fieles e inseparables, aunque se enojan, como todos. Pero no fue posible y acepté a tu tío.

Tu abuelita Petra, a los tres meses del alumbramiento enfermó, al grado de no poder levantarse de la cama. Aunque a mi edad no sabía mucho, tuve la disposición de ponerme a su servicio y, claro, animarla. Sólo recuerdo que lloraba en su cama y que su rostro estaba muy pálido, creo que tenía dolor y apenas unas palabras podían salir de su boca.

Me encontraba asustada, pero debía ayudar a mi madre con mi hermanito. No sabía ni cargarlo. Como pude, lo puse en mis piernas. No lo había observado desde el día de su nacimiento. Me enamoré de él, parecía un muñeco con su pelo güero, blanquito, con sus chapas. Después de ese día aprendí a cambiarlo. Lo bañaba cuidando cada detalle de él, me parecía un juego y disfruté tanto, que el niño se acostumbró mucho a mí.

Durante varios años fui su nana y me convertí en su amiga; unimos nuestras manos para caminar juntos. Antes de llegar a este lugar, estaba conmigo, porque para mí es mi niño. Lo complacía en casi todo lo que quería y, mientras pude, lo paseé.

Bendigo el día que llegó a mi vida porque marcó la diferencia, sobre todo por los momentos tan hermosos que pasé a su lado.

El último paseo al que lo llevé antes de caer aquí fue en las vacaciones. Me pidió que lo llevara a Six Flags México. Él tenía unos ahorros y dijo que me cooperaría. Nos encontrábamos en casa de tus abuelos cuando me lo pidió, y tu abuela dijo:

—No, Lulú, eso no, ¿cómo vas a gastar tanto dinero en ir a pasear sólo porque el niño lo pide?

—Mamá, déjalo, no seas así. ¿Cuánto puedo gastarme? Además, para eso trabajo, para disfrutar cuando pueda.

—Debemos ahorrar dinero, guarden o inviertan.

—Mami, cuando yo era más pequeña quise tener un hermano o hermana más grande que yo para que me paseara o me comprara lo que a mí me gusta y no fue así. Por favor, deja que sea yo quien complazca a mi hermano de diecisiete años.

Siempre que me pedía algo, como ropa, zapatos u otra cosa que le gustaba decía: "¿Me cooperas para comprarme mis tenis?" Y yo recordaba cuando quería algo así y mis papás no tenían dinero. Quien nos regalaba cosas era mi abuelo paterno, Luis, pero no las que queríamos, porque las pedía a su gusto.

Me sentía bien al comprarle a mi hermanito lo que necesitaba y, como sabes, hasta la fecha, quiero mucho al niñote. Y no terminaría de platicarte lo mucho que amo a tu tío Toño, sin importar la diferencia de edades, pues siempre nos hemos entendido superbien.

Ya ves a Andrea, cada ocho días viene su hermana o alguno de sus hermanos, no la dejan sola y se preocupan por ella. Y así puedo describirte a más amigas cuyos hermanos vienen aquí, en estos momentos difíciles, a mostrar su apoyo. Es muy bonito ver sus rostros alegres cuando las visitan.

Tenía dos meses y medio de embarazo y, aunque estaba nerviosa, decidí que era el momento en que Susy debería saber de tu existencia, Dany. Me afligió que no me escuchara y saliera corriendo sin querer volver a verme.

—Susy, ¿puedes acompañarme al cuarto?

—Sí, mamá.

Al caminar, pedí que nos desviáramos a otro lugar.

—¿A dónde vamos, mami?

—Ven, bonita, quiero platicar contigo.

—¿Pasa algo, mamá?

La abracé con mucha fuerza, al tiempo que susurré a su oído:

—Te amo con todas las fuerzas de mi corazón y quiero recordarte que tienes un lugar especial para mí. Nada ni nadie podrá borrar el gran amor que siento por ti. Te comenté que, cuando eras bebé, me gustaba besar tu frente y oler tu cuello.

Sonrió.

—Gracias, mami, eres linda en recordarme lo que soy para ti, no lo olvidaré.

El lugar en el que nos encontramos era muy pequeño para las doscientas y tantas internas. Los lugares de privacidad no existen ni en el cuarto, menos en el baño. No falta la que entra sin preguntar si está ocupado. Sólo buscaba un espacio para mi hija Azucena y para mí. No importaba que fuera junto a la malla de seguridad, al menos lejos o aisladas de la visita de los demás.

Te acosté en mis piernas, Susy. Mientras platicábamos, con mis dedos acaricié tus mejillas y llené tu rostro de besos. En ese momento vino a mí el recuerdo de cuando eras bebé, siempre jugueteaba con tu cabello haciéndote "piojito".

Un espacio de silencio entre las dos...

—Susy, vas a tener un hermanito.

—¿De verdad, mamá? ¿Vas a tener un bebé?

—Sí.

186

Tu rostro rebosó de alegría, de emoción, me invadiste con preguntas: cuántos meses tenía, cómo me había dado cuenta, por qué sabía.

Un día como todos, al salir a correr empecé a tener sofocaciones, mi respiración era más rápida, no la podía controlar por mucho que tomara aire. Pasé varios días así, hasta que un día casi me desmayé. Mi amiga Andrea salió en mi auxilio, me dio un vaso de agua y esperó a que se normalizara mi respiración. Me prohibió que saliera a hacer ejercicio.

—Haces mucho, tal vez necesitas vitaminas, te excedes, además el estrés en que vivimos nos agota. Mejor ve con la doctora.

—Me siento mal, me preocupa, soy muy sana.

Para tranquilidad de las dos fui con la doctora y expliqué lo sucedido. Ella sabe que soy deportista, pero mandó una orden para análisis generales. La sospecha era de un embarazo. Me emocioné al pensarlo, sería paz al dolor, aunque pensé miles de cosas en ese instante.

—Mamá tienes que cuidarte mucho, sobre todo come cosas nutritivas. Tú, mejor que nadie, sabes muchas recetas y lo que es mejor para el bebé. Te voy a pedir que, por favor, no hagas corajes, no es bueno.

Manifestaste tu incomodidad de no tenerme junto a ti para cuidar de los dos.

—Mami, cómo deseo tenerte en casa para darte masajes en tus pies a diario y platicar con nuestro bebé, además de cumplir con tus antojos. Sé que eres muy trabajadora, mamá, pero evita cargar cosas pesadas, no quiero que nazca antes de tiempo como yo, de ocho meses.

Desde ese momento, Dany, tu hermanita Azucena, al saber de tu existir, lo único que ha hecho es llenar de atenciones mi vida.

Ella siempre argumentó su deseo por ti. Muy segura dijo que un niño sería aburrido.

Antes de que presentara algún síntoma, estando con tu papá Vicente y sin sospecha de tu existencia, todo el tiempo me preguntaba si existías, pues siempre pedía cosas que se me antojaban y decía: "¿Tan rápido ya tienes antojos? No quiero que salga con cara de fruta o paleta".

Cuando realmente estuve embarazada, se me antojaban mucho los camarones, mojarras, flan napolitano y pepinos con mucho chile. Al principio, un síntoma desconocido me sorprendió: el hambre en las noches. Parecía que en todo el día no había comido, yo no acostumbraba cenar. Mis dos comidas y nada más. Esa hambre fue más fuerte que mi voluntad; también la confundí con ansiedad.

Pasaron días hasta que me di cuenta de que la hora en la que me despertaba a comer era la misma, entre las tres y las tres y media de la madrugada, aunque apenas podía abrir los ojos y mi boca con el bocado casi no se movía porque me daba flojera. Yo tengo que supermasticar la comida. Mi mamá me regañó mil veces porque decía que era pacienzuda; en muchas ocasiones me fui a la escuela sin comer. Después me hacía licuados, molía todo y así no me daba trabajo masticar, sobre todo por el tiempo. Eso era motivo de enojo. Cada vez que me sentaba a comer, desesperaba a mi madre. Creo que quería ponerme el plato de sombrero, pero ni aun así pude.

Mi dieta era de ensaladas, verduras, zanahorias, pepinos, jitomate, brócoli, apio, y comer esto en la madrugada era como tener ratones en la casa, me escuchaban masticar y el ruido del traste o la bolsa donde llevaba los alimentos era molesto para mis compañeras y para mí, pero el hambre era tremenda. Así pasé varias noches.

En esos días Sandra, una compañera que dormía en la cama de piedra de arriba, al bajar al baño se sintió mal, se desmayó y se golpeó fuerte. Corrimos a auxiliarla. No podía permitir que hiciera esfuerzos, así que le cedí la litera de abajo y yo tomaría su

188

lugar. No sabía de mi embarazo. Subía y brincaba para bajar, era una chica deportista y me sentía como resorte.

Sandy ha sido un ejemplo a seguir. Hoy que ya no está aquí, la extraño mucho. Cuando se enteró de ti, me felicitó y me dio consejos. Durante el embarazo siempre te acariciaba en mi panza, platicaba contigo, y tú, mi amor, correspondías a sus caricias, porque te movías cuando ella te hablaba. Cuando comía algo me daba de su comida, era una chica compartida. Si sabía que algo se me antojaba, le pedía a su mamá que me lo trajera. Hoy hace cinco meses que se fue libre. No terminaría de describir todo lo bueno que hizo por nosotras, mi amor, además de ser muy servicial.

Cuando me dieron bochornos, siempre tenía calor y en las plantas de los pies sentía como si tuviera brasas. Ponía las plantas en la pared, aunque me advertían que no lo hiciera porque me darían entuertos (dolores después del parto o calambres).

Todas mis compañeras dormían como si no debieran nada, podía pasar un tren y no se enteraban. En una ocasión me despertó un calambre muy fuerte en la pantorrilla y sólo alcancé a decir: "¡Sandy!"

En un segundo ella, de un brinco, llegó a mi cama. Es una chica alta, mide como 1.80 metros, güera y guapa. De inmediato me ayudó, estiró mi pierna y empezó a masajear. Se quedó conmigo hasta que me sentí bien. Nadie más se acercó. Tampoco voltearon a ver qué me sucedía. Le pedí ayuda a Sandy porque ella no se enoja al apoyar a alguien que se siente mal. Es muy responsable y tiene el sueño ligero, como yo, que me despierto con un mínimo ruido. Siempre demostró ser amiga y no sólo compañera; pocas veces la vi enojada.

En las fiestas, como el 24 y el 31 de diciembre y el 14 de febrero, organizábamos cenas y, después de tomar agua y brindar con refrescos, decíamos: "Para arriba, para abajo, para el centro y para adentro".

En cierta ocasión, cuando celebrábamos la despedida de mi gran amiga Claudia Peña, que se iría libre al día siguiente, teníamos un gran escándalo con música y risas. La compañera que hacía de torre, es decir, que avisaba cuando se acercaba la custodia para que cesara el escándalo, de repente limpió el vidrio que se había opacado por el calor y descubrió a la custodia.

Ya tenía tiempo observando y todas corrimos a las camas del rincón, como si pudiéramos escondernos. Nos regañó diciendo que guardáramos silencio o al otro día nos *entalacharía* a todas. Eso significaba barrer la explanada, juntar basura o lo que nos pusieran a hacer.

Extraño a Sandy, no sólo por su alegría, sino por sus muestras de cariño y apoyo incondicional. Cuando naciste, Dany, le daba miedo cargarte porque te veías muy frágil. Ella te ponía en una almohada y te arrullaba con delicadeza, y eso que ella no tiene bebés. Siempre le decíamos que te bañara, pero decía que eso no, ni idea tenía de cómo hacerlo:

—¡Ni Dios lo mande!

—Para que practiques.

Ésta es una imagen: Sandy te tiene en su cama de lado, estás entretenida con su calendario pegado a la ventana, te llama mucho la atención. Le dabas todo el tiempo los brazos.

Ya tenías un mes de nacida y aún no escogía tu nombre y Sandy te llamó de cariño *Chirris*, para todo *Chirris*, donde te encontraba, te gritaba; si iba a la tienda, hasta volteabas buscando su voz. Ella, fascinada, con dos miraditas siempre pedía: "Ya quiero que me dé los brazos mi *Chirris*".

El gusto nos duró poco.

Había ocasiones en que no te dormías con nada, tampoco llorabas porque te cargaba e intentaba arrullarte. Ya era tarde y no me podía bañar hasta dejarte dormida.

—Dame a la bebé y ve a apurarte, yo la cuido.

Ella me ayudaba contenta con tenerte en sus brazos, además de disfrutar tu olor. Me acompañaba por las noches cuando tenía cosas por hacer, siempre era la última en acostarse y no le gustaba que me quedara sola bañándome.

—Apúrate, te espero a que salgas.

Gracias a Dios por su vida y su compañía en este lugar. Cuando se fue, todo ocurrió muy rápidamente, apenas y nos pudimos despedir.

Tú, mi amor, la extrañaste también, cada vez que entrábamos al cuarto o al encerrarnos, la buscabas volteando a su cama. Ella llamó para saber de ti y me pidió que te cuidara. Está feliz libre, pero extraña jugar contigo en las noches.

Creí que hacer dos horas de ejercicio, debido a mi pasión por tener abdomen plano y piernas torneadas, me estaba debilitando. Aparte de querer verme bien, lo hago por salud y nunca me había sentido tan mal. Le conté a mi amiga Rocío, que está en el mismo dormitorio, que aún no estaba segura.

—Yo te cuidaré.

De inmediato pidió que me cambiara de cama porque dormía en la litera de arriba. En esa semana nos tocó hacer aseo general en el cuarto y mi amiga no me dejó cargar nada que pesara. A la hora de la limpieza, me mandó a preparar los cafés para todas. Al acomodar las cosas me quise cambiar como si nada a la litera de arriba, pero Rocío no me dejó:

—Tienes que cuidarte, ¿qué tal si te resbalas de la escalera? Además, está alta y siempre brincas al bajar. Quédate abajo por cualquier cosa.

Esto levantó sospechas y Sandy comentó:

—Un motivo grande ha de ser para que Lulú duerma en la cama de abajo, ella siempre ha dormido arriba y le gusta. Están raras.

Rocío y yo cruzamos miradas y sonreímos.

Mientras plasmo nuestra historia, todas mis compañeras duermen, escucho la lluvia y algo me atrae a la ventila del baño. Es un olor a tierra húmeda que me ha hecho cerrar los ojos. El sonido de los grillos revolcó mis recuerdos: mi papá y yo caminando entre calles con escasas lámparas, brincoteo de un lado a otro entre la llovizna queriendo atrapar luciérnagas que parecen foquitos de Navidad, el susurro de los grillos por todos lados, jugueteo con las hojas, unas tan anchas que hasta las cortaba como sombrillas. Acompaño a mi papá a la tienda por pan para cenar. Es un lugar bonito, lleno de plantas y flores, como un jardín. Otra vez en ese lugar, tenía doce años de edad y varias veces visité Ixtazotitlán, pasé noches como éstas, lluviosas...

Tu papá Vicente estaba de visita y se me presentó un sangrado. De inmediato nos fuimos al servicio médico del área varonil y, como era sábado, sólo había un doctor de guardia para todo el penal y no se encontraba en ese momento. Lo estuvimos esperando durante horas. Empecé a sentir un dolor más fuerte en el bajo vientre. Tu papá, aunque asustado, decía que me tranquilizara, que todo estaría bien.

La hora de visita terminó y debía regresar a la sección femenina. Sentía que al caminar aumentaba el sangrado. Ese día fui la última en llegar. En cuanto vi a la supervisora de turno, le conté lo sucedido. De inmediato me mandó con el doctor del área de control. Al caminar cierta distancia, argumenté a la oficial que tenía miedo de dar más pasos. Ya no pasé a la revisión de rutina que nos hacen cada vez que pasa una al área de varones, tanto de ida como de regreso, que consiste en hacer tres sentadillas sin ropa y revisar todo lo que llevamos o traemos. El doctor indicó que tenía que acostarme y quedarme quieta en el servicio médico, pues mi estado era delicado.

También tú estabas asustada, no te movías para nada y mi abdomen se había puesto duro como pelota de basquetbol.

Por último entró Andrea, ella siempre paciente, tomó las cosas con tranquilidad.

—Primeramente Dios, todo va a estar bien. No te preocupes por la tienda. Tú échale ganas, quiero que nazca tu bebé a tiempo, debes animarte.

—Muchas gracias —mi voz se quebraba—, por favor, avísale a Vicente que me van a sacar.

—Sí, no te preocupes.

La enfermera le preguntó al doctor si haría los papeles para mi salida al Hospital de la Mujer. Dijo que sí y también pidió la ambulancia. Todo fue rápido.

Entre brincos y golpes, llegamos. El doctor Ismael, que me acompañó, se adelantó para dar mi diagnóstico a la sala. De inmediato me canalizaron el suero, colocaron gel frío en el vientre para el ultrasonido y al mismo tiempo me preguntaban: "¿Qué edad tiene, cuántos bebés, qué tipo de sangre es, ha tenido abortos, parto normal o cesárea?"

La doctora me pidió que pasara con ella una vez contestadas las preguntas y tomados los signos vitales. Siguió con el ultrasonido. Lo único que comprueban al llegar es si el bebé aún está con vida, si consideran que la paciente debe ser internada o, si todo está mal, hacen el legrado. Desde ese momento no había quién me dijera cómo te encontrabas o qué tan grave era ese sangrado.

Observé el rostro de la doctora mientras me checaba para ver qué gestos hacía, pero ninguno fue diferente.

Fue incómodo y penoso, pues la custodia estaba ahí junto a mí presenciando todo. La doctora solicitó mi estancia en piso para hacer más estudios. El doctor encargado de turno revisó mi expediente y de inmediato dio su diagnóstico: "Usted ha perdido líquido, creo que la van a preparar para legrado".

Las custodias comprendían lo que pasaba y me ayudaban. Necesitaba a alguien a mi lado en quien apoyarme o desahogar mi corazón.

Regresó la doctora Jimena, quien me recibió a la entrada, con otro doctor: "Señora, la vamos a examinar otra vez. Va a ser doloroso, pero debemos estar seguros de si esa agua es líquido; su bebé no puede vivir si alguna membrana está rota.

Las revisiones me lastimaban, pero más me dolía pensar que pude perderte. ¡Qué ironías de la vida! Cuando uno más desea tener un bebé, pasan muchas cosas difíciles, y otras chicas que toman o se inyectan infinidad de cosas para abortar, los tienen sin problemas. Hoy entiendo que es por voluntad de Dios.

Eran como las diez de la noche cuando regresó la doctora Jimena y dijo: "Están viendo las muestras, hija".

Aunque no entendía si perdían las muestras o qué pasaba porque volvían a hacer lo mismo.

Había pasado más de doce horas sin probar alimento ni agua. Tenía mucha sed y un hambre feroz. Ya no sabía por qué me sentía grave, si por no comer o por lo que me pasaba. A esta hora las custodias se habían retirado, ahora era el turno de las policías municipales que hacían su "instalada", como se dice.

Antes de llegar a este lugar, yo laboraba en la dirección de policía municipal, en el área administrativa, y al verme, estas chicas me reconocieron. Margarita estuvo conmigo. Le comenté que tenía mucha sed, esperamos a que llegara la doctora y le pregunté:

—¿Puedo tomar agua y comer algo?

—¡No, claro que no! Tienes que estar en ayuno.

Con el embarazo mi apetito había aumentado. Lo peor es que mi cuerpo empezaba a temblar si no comía, me dolía la cabeza. Pedí que me dejara tomar agua, hasta le supliqué, pero dijo que no. Margarita lamentó no poder ayudarme, pero opinó que mejor tratara de dormir para que se me olvidara un poco. Tenía una lámpara de frente, una arriba y otra del lado izquierdo, demasiada luz que me acaloraba. Daba vueltas, incómoda, sin poder dormir. En una de tantas, me quedé dormida. Soñé que iba de compras a Aurrerá y, paseando por los pasillos, me dirigí hacia la panadería. Veía tanto pan que no sabía cuál escoger, hasta que me decidí por una concha, pero alguien interrumpió mi sueño.

–Señora, su medicamento.

No lo podía creer, ni en sueños pude comer. Creo que tenía delirio de hambre; en verdad era algo espantoso no poder comer. Olía comida a kilómetros.

Volvió a pasar la doctora y me dijo: "Si sale bien el estudio, le voy a regalar una mantecada que tengo en mi *locker*".

Mi sed era cada vez más grande, le supliqué a Margarita que me regalara aunque fuera unas gotas de agua porque mi boca estaba seca. Me di cuenta de que ella no tenía botella, que también tenía sed.

Eran como las tres de la mañana y estaba medio dormida, con una sábana sobre mis ojos, cuando Mago se acercó a despertarme.

–Lulú, toma, te conseguí un poco de agua.

Sentí felicidad al ver un pequeño cono con agua. Me conformé, aunque quería más. El estómago ya me dolía de hambre. Esa noche me pareció una de las más largas de mi vida. Ahí, definitivamente, no puedes descansar, pasan las enfermeras aplicando medicamentos, los pasantes de medicina…

Llegó un doctor, no sé de donde salió, pero dijo:

–Usted va para legrado –mientras revisaba mis papeles.

Esas palabras taladraron mi corazón, no pude evitar que lágrimas rodaran por mis mejillas. Quería escuchar los resultados de los estudios, pero al mismo tiempo me sentía paralizada por el temor a perderte. Dicho doctor empezó a preguntarme por qué me encontraba privada de mi libertad. A grandes rasgos se lo expliqué. Las cosas a veces no son lo que parecen. A este señor no le importó lo que me pasaba. Impertinente, preguntaba de mi caso mientras comía dulces:

—Yo no creo en que haya inocentes ahí, para mí todos son culpables. Mejor que no los dejen salir, por eso la sociedad los recrimina. Gente mala.

Respiré profundo y le contesté porque sus palabras me indignaron, creo que se sintió el ser perfecto.

—Discúlpeme, pero no le consta nada, además no somos jueces de nadie y, como seres humanos, tenemos errores. Nadie está exento de llegar aquí. Imagínese que va manejando por las calles y sale corriendo un niño y no le da tiempo de frenar y lo mata. ¿A dónde cree que iría usted a parar?

Hizo muecas sin contestar.

En esos momentos me sentí más sola y triste que nunca, no concebía la idea de perderte, te abrazaba en mi vientre y acariciándote te decía:

—No tengas miedo, mi amor, todo va a estar bien.

Parado el doctor junto a la cama seguía comiendo, me veía una y otra vez.

—¿Tienes hambre?

—No —respondí.

—Porque te puedo traer algo para que comas.

Se integró una enfermera a su plática, se fueron y no volví a saber más de él.

Creí que si podría darme de comer, pero sólo se burló.

Tuve mucho tiempo para pensar en ti. Una chispa de felicidad entraba en mi vida y, de repente, se apagaba. Eres una niña anhelada, te espero con ilusión, tengo muchas ganas de conocerte.

Domingo 3 de abril de 2011

A las seis y media de la mañana llegó un doctor y revisó mi expediente.

—¿Ya la prepararon para el legrado?

—No —se me quebró la voz—, me dijeron que harían más estudios.

—Sí, pero vaya preparándose para el legrado.

Estuve llorando mucho esa mañana. No podía parar, me dolía la cabeza, mis fuerzas aminoraban. Deseé tener a tu padre en ese momento difícil, pero era impensable.

Una de las oficiales me ayudó a bañarme, consiguió jabón líquido en una bolsa para mi cabello y mi cuerpo. Me sequé con una de las batas. Estaba en un cuarto con baño, sola, separada de las demás pacientes, por seguridad.

La licenciada de Trabajo Social pidió el número telefónico de uno de mis familiares. No di ninguno porque ellos viven en Ciudad Serdán y no consideré que pudieran venir; además, no me gusta dar molestias y ya tenía como un año que no me visitaban. Tampoco saben de mi embarazo. Hay un hermano de mi mamá, pero no tengo su número telefónico.

—Es muy urgente, señora, voy a regresar más tarde para ver si se acuerda usted. ¿El de una amiga?

—Amigas son contadas y no me acuerdo de sus números y tampoco traje sus datos.

Angustiada y desesperada, no sabía a quién buscar. Pasó el tiempo y recordé el número de mi amiga Claudia Peña. Una de las dos policías que me custodiaban hizo el favor de marcarle. Me pasaron el móvil para que yo hablara. Me contestó ella, le dije que me encontraba en malas condiciones, que si podía visitarme por favor en el Hospital de la Mujer. Sorprendida y asustada me dijo:

—Voy más tarde a verte. ¿Me van a dejar pasar?

—Sí, hablaré con Trabajo Social. Además, quieren que haya un familiar conmigo.

—Está bien.

—Gracias, te voy a estar esperando.

Después de un largo tiempo —así me pareció—, un rostro resplandeciente de alegría y tranquilidad cruzó un largo pasillo que conducía hacia el cuarto en el que me encontraba.

Nos conocimos hace como seis años, una de las tantas veces en que me encontró llorando en ese escalón afuera de la cocina del comedor del edificio tres. Por las mañanas salía a rogarle a Dios por mi libertad física. No encontraba consuelo, siempre pensé que Dios me escuchaba. Se acercó a mí tocando mi hombro. "Ya no llores, hija, échale ganas, no hay nada imposible para Dios."

Mostró su apoyo hacia mí animándome a salir adelante, a que me levantara confiada en que Dios tomaría el control de mi vida. Ella es así, ayuda a quien puede.

Después de esa ocasión, siempre estaba al pendiente de mí. Si me veía mal, palabras alentadoras no faltaban, me recordaba que el poder de Dios todo lo puede, es un escudo alrededor nuestro. Puedo decir que es una mujer con sabiduría.

Hacía ya siete meses que disfrutaba de su libertad. Durante ese tiempo no la había visto.

La extraño mucho por sus pláticas tan amenas, además era muy juguetona, era como mi mamá, porque siempre buscaba aconsejarme. Tenía ganas de abrazarla, de hablar con ella. La observé llegar con una sonrisa.

Nunca la había visto de otro color que no fuera el *beige* obligatorio del penal; en esa ocasión vestía de lila. Dijo que había sido difícil, que había llegado desde hacía dos horas, y que sólo entraban familiares directos. A su hija Miriam no le permitieron pasar.

Cuando me abrazó, la estrujé con mis manos, me solté a llorar entre sus brazos, desahogando en ella mi tristeza y desesperación de no saber qué pasaría con aquella situación complicada.

Me pidió que me calmara y le contara lo ocurrido mientras me servía unas deliciosas uvas y manzanas. Aquí en el penal las llamamos "frutas prohibidas", porque no pasan.

Oramos a Dios todopoderoso y salvador nuestro. Me llevó una pequeña Biblia con una cita del evangelio de Marcos: "Al que cree, todo le es posible".

—No tengas miedo de nada, si Dios permitió todo esto, confía en su inmenso poder y en que lo que empieza, termina, Él no deja nada a medias.

Me dijo que desechara todo miedo en mi vida.

Después de haber orado, me sentí bien, con tranquilidad, y su paz me empezó a invadir. Creyendo en que Dios todo lo puede, teniendo fe, recordé alabanzas:

Mi corazón confiado está porque yo te conozco
y, en medio de la tempestad, nunca estoy sola
y puedo tu silueta ver en medio de la niebla,
tu gracia es suficiente en mí si el mundo tiembla.

Cada día despierto y tu misericordia está conmigo,
puedo descansar, tú eres el mismo.

Cada día me asombra tu amor y tu fidelidad
que, a pesar de mí, me puedas amar
siempre has sido fiel y a mi lado estás
tus ojos de amor ven mi caminar.
Tú has sido fiel.
Siempre has sido fiel.

Agradecida y pidiendo perdón a Dios por no ponerlo en primer lugar en esos momentos en que me cegó el dolor, le pedí con todas las fuerzas de mi corazón que me concediera tu vida, mi bebé, si así era su voluntad, y me comprometería a que conocieras al Señor. Una vez convencida, y recordando las maravillas de Dios, mi fe se reforzó, desechando toda incertidumbre, dolor y daño de mi ser. El ánimo y la tranquilidad volvieron a ser mis aliados, una confianza reforzó mi ser.

Se despidió mi amiga, pero debía regresar porque me compraría un medicamento al día siguiente.

Pude comer dieta blanda, gelatina, jugo y fruta.

En su palabra, el que todo lo puede dice: "El que confía en el Señor no temerá recibir malas noticias".

Cuando estaba con tu papá, le pedí que no le dijera nada a mi mamá. Me sentía muy mal, pero no quería preocuparla, ella estaba en Ciudad Serdán con tu hermana Susy.

Como a las ocho de la noche, escuché que mi madre me preguntaba cómo me sentía y me informaba que Azucena quería entrar.

—No dejan entrar niños, dile que estoy bien.

—No quiere, dice que no se va a mover hasta que te vea.

Regresó más tarde. No sé a dónde fue, pero cuando levanté mi vista, Azucena estaba frente a mí llorando, con su cabeza tapada con una sudadera con gorro rojo. Se echó a mis brazos suplicando que nos pusiéramos bien.

¡Me dio tanta ternura ver a tu hermanita preocupada por ti, Dany! Pasó con la cabeza cubierta para que no se dieran cuenta de que era una niña de diez años de edad, y sólo gracias a su estatura de 1.53 metros la pudieron pasar.

La abracé fuerte y dejé que te tocara en mi vientre para que te transmitiera el amor que siente desde el día en que supo de tu existencia. Siempre declaró que eras niña, su compañera y amiga ideal. Así lo serán.

Las despedí con mi mejor cara para que no me vieran mal.

Más tarde llegó un doctor nuevo, bien parecido y atento.

—Buenas noches, señora, soy el doctor de turno, estoy hojeando su expediente. Estoy para servirle. Haremos un último estudio, de eso dependerá; si sale positivo, tendré que hacer el legrado; si sale negativo, no. Vamos a ver qué Dios dice.

Al escuchar estas palabras, supe que el doctor también tomó en cuenta la voluntad de Dios y eso me alegraba. No me afligía el resultado porque lo conocía, sentí confianza.

El doctor, con otro colega, efectuó la revisión. Fue doloroso.

Hora y media después regresó el doctor de modales educados con una sonrisa en su rostro: "Felicidades, señora, salió negativo".

Indicó que podía levantarme a dar vueltas y seguiría con dieta blanda para los exámenes del día siguiente.

Mareada de tanto estar en cama, me levanté a la sala donde los familiares ven televisión mientras esperan. No era la única paciente, había unas tres ahí, viendo una película en el canal cinco. Eran como las once de la noche y recordé que ese día pasaba la serie *CSI*; esperé el momento para pedir que le cambiaran. Una compañera de bata verde se acercó y me preguntó:

—¿Tiene miedo de que le hagan daño?

—¿Por qué?

—Veo que tiene a sus guaruras.

No quería hablar tanto y menos platicar por qué estoy presa, así que dije que sí. Sorprendida, la señora, quiso saber más. Lupita y Liz, las policías, estaban en una banca fuera de la sala, sin perderme de vista, pero serviciales. Le hablé a Liz. Le pedí que le cambiara el canal y subiera el volumen.

Las enfermeras pusieron unas caras que me daban ganas de carcajearme, pensé: "Yo con guaruras". Liz me preguntó:

—¿Todo bien, Lulú, o quieres que vuelva a cambiarle?

—No, gracias.

Cuando les platiqué a las chicas se morían de risa.

Al día siguiente, muy temprano, me llevaron a un ultrasonido. Ansiosa por saber si ya se distinguía tu sexo, pregunté:

—¿Cómo se encuentra mi bebé?

—A mí no me corresponde contestar ninguna pregunta, se la hace a su doctor.

"Que persona tan fea y grosera", pensé, y ya no le hice más preguntas.

Hicieron un examen de sangre, de orina y de líquido, nuevamente. Ese día fue de llevarme de un lado a otro. Más tarde llegó el comandante para revisar a sus instaladas, es decir yo y su personal.

—¿Cómo se encuentra, Lulú?

—Mejor, gracias.

El comandante Alfredo, así como varios que fueron mis jefes inmediatos me tienen aprecio y cariño, cuando los he encontrado me dicen: "Échale ganas, compañera".

El comandante me ofreció un coctel de frutas pero no llegó. Los resultados llegaron y todo indicaba que podía irme. Faltaba tiempo para la cena y ya no me tocaba, pero la policía Enriqueta y su compañera me dijeron:

—No nos vamos a ir hasta que le sirvan su cena. Ahora la pedimos.

Mis ojos se llenaron de lágrimas por ese detalle tan humano.

Me llevaron un sándwich de atún, una gelatina y una pera, sólo esperaron que terminara para llamar una patrulla que fuera por nosotros. Llegó nuevamente el comandante Alfredo para llevarme antes al sector 3 y realizar una remisión de mi salida. Nos tardamos una hora o más. El comandante pidió que nos cambiáramos de patrulla a una camioneta Ram nueva, según él para que no me hiciera daño el golpe de los topes. Fue cómoda.

De camino al Cereso, el comandante Alfredo se paró y, sin palabra alguna, salió. Mientras, observé los restaurantes y el olor a comida me transportó a aquellos momentos hermosos de salir a cenar. Regresó el comandante con un plato de bisteces asados en la mano, con ensalada de verduras y, además, un vaso de agua de Jamaica. Subió y dijo:

—Lulú, por favor, tome esto antes de que lleguemos al Cereso, lo pedí sin grasa ni picante.

Pensé que Dios era grande y bueno, me ama mucho y me dieron ganas de llorar.

—No, comandante, no puedo aceptar esto, qué pena.

—No diga eso, usted es una bella persona y sólo Dios sabe todo lo que pasa dentro, por favor déjeme invitarle. Disculpe que no llegó su fruta.

Cené como desesperada, todo me lo acabé, me supo delicioso.

Llegamos como a las 10:00 pm, me bajó del brazo y me apapachó. Antes de tocar la puerta del Cereso me dijo:

—Que Dios te cuide y que salgas pronto.

Al llegar me hicieron dictamen médico y de ahí al dormitorio. Las custodias que se encontraban en Gobierno dijeron que les daba gusto vernos.

Cuando entramos al cuarto, todas preguntaron por ti, les dije que todo estaba bien, gracias a Dios.

Mi cama parecía nueva, aún en este lugar se siente bonito saber que alguien te espera, todo escombrado y se veía espaciosa, la había arreglado mi amiguita Rocío, todas muy atentas conmigo.

Sabía que iba a descansar en mi camita rica sin que me diera la luz en la cara. El doctor ordenó que me quedara en cama dos semanas en absoluto reposo. No aguanté más que una semana, me acaloraba y debía estar en la tienda.

En esos días de recuperación, tu papá me visitaba martes y viernes 30 minutos, custodiado hasta mi cama. Se preocupó por nosotras y nos trajo pollo y verduras para preparar.

Comentó que uno de los peores momentos de su vida lo había pasado ese fin de semana que me internaron y él encerrado en esa celda sin saber de nosotras. Por la desesperación, quiso salir al teléfono aprovechando que un custodio había ido por un compañero para notificación y el oficial le dijo: "No vuelvas a hacer algo así. ¡La próxima vez te segrego, Vicente!"

Después del susto que nos diste, tu papá exageró en cuidarme; claro, cuando tenía oportunidad. De los siete días de la semana, cuatro nos veíamos, se volvió más amoroso y complacía todos mis antojos. Decía que también él había pasado achaques del embarazo, le tocó la parte que le daba mucho sueño. También tuvo algunos antojos, como el de pizza, guisado de salsa verde con habas y más.

En una ocasión en que ya me daban dolores fuertes en la columna o parte baja de la espalda, tu padre, asustado, me decía: "Lulú, ¿cómo te ayudo? No me gusta verte mal".

Me revolcaba del dolor, pero eran altas horas de la noche. No podíamos hablarle al doctor. Sólo vi su rostro atormentado, luego el sueño me venció. Masajeó mis pies hasta cansarse.

Consulté al doctor y dijo que mi columna se encontraba bien, que podía ser el peso. Sorprendida por escucharlo: "¿Qué voy a hacer si apenas tengo cinco meses y medio y me falta peso?"

Entre las indicaciones del doctor, estaban que no debía caminar mucho y tratar de estar más tiempo acostada. Era un costal de achaques, todo me dolía, pero mi corazón rebosaba de alegría con tus pocos movimientos en mi pancita, en ese tiempo bebita tan quieta y dormilona, porque aunque tu tía Rocío te hacía maldades, ni te movías.

Tu papá siempre te acariciaba en mi vientre, cientos de veces lo hizo, queriendo saber dónde estaba tu manita, pero tú te dabas tu importancia. Ponía su oído para escuchar tu corazón, pero decía que hacían más ruidos mis intestinos que nada. Tienes que saber que su rostro se llenaba de luz cuando se ponía a imaginarte. "¿A quién se irá a parecer?, ¿será niño o niña?"

No sabía canciones de cuna, pero te cantaba canciones de Pedro Infante.

Tu abuelo Antonio, cuando se enteró de tu existencia, no estuvo de acuerdo porque considera que no es un lugar para criar hijos y prefirió tomar distancia, pero eso no significa que no te ame, lo que quiso fue evitar discusiones y enojos.

Recuerdo cuando Vicente y yo éramos sólo amigos. Me encontraba con mi amiga, su esposo, tu tío Alfredo y tu padre en el patio de la sección de varones; tiempo después llegó mi papá y no le agradó encontrar a tu papi, le pidió que se retirara de la mesa. Fue educado, pero le dijo que no era bienvenido ahí. Sentí feo y le pedí a mi papá que se tranquilizara, asegurando que sólo era un amigo. Tu padre contestó: "No le estoy haciendo daño, sólo vine a saludarla, es mi amiga".

Mi padre le hizo caras y no quiso comer, sólo lo miraba con coraje. A él no le importó y siguió sentado frente a mí. En otra ocasión, sentada con tu tío Alfredo en una mesa, tomando jugo con tu abuela Petra y tu hermana Susy, llegó tu papá con un ramo de rosas rojas muy bonitas y me las dio frente a todas las visitas. Pidiendo disculpas a mi madre y a mi hermano, las puso frente a mí. Las dejé en el centro de la mesa sin darles importancia.

Al llegar tu abuelo Antonio, molesto preguntó:

—¿De quién son las flores?

—De Susy —le dije.

Pero tu hermana contestó:

—No, mamá, Vicente te las trajo a ti, ¿verdad?

Esperaba que él lo negara frente a mi padre, pero lo confirmó diciendo: "Son para ti".

Tu abuelo se levantó de su lugar y le exigió a tu padre que se retirara de la mesa. Mi madre calmó a tu abuelo y le pidió que no fuera maleducado.

No terminaría de contarte las veces que fue corrido de la mesa y de peores maneras. Yo sentía feo cuando esto pasaba y veía la cara de afligido y apenado que ponía, pero no se iba. Pensaba: "Con esta vez, ya no se va a acercar", pero siempre estaba esperando encontrarme para ahí quedarse. La verdad, disfrutaba platicar con él.

Tu tío Alfredo nunca fue grosero con él, siempre educado y con sus buenos modales por delante. Éste es tu tío. Viste un pantalón de manta con una camisa de la misma tela y zapatos que combinan; tiene el pelo chino, los ojos verdeazulados, muy bonitos, herencia de mi abuelo paterno Luis, quien falleció el 5 de diciembre de 2003.

De este niño tengo recuerdos en que siempre estaba muy arregladito, combinado y muy limpio, y era un poco huraño y antisocial. Él se iba con mis abuelos paternos que vivían junto, sólo iba de noche a la casa a dormir; algunas veces a comer. Nos dividía una barda y una puerta de lámina, eso bastó para marcar dos mundos diferentes. Había días en que ni lo veía y menos jugaba con él. Era el nieto consentido.

Aunque le faltó a mi hermano lo blanco y alto de mi abuelo, los rasgos sí los tiene. Es tranquilo, callado, obediente, esforzado, demasiado ordenado y —ni qué decirlo— trabajador como todos nosotros.

En la infancia le conocí un amigo, que terminó lastimando a mi hermano con una navaja de rasurar en su pierna mientras volaba un papalote grande con colores como el arcoíris en el campo. De repente llegó con la pierna sangrando, asustado. En seguida me lo llevé a la casa. Después de esa vez, no quiso amigos. Pasaron como siete años para que le conociera a otro en la escuela, Artemio.

Veía a mi hermano vulnerable e indefenso, nunca lo vi en un relajo en la escuela, parecía aburrido.

Una vez, en la primaria, una de mis compañeras dijo que a mi hermano le estaban pegando varios niños por el campo de futbol. Sentí mucho coraje. Salí corriendo a buscarlo y, al ver que era verdad, cuatro chamacos contra Alfredo y Artemio, los tomé de los cabellos con todas mis fuerzas y los tiré, me imaginé que me pegarían, pero en ese momento llegó la directora y se los llevó castigados.

Cuando ya tenía edad para tener novio, según yo, en diferentes ocasiones, dos de los chamacos peleoneros se me declararon para ser mis novios. Le platiqué a mi hermano y me dijo: "¿No te acuerdas cómo eran de léperos y groseros? No quiero saber que andas con uno de ellos porque te dejo de hablar".

Mi palabra la cumplí, nunca anduve de novia con alguno de ellos.

A tu tío no le gusta subirse a los juegos mecánicos porque le dan miedo, sólo lo he visto subir a los coches chocones y nada más. Realmente no ha cambiado mucho. A sus treinta y tres años de edad, que cumplió el 17 de mayo de 2012, sigue serio, conservador, tranquilo, responsable y trabajador. Vende dulces en una canasta y ha aprovechado el tiempo aquí para seguir estudiando. Cuando tenía diecinueve años de edad, cruzó la frontera de Estados Unidos para buscar una vida mejor. Llegó a Texas, donde trabajó y ahorró. Este niño consentido al que todo le hacían, tuvo que aprender a cocinar. Mientras estuvo allá, me ayudaba económicamente para que continuara con mis estudios. Es muy noble, lo amo, lo valoro y lo respeto por ser como es; de los pocos hombres que habitan en este mundo. Estuvo dos años y medio lejos del país y regresó porque se enfermó.

No porque sea mi hermano me expreso de esta manera, sólo digo lo que sé y me consta. No tiene ni ha tenido vicios de nada, el cigarro le da guácala −igual que a mí−, las bebidas alcohólicas no las conoce, las drogas no le llaman la atención, y menos ahora en este lugar donde vemos cómo se puede llegar a tocar fondo.

A mi madre y a mí nos duele en el corazón ver cómo pasa la juventud de mi hermano aquí.

Le conocí una novia: Milca, que se convirtió en su esposa y madre de su pequeño hijo, Tomás. Nació dos meses después de haber llegado a este lugar. Su mujer no concibió la idea de visitarlo aquí. Desde el momento en que supo lo ocurrido, se negó a pisar este Cereso y a traer a su niño. Hoy en día este pequeño tiene siete años con cinco meses y yo soy testigo de cuántas veces Alfredo ha buscado por teléfono a tu primo Tomás para tener comunicación con él, poder tratarlo, decirle que es su padre y cuánto lo ama. Hace tiempo seguía mandando un gasto para el pequeño, hasta que el abuelo de Tomás se lo prohibió. También le dijo que no volviera a llamar. Él lo volvió a intentar, pero el niño estaba cambiado, dijo que no tenía otro papá más que su abuelo Tomás.

Estas palabras fueron fuertes para mi hermano, lo he visto desesperado, angustiado y lastimado por no poder ver a su hijo; no lo conoce y no ha tenido la dicha de besarlo y estrecharlo entre sus brazos. Milca se divorció de él para luego casarse con otro.

Aunque intentó hablarle, le cambiaron el número y ya no tiene pistas de su niño. Le envió algunas cartas, pero no creo que se las den. Mi madre le ha conseguido fotos de su hijo cuando era más pequeño, porque a veces lo dejaban ir con ella para que jugara con tu hermana Azucena. Alfredo es de pocas palabras, pero sé que luchará por ver a su hijo cuando salga de aquí.

Tomás sabrá que su padre siempre lo ha amado y que no puede hacer nada para verlo porque es pequeño, pero ya crecerá y sabrá la verdad, que sus abuelos maternos lo separaron de su amor de padre.

Hoy entiendo que es una prueba de fortaleza que Dios le puso, pero también sé que lo ama y él pondrá todo en su lugar, porque Dios es bueno y misericordioso. Amén.

Mi padre nunca estuvo de acuerdo con la relación de tu papá conmigo, tanto por estar aquí como por su vida pasada. Él dijo que tu papá no era lo que aparentaba. Yo lo defendía. Todos querían que me alejara de él, me insistían en que no me amaba, pero una vez enamorada no vi más allá. Tal vez se oiga mal que te diga que tu papá me paseaba por todo el penal, abrazándome, siempre de la mano, atento conmigo, de buen humor, decía que nunca lo iba a hacer enojar.

Esos días se fueron en un abrir y cerrar de ojos. Este lugar no parecía prisión, sino un parque para dos enamorados, disfrutábamos de la mutua compañía, todo parecía diferente.

Se atrevió a orar frente a los muchachos que le ayudaban, diciendo a Dios que agradecía tener mi amor a su lado. No fue la primera vez, lo hacía más cuando oraba por los alimentos.

Hoy puedo recordar su rostro, sus ojos, parecía sincero. Me pedía que le diera la oportunidad de demostrar lo que sentía. Les prometió a tus abuelos que siempre estaría contigo, tu hermana y conmigo como una familia. Ni caso tiene que te mencione el plan de bodas o de la casa que construiría, porque según él iba a diseñar nuestro hogar.

Tu hermana Azucena, estando en la mesa con tu padre y conmigo, se levantó y dijo:

—Quiero que me digas si en verdad amas a mi mamá.

—La amo mucho, como no imaginé —respondió al mismo tiempo que me miraba.

En una hoja le escribió a Susy: "Cuidaré de tu mamá, de ti y del bebé siempre que yo viva". Tu hermana conservó el papel hasta que se lo quité y lo hice trizas. Hoy creo que si no valen sus palabras, menos lo que escribe.

No encuentro nombre para lo que nos hizo, Dany.

Dany, mi cielo, yo me siento bien y tranquila porque le di lo mejor de mí. Fui sincera con él todo el tiempo. Mi amor lo basé en que siempre es mejor decir una verdad que duela y no una mentira que mate. Lo mimé como no tienes idea, todo cuanto pude. Mis sentimientos por él fueron verdad en su momento, nada fingidos. No me aproveché de su amor. No me gusta jugar con los sentimientos de las personas, son un tesoro valioso para mí. Simplemente me nació ser así con él. Te aseguro, hija, que jamás olvidará algunas fechas importantes: navidades, 14 de febrero o días de su cumpleaños que pasamos juntos, porque hice que esos días fueran momentos únicos.

Tuve la oportunidad de convivir y compartir comida a su gusto, algunos platillos que le enseñé se convirtieron en sus favoritos, le hacía postres y cuanto se me ocurría.

Con mis compañeras también le mandaba sorpresas que, al recibirlas, lo hicieron sentir feliz. Siempre decía que no era enojón, que al menos no lo haría enojarse.

Me celaba mucho con mis amigos. Un día que estaba enojado, me prohibió que me visitara mi amigo David Juárez. Lo conocí hace once años afuera y es uno de mis mejores amigos. En él puedo ver la mano de Dios viva. Me ha visitado todos estos años de reclusión, es decir, siete años con ocho meses. Al principio no sabía cómo hacer para que entrara. Buscó la manera, y me llamaba por el juzgado al que correspondía sólo para saber cómo me encontraba. Me daba dinero para que me comprara mi comida. No quería tomarlo porque sentía pena.

–Tómalo, Lulú, por favor.

–Gracias –y mis ojos se llenaban de lágrimas de alegría de ver tan conmovedora acción.

Bonito es ver que mi amiguito, tan querido, se sigue preocupando y no sólo por mí. Después de ese tiempo, logró entrar, me traía comida, lo que se me antojaba. Estoy contenta con el solo hecho de que me visite.

El día que me lo prohibió tu padre y me dio a escoger entre su amor o la amistad de mi amigo, sin pensarlo escogí a David. "No dejaré a mi amigo sólo porque estás celoso. Es mi amigo incondicional, me lo demuestra en todo momento", le dije a tu padre y le advertí que no discutiría más. Él me conoció con amigo y nunca se lo oculté.

Cuando salí del hospital por la amenaza de aborto, David se enteró y enseguida vino a ver cómo me encontraba. Cuando naciste, él fue el primer hombre que te cargó. Se veía tierno arrullándote en sus brazos. Me llevó al hospital agua, Gatorade, papel higiénico, pañales para ti. En cuanto le avisaron, llegó rápido, ahora le digo que es tu padrino y dice que sí. Aunque a veces no viene porque trabaja, sus visitas son más frecuentes que las de mi familia. Si me pasa algo y lo llamo, enseguida está aquí. Tiene pase permanente y puede entrar cuando quiera. A veces, aparece frente a mí. Dios lo manda cuando lo he necesitado, ahí está, como si supiera. Comparto alegrías y tristezas a su lado. Ahora me ayuda a cargarte, juega contigo, te hace caminar o despacha en la tienda. También te trajo ropita.

Gracias a Dios por su compañía tan grande. Le pido a Papá Dios que, cuando salga, y si alguna vez me necesita mi amiguito, pueda estar para él.

A veces, tu hermanita o tu abuelita Petra no contestan el móvil y me preocupo. Llamo a David para decirle lo que pasa y él, amablemente, pasa a buscarlas para ver que estén bien y yo me quede tranquila. No podré pagar todo lo que hace por mí.

Siempre tuve las mejores intenciones de estar con tu padre y creí que podíamos ser una familia. La gente comentaba que nos veíamos muy enamorados y derrochábamos miel. Dice la palabra de Dios que nadie será burlado de él, que cada uno recibirá conforme a sus obras, buenas o malas.

Lo amé mucho, mi Dany, y siempre pensé que haber estado aquí lo haría una mejor persona, pero me equivoqué.

Reiteraba que estar conmigo era lo mejor que le había pasado, que era su sueño hecho realidad. Se hallaba preso en mi corazón y deseaba ser libre, nadie lo había tratado con tantos cuidados como yo, lamentaba no haberme encontrado antes y reclamaba porque no le hice caso al principio.

Me cantó mucho una canción de Jenny Rivera:

> Apareció cuando no lo esperaba.
> Todo cambió con su dulce mirada.
> Lo que sentí cuando lo vi,
> no puedo expresarlo en palabras,
> pero el destino marcó nuestras vidas
> pues alguien más ya comparte su vida.
> Dios, dame fuerza y alguna señal,
> dame esperanza para luchar.
>
> Él es el viento bajo mis alas.
> Más que sus besos y su mirada,

él es aquel con quien tanto soñaba.
No hay nada más que me haga falta,
más que sus besos y su mirada.
Es esa luz que siempre me acompaña.

Y le entregué el corazón en sus manos.
Lo que sentí cuando lo vi,
te juro no puedo expresarlo,
pero el destino marcó nuestras vidas
pues alguien más ya comparte su vida.
Porque sin él no sé vivir.
No quiero un amor a escondidas…

Al cruzar nuestras miradas, flechamos nuestros corazones. La verdad no es fácil volver a recordar lo que vivimos, sólo sé que son del ayer.

Un día a la semana los visitaba, tu abuelo Antonio y yo nos dedicábamos a vender *hot cakes* en el área de varones. Aprovechábamos el tiempo para vender lo más que se podía y ganar algo de dinero para los gastos, que son muchos.

Vicente Miguel, diferente a los demás —así lo vi desde el primer día que lo conocí–, pasaba en las mañanas y apartaba su orden de *hot cakes* para disfrutarlos al medio día, sentado en la mesa con nosotros. Como era cliente, lo atendía a la hora que llegara y el jovencito se veía muy contento.

"¿Por qué estará aquí?", pensé.

Nos hicimos amigos de cada ocho días. Nuestras pláticas eran sobre este lugar, las actividades diarias, cuánto tiempo hacía ejercicio, qué rutinas hacía, cuál era mi dieta.

Se veía muy bien tu papá, más cuando usaba playeras pegadas y los brazos descubiertos. Llegó a impresionarme cómo se dedicaba a ejercitar su cuerpo. Sí le hace falta estatura, mide 1.62, y es moreno. Según él, llevaba dieta, aunque comía sus *hot cakes* con mermelada de durazno porque eran irresistibles.

Se dedicaba a rentar televisiones, grabadoras y pantallas portátiles en la sección varonil. En esa época eran la novedad. Me ofrecía este tipo de servicios para diversión de tu hermana Azucena, entonces de cuatro años. Tal parecía que no tenía nada que hacer, pues se pasaba horas contemplándome, mostrándose siempre servicial y atento para lo que se ofreciera.

Desde las once, más o menos, llegaba, aseado y recién bañado. Se quedaba hasta las tres de la tarde; eso era siempre que iba a patio. Susy empezó a conocerlo y jugaba con él, corrían; una vez hasta consiguió una tina con agua e hizo barquitos de papel para echarlos, junto con unos peces de plástico. Terminaron empapados.

Hasta que me preguntó si me visitaba mi esposo o alguien más. Mi contestación fue inmediata: "Sí, mi esposo".

Había escuchado que la mayoría de las mujeres que pasan a patio lo hacen con el fin de conseguir un compañero que las mantenga.

La verdad, en mi mente no había nada de eso. No tenía cabeza para buscar un amigo cariñoso.

No quedó conforme con lo que le dije y me cuestionó:

—Ya investigué, eso no es verdad, Lulú. ¿Por qué me mientes, si no tienes esposo?

—Pues te engañaron a ti, porque sí tengo y viene cada ocho días.

Sin importarle si tenía o no, él seguía ahí.

Tuve oportunidad de pasar otro día de visita y lo aproveché para vender dulces y chocolates finos.

Todo lo vendía con dar una vuelta a los restaurantes o fondas. Y en una de tantas veces estaba tu papá en una mesa sentado con su familia. Vi a su papá Miguel y a su mamá Margarita. Desde el momento en que se percató de que había entrado, sus ojos no dejaron de mirarme, y cuando me acerqué a la mesa, de inmediato me pidió chocolates para todos. Había otras personas, y me di cuenta de que una mujer, molesta, contestó que no quería chocolate y se lo regresó. Pidió que le dejara todos los que había en la caja y me dio un billete de quinientos. Me tardé en cambiarlo. Él no dejaba de observarme. Después me enteré de que, a propósito, me daba esos billetes para que me quedara más tiempo cerca de él.

Tu papá me buscaba, insistía en que fuéramos a tomar un café o a comer juntos. Dijo que tenía dos hijas, pero que no tenía ninguna relación sentimental con la mamá de ellas, sólo le traía a las niñas. A veces sólo sus papás lo visitaban y le traían a su hija la más grande.

Lo escuché y le dije que no quería nada más que amigos. Le pedí que arreglara sus problemas con esa mujer que le había dado dos hijas: Dana y Génesis.

Tu papá me gustaba, tenemos muchos gustos en común. Me pidió que le diera la oportunidad de conocernos, pues no tenía a nadie en su vida. Los domingos que lo visitaban y que yo también pasaba, iba a recibir a su familia, y cuando veía, estaba en la mesa otra vez. Decía que eran breves en visitarlo. Mucho tiempo fue así; lo vi solo. Además, fueron años de insistirme, cortejarme, hasta que me enamoró.

Desde que lo conocí siempre fue detallista. Me llevaba serenata en su negocio y cantaba, me daba ramos de rosas, y eso que nunca le dije que eran mi debilidad. Ya embarazada, masajeaba las plantas de mis pies, colocaba toallas húmedas en mi frente y se dedicó a consentirme. Todo o casi todo lo que la princesa Lulú pidiera. ¡No pudo conseguir los mixiotes de carnero que tanto se nos antojaron, Dany!

Acarició mi vientre cientos de veces y te decía que te amaba, bebé. Buscaba tu manita, quería que te movieras y sí que lo hacías, ya conocías su voz, le hacías fiesta, y él, más contento, se emocionaba.

Cuando nos veíamos en locutorios, que era el lugar de entrevistas, a las seis y media de la tarde, una vez a la semana, parecía banca de enamorados: chocolates, peluches, regalos, detalles, hasta flores nos llevan, sólo por las tardes. En el día es el lugar de visita de abogados. Pensar que cuando llegué, todo eso se me hacía fuera de lugar.

También convivió con mi amiga Andrea y su esposo. Andrea es una personita muy linda que te amó mucho, ha sido incondicional con nosotras. Tu tía es una chica un poco más grande de edad que yo, es relajada, entusiasta, alegre, compartida y no terminaría de describirla. La conocí por un compadre de ella que es amigo mío desde antes de caer. Él le dijo que cualquier cosa que se me ofreciera, la viera con Andrea, porque es de confianza. Por curiosidad y por saber quién era, la busqué. Vivía dos cuartos adelante del mío y en el mismo edificio. Recuerdo haberla visto, pero no le hablaba. Me presenté con ella y platicamos un rato. Le ofrecí mi apoyo y le pedí que le llevara unas cosas a Javier, mi amigo.

Empezó a frecuentar la tienda. También he tenido la oportunidad de conocer a su familia; por cierto, eres muy amada también por ellos, Dany. Quiero mucho a su mamá Marcelita, una señora linda y atenta. Te trata como si fueras su nieta y, gracias a Dios, todavía es una de nuestras visitas más frecuentes.

Un día tenía dolor de garganta, fiebre, escalofrío y me sentía mal. Casi no me enfermo, pero cuando me llego a sentir así, es como si no hubiera comido en días: débil, cansada, hasta me he desmayado. Ese día me encontraba sola en la tienda de abarrotes porque mi amiga Lupita, una chica de veinte años a la que le gustaba ayudarme en la tienda por amistad, se había ido a bañar. No tenía fuerzas para despachar y mandé a buscar a Andrea. Cuando llegó, le pedí que pasara. Estaba justo detrás de un enfriador grande, tirada en unos cartones con una cobija que Lupita me había llevado antes de irse a su cuarto. Me vio en el piso y, asustada, preguntó:

–¿Por qué estás ahí?

–Me siento mal –respondí con voz muy suave.

Enseguida volvió a cubrirme porque estaba encogida por la temperatura y los escalofríos que sentía. Le pedí, por favor, que despachara, porque habían ido clientes y no me levanté a atenderlas. Dormí no sé cuánto tiempo. Cuando desperté, Andrea me preguntó cómo me sentía. Preparó un té de manzanilla y compró un coctel de frutas para que comiera. No hubo la sopa que se me había antojado.

Hoy estoy muy contenta de que esté libre con sus dos hijas, Osiris de veinticuatro años y Johana de quince. Ya tiene ocho meses de estar fuera. Se convirtió en mi hermana, la que no tuve. Así como hemos compartido alegrías y festejado juntas, también nos sostenemos cuando todo está mal, y nos animamos para salir adelante. Aquí pasamos muchas cosas difíciles, aunque preferimos no platicarles a nuestros familiares para no preocuparlos más.

Sentí bonito que me hubiera apapachado cuando más lo necesitaba. Le doy gracias a Papá Dios por su cariño y compañía, los días que convivimos, nuestros alimentos, fue muy bonito. La sigo extrañando, la considero una bendición en este lugar.

En aquellos momentos en que me ponía mal, estando embarazada, ella, más que nadie, corría a ayudarme. Muchas veces no quería ir ni al baño para no dejarme sola.

En los tiempos en que tenía que comer al instante porque si no me desmayaba, bien recuerdo cómo la hice correr, ya no sabía qué darme para calmar esa hambre desenfrenada. No sabía si despachaba o preparaba mi desayuno. Todos los días comía conmigo lo de los antojos. Esbozo sonrisas por esos días que hicimos bonitos.

Noté que también fue contagiada de sueño, se dormía hasta parada mientras platicábamos, y a veces hasta piojito le hacía para arrullarla. Aunque ella siempre pensó que eras niño, cuando te vio, alegraste su corazón. Tu tía, a diario te visitaba mientras me recuperaba en la cama. Una vez que cumplimos treinta y nueve días, nos fuimos a trabajar a la tienda otra vez. De esos días no hubo uno en que nos dejara sin comer.

Nunca podré pagar sus atenciones y buena disposición. Dios guarde su vida siempre.

Te nalgueaba para dormirte, era muy consentidora contigo y quería que todo el tiempo estuvieras con el pecho en la boca, sus palabras: "Dale a mi chiquita, no se lo niegues, que aquí estoy para defenderla".

Cuando se fue libre, hasta tú te enfermaste. Creo que la echaste de menos. Ese día, sólo la miré por la puerta y a lo lejos, porque las custodias ya no dejaron que le diera un abrazo. No faltó el día de tu cumpleaños, 31 de agosto de 2012. Aunque ya no te acordabas de ella al principio, después la abrazaste y le gritaste "guapa". Fue tu segunda palabra.

En las noches, antes de dormir, platicaba contigo y se refería a ti como "mi nena", eso fue desde los cinco meses. Sentí en mi corazón que eras una niña; antes de tiempo te decía "mi niña".

Durante todo el embarazo tu hermana Azucena siempre declaró que eras niña. Ni de broma opinó lo contrario. Si me encontraba de visita con tu papá, corría de la rampa para abrazar mi panza, levantaba la blusa y te besaba, hablaba contigo diciéndote todo el tiempo que te amaba y que eras su muñequita; aunque hubiera gente, no le importaba. Tu abuela Petra dijo que, por la forma de mi panza, eras niño, y tu hermana le decía: "Anda, abuelita, sigue diciendo que es niño y nada, es una niña".

Quiero que aparte de ser tu hermana, Dany, seas su amiguita fiel.

Ahora todo lo ve diferente, no hay instante en su pensamiento que te olvide, asegura que cuidará de ti, será quien camine siempre a tu lado.

También se puso celosa con tu papá, no dejaba que tomara mi mano, menos que me abrazara al caminar. Me decía: "No me gusta para ti, mamita linda".

Esconderse y correr eran unos de sus juegos favoritos.

Cuando aún no estaba embarazada de ti, una vez jugábamos en la explanada de hombres, tu hermana, tu padre y yo, a correr y escondernos. El juego consistía en tocar a uno de los jugadores al tiempo que se le dice: "Eres", para luego correr a esconderse. Toqué a tu papá y me escondí justo a su lado. No me vio.

Se quedó parado observando en todas direcciones. De pronto se le acercó una chica con una paleta de hielo y le ofreció en la boca a tu padre. Él la mordió y yo presencié tan bajo espectáculo. Salí del negocio donde me escondía para abofetearlo. Se me atravesó un mesero con su charola. Él me vio y corrió a tocarme: "Eres", mientras yo le daba la espalda. "¡No me toques, no se te ocurra, lo vi todo!"

Mis padres llegaron y nos invitaron a comer. No dijeron nada pero, conociéndome, igual lo notaron. Tu padre agachó la cabeza y no sabía cómo actuar.

Quería mascarle las orejas, como dice tu abuela Petra cuando se enoja mucho. El muy mentiroso dijo: "Perdóname, por favor, Lulú. No sé qué me pasó, ni por qué hice algo así. Sé que estás enojada, pero no me dejes".

Lo terminé en ese momento, me daba asco su boca.

Mandó muchos recados verbales, de que me estaba esperando, en platos de comida palabras escritas por encima del plástico: "Te extraño mucho, vuelve por favor, no sé vivir sin ti, te necesito, escucha tu corazón" y mil más. No contestaba ninguno.

Después de un tiempo de castigo, habló conmigo, pidiendo que le diera oportunidad de mostrar el amor que sentía, aunque tuviera errores, como todo humano y más palabrería. Dijo que no podíamos dejar que nuestro amor se perdiera, prometió tantas cosas que hoy es mejor que no las repita, pues ya no importan. De todas maneras, terminó siendo nada, es sólo un recuerdo.

Tus tías Rocío y Andrea, como siempre, organizaron tu *baby shower*. Empezamos con los preparativos del mismo, hicimos gafetes que consistían en un rectángulo de cartulina con nombres de objetos y cosas para bebé. Los bocadillos fueron: rollitos de jamón con ensalada rusa, pambazos con mole que preparó tu abuelita, gelatina con yogurt y refrescos.

Tu hermanita y la abuela en primera fila. Mis invitadas, que no podían faltar: las licenciadas Alejandra Montero Clavel y Mónica Díaz de Rivera. Ellas, mi nena, también te aman. Han estado en todo mi proceso, me han visto reír, así como llorar, y sé que me motivaron para que hoy plasmara todo esto.

Lo más divertido del *baby shower* fue que, al mencionarnos, no debían llamarnos por nuestros nombres sino con el del gafete o, de lo contrario, tu tía Rocío nos ponía pecas en la cara y el famoso pañal que se turna a quien cruce las piernas o los pies.

Ese día, unos compañeros que tenían un equipo de sonido, de repente dieron un mensaje por micrófono: "Saludos y felicitaciones a la futura mamá, señora Lulú Bringas, que la pase muy bien en este día. Un abrazo de parte de su amado Vicente, dice que la ama".

Sentí bonito por tal detalle y continué con la fiesta. Estos momentos han marcado la diferencia en este lugar.

Una semana después estaba programada para el ultrasonido. La razón por la cual me interesaba, era saber si estabas bien y que no trajeras el cordón umbilical enredado. La señorita policía entró conmigo. Había tres doctoras y una de ellas, la más jovencita, me revisaba; al momento me preguntó si quería saber qué era. Al instante dije que sí. "Es una niña. ¡Felicidades!"

Cerré mis ojos y pensé que confirmaban lo que sentía, agradecí a Dios por tu vida.

De regreso en el penal, le di la noticia a tu hermana que nos esperaba. Al oírla, brincó de felicidad y a todas mis compañeras que pasaban les decía que sí eras niña. Hasta lloró de gusto y nos fundimos en un abrazo.

30 de agosto de 2011

Días, meses, años. Ahora por lo menos anhelo una cama que me espere cada noche y donde me sienta cómoda para soñar, descansar y, al otro día, poder trabajar.

Mi nombre es pronunciado varias veces por el micrófono de Gobierno. Firmé una hoja donde decía: "Se solicita traslado de la interna María Lourdes de Ramón Bringas el día 30 de agosto de 2011 a las 9:00 h al área de Ginecología. Asimismo, contar con la seguridad necesaria para regresarla al Cereso".

Desayuné muy ligero y nada de líquidos para no pasar emergencias. Las camionetas nos llevan muy rápido y he perdido la costumbre. Éstas son las únicas veces que he tenido que salir al hospital.

La primera vez que salí, tenía casi dos años de haber llegado aquí. Desde pequeña tenía una bolita o absceso detrás de mi oreja izquierda. No me gustaba porque tenía un color más oscuro que el de mi piel. Cuando me peinaba de coleta, las personas observaban y se sentían con derecho a cuestionarme. Varias veces contesté, pero siempre era lo mismo al descubrir mi oreja. Optaba por el pelo suelto. Fue tanta mi incomodidad que pedí a mis padres que me llevaran al médico para ver qué se podía hacer al respecto.

Tenía ocho años y fuimos con el doctor Carpinteyro. Tocó varias veces el absceso para ver si sentía dolor, pero nada. Opinó que me podía operar. Al hacerlo quedaría un pequeño orificio que cubriría con piel de una de mis pompis. De inmediato contesté que no, tocando una de ellas. El doctor terminó la consulta dando el presupuesto de dicha operación: entre doce mil y catorce mil pesos. Mis padres no contaban con dicha cantidad y menos porque sólo era para que no me viera mal.

Cuando llegué aquí, sin darme cuenta, por estrés, me sangraba la bolita. Inconscientemente, quería arrancarla con las uñas. Volvía a cicatrizar y otra vez, hasta que empezó a dolerme fuerte.

Fui al doctor de aquí, le platiqué lo que me ocurría y recetó una pomada.

Salí al dermatólogo; estas salidas no fueron desagradables. Los custodios encargados de los traslados en ese tiempo vestían de civiles, con su arma, pero discretos, era como caminar con un conocido al hospital. No llamaba la atención de la gente. Ahora, mínimo, mandan a seis policías uniformados con pasamontañas, armas largas, y te toman del cuello al entrar al hospital. Las personas nos miran como si fuéramos algo raro y no apartan la vista.

El dermatólogo me revisó y me mandó con el cirujano plástico. Un doctor de edad, muy respetuoso. De inmediato pidió exámenes preoperatorios. Me dio dos opciones: una, raspar el absceso con riesgo de que volviera a crecer; otra, quitar perfectamente todo desde la raíz, tal vez se vería un pequeño orificio, el cual lo cubriría con piel de una pompa. Eso ya lo sabía y no quise.

Dejó que lo pensara mientras llegaban los resultados. Acepté que lo raspara y llevaran el absceso a un laboratorio para estudiarlo.

Llegó el momento de pasar a quirófano. La licenciada de Trabajo Social me había avisado un día antes que me preparara. Ninguno de la familia tenía conocimiento de lo que pasaba. Casi no les llamo, tienen muchas ocupaciones y no me gusta preocuparlos y menos darles molestias. Tu abuela tampoco sabía; además, no los dejan pasar al hospital.

Me trasladaron como a las cuatro de la tarde un día de febrero de 2007. Caminé descalza por un pasillo que me conducía al quirófano. La enfermera pidió que me relajara en lo que llegaba mi doctor. También me hizo el comentario de que era uno de los más enojones. No contesté, sólo la escuchaba. Entró mi doctor y con voz suave dijo: "Hola, bonita. ¿Ya está lista?"

Todo fue un éxito. Me pasaron al área de recuperación. Tenía náuseas, estaba mareada y no veía bien.

Pidieron que avisara en cuanto me sintiera estable. Pasaron horas. Me regresaron rápido y todo acabó.

Esta vez preferí no comer mucho por aquello de las dudas y, por mi estado, cargaba algunas bolsitas para emergencias.

Ese día llevaba conmigo estudios generales y el ultrasonido. Ahora la policía fue severa y grosera. Me jaló del brazo como si la corretearan hasta llevarme al consultorio. Dos chicas entraron conmigo a consulta. Una de ellas volteó hacia la puerta trasera, mientras la otra no perdía detalle al observarme. La doctora se dio cuenta antes de levantar la bata y pidió a la oficial que volteara hacia otro lado para revisarme. No aceptó. La doctora se molestó y moviendo la cabeza contestó:

—¡No puede ser que sea así! Por respeto a su persona no la mire, es indignante lo que hace. ¡Ojalá nunca esté de este lado!

No contestó e ignoró sus palabras. Me sentí ofendida, sólo le dije:

—Por favor, voltéate.

Ésa y muchas experiencias poco agradables me acompañaron en mis salidas a Ginecología. Pero todo lo doy por bien empleado si ahora te tengo a ti, mi niña hermosa, mi Dany.

Muchas veces frente al área de Gobierno, donde se encuentra la supervisora en turno, al lado de una cámara que nos vigila las veinticuatro horas del día y es el tope que nosotras, como internas, no debemos rebasar, marcada con una franja amarilla pintada en el suelo, despedimos a la mayoría de nuestras visitas, a la vista de las autoridades. Azucena y tu abuela vienen cada ocho días, casi todos los martes. Llegan tarde, hasta que sale tu hermana de la escuela; una hora y media es la que conviven con nosotras, si bien nos va. A veces llegan al final de la hora permitida porque cierran las calles para arreglarlas y, en algunas ocasiones, no llegan.

Después de haber confirmado corazonadas y suposiciones, la declaración por boca de tu hermana sobre tu existencia trajo felicidad a nuestras vidas.

Aunque mi panza no fue muy voluminosa, sentí que la espalda ya no me respondía, me acercaba a los ocho meses de gestación.

El motivo por el cual me estuvieron sacando cada mes a revisión con el doctor fue porque, después de la amenaza de aborto, presenté sangrados esporádicos. La doctora de aquí dijo: "Si la hemorragia aumenta, debe avisar de inmediato".

El 28 de agosto presenté un sangrado muy grave. Me asustó. No quise causar alarma porque no quería que nacieras antes de tiempo. Lo que hice fue irme a la cama a descansar. Subí los pies lo más alto. Ya encerrada, se lo comenté a tu tía Rocío.

Todas en el cuarto opinaban sobre la fecha de tu nacimiento, todas decíamos que después del 16 de septiembre, una dijo que nacerías el 28 de agosto, que te llamarías Agustina.

Al día siguiente, tu tía Andrea abrió la tienda y no dejó que me levantara. Me dejó reposando en la camita.

Al inicio del auto de formal prisión no se acepta la cama destinada a uno, aunque luego se convierte en un paño de lágrimas, tal vez temerosas de no llegar a la noche; es testigo de que no conciliamos el sueño, de mucho pesar, pero conforme pasan los días, los meses, y luego los años, la haces tuya.

El momento de tu llegada estaba cerca. Tuvieron que llevarme a consulta, no me sentía nada bien. Al revisarme, la doctora me dijo que me sentía mal porque ya me encontraba en labor de parto. Se alarmó mucho. Era peligroso por los hematomas que presentaba en la placenta. Pidió a las policías que me pasaran a urgencias para estudios, de lo contrario tendrían que volver a sacarme en la madrugada con riesgo de que naciera el bebé. Ellas explicaron que no podían hacer eso, yo debía volver al penal. La doctora elaboró una hoja en la que describió mi estado y la dirigió al doctor del Cereso.

El comandante me explicó que me regresaría para que me hicieran el oficio, y que más tarde volvería por mí para llevarme de nuevo al hospital. Al llegar con el doctor de la institución, le di el oficio de la doctora. De inmediato preparó los papeles para mi salida; también me aconsejó que fuera preparada para tu llegada, Dany.

Tus tías Andrea y Rocío me ayudaron a poner tu pequeña ropita en una bolsa de plástico, me abrazaron y desearon todo lo mejor para ambas. En las ocasiones en que visité al médico, siempre me aseguró que nacerías por la vía normal porque ya te habías acomodado. No sé por qué tenía miedo de pensar en eso, tenía miedo, nunca había vivido algo así.

Andrea me preparó psicológicamente para aceptarlo, si fuera necesario. Yo había solicitado me hicieran cesárea aunque tuviera que pagar, pero no aceptaron la idea.

Al ingresar al Hospital de la Mujer, me llevaron a piso y me colocaron la solución. Todo indicaba que nacerías normal.

31 de agosto de 2011

El doctor indicó que pasara a la sala; durante la mañana me aplicaron solución para aumentar la labor de parto. Pasó otro doctor para convencerme de que era mejor que me decidiera por la operación. Eso era lo que quería. Al lado de mi cama se encontraba otra paciente. Escuché que le preguntaban si prefería que su bebé naciera por la vía normal o por cesárea; pensé que sería buena opción platicar con ese doctor. Él, muy atento, me escuchó y dijo que no era responsable de mi caso, que otra doctora me atendería, pero que iba a tratar de ayudarme.

Más tarde se presentó la doctora Benítez y dejó a su asistente para que me hiciera unas preguntas. Cuando regresó para revisarme, notó que no había dilatado el cuello más de tres centímetros. Asombrada, me miró.

—No puede ser, ya es mucho tiempo, ¿cómo se siente?

—Con dolor desde hace unas horas y va en aumento.

Apretaba los dientes del dolor, no me quejaba porque ya sabía que era doloroso dar a luz, y mi preocupación era que nacieras bien sin importar cómo; tal vez programando una cesárea me evitaba sufrimiento. Preguntó cuánto tiempo hacía del nacimiento de tu hermana y el motivo por el cuál había sido cesárea. Le comenté que porque el cuello no abrió.

Me observó y dijo:

—Ya tardaste mucho, ¿y si mejor te opero?

—Sí, por favor.

Ésta es la cuarta vez que me bloquean. La primera fue en la cesárea de Susy; la segunda, en una peritonitis donde hubo negligencia médica y me reingresaron al hospital a los quince días de haber salido para una nueva intervención quirúrgica, una laparoscopia. En ese tiempo tu hermanita tenía sólo dos años y estuve internada tres meses. No podía ver a Susy, aunque a veces la llevaba tu abuelita a la entrada del hospital San Alejandro, donde yo la miraba por la ventana del cuarto piso, sentía feo no poder abrazarla.

Los doctores no creían que me sentía mal, hasta que notaron la alta temperatura, además exigí la laparoscopia y dejé en claro que si algo malo me pasaba, serían responsables. Un amigo que trabajaba en el Seguro me apoyó. El hospital es como la prisión. Al principio toda la familia te visita, pero conforme pasa el tiempo, ya no pueden ir o tienen otras prioridades. Las únicas personas que estuvieron conmigo fueron tu abuelita Petra, mi madre, una gran mujer que ha recorrido su camino con valor, esa mujer incansable no se deja abrumar por las aflicciones. Admiro su gran corazón, te da todo sin esperar nada a cambio, humilde y sencilla. Es una gran señora, trabajadora, luchadora, insistente; la amo con todo mi corazón y le debo la vida. Es una mujer servicial, honrada, llena de valentía y fortaleza, siempre cuidó de nosotros, y le agradezco su amor y apoyo.

También a tu tía abuela Félix, quien me ha considerado como su hija, que siempre fue comprensiva y ha mostrado su ayuda en momentos de necesidad, le agradezco su amor. Y a mi amigo Abimael González, inseparable, pues no hubo un solo día que no llegara, siempre me cuidó y atendió e hizo mis días amenos. Dios guarde y cuide su vida dondequiera que se encuentre. A tu tío Alfredo, y a Toño. Mi papá y tu bisabuelo Luis cuidaban a tu hermana en el pueblo de Ahuatepec del Camino, Puebla.

Mi niña, cuando Dios me conceda volver a mi pueblito, pintaré para ti un cuadro grande al óleo, de esa hermosa montaña que siempre ha llamado mi atención, Citlaltépetl, Pico de Orizaba o Cerro de la Estrella.

Siempre soñé tener en el rancho una casa de dos pisos con enorme ventanal del lado del volcán. Tiene ojos –se ve como si hubieran picado la piedra–, nariz y boca; sólo tiene un pequeño defecto, del lado derecho, del cual mi abuelo Luis me contaba mitos de la montaña. Según él, eso le pasó por pelear por la Mujer dormida. Todas las mañanas, con el sol a un lado y dependiendo de la estación del año, en el transcurso del día se ven diferentes matices. Me gusta observar tan bonito panorama aunque el clima es exageradamente helado.

Tomaron su tiempo y me trasladaron a quirófano. Prepararon todo para la cirugía. Llegó la anestesióloga acompañada de un doctor para la aplicación de la anestesia. Me puse de lado, en posición fetal y sin moverme. Antes de colocar la anestesia me advirtieron de los riesgos de moverme.

La cuarta cirugía es ésta y conozco las indicaciones.

"Señora, no se mueva."

Mis manos se sujetaron al doctor que se encontraba junto a mí para inmovilizarme. Sentí un calambre a lo largo de mis piernas. La anestesióloga me pidió que estirara las piernas y estiré la pierna derecha. Anonadados dijeron:

–¿Por qué movió esa pierna?

–Ustedes me dijeron.

No contestaron nada. Nuevamente me bloquearon. Aumentaron mis nervios al escuchar que se decían entre ellos: "Ahí no, chécale bien, se siente, toca más arriba".

Sentí como si me hubieran pegado un parche; me enteré más tarde que es para guiarse por donde deben bloquear. Minutos después, la anestesia había causado su efecto. La doctora Benítez, en la operación, dijo que estaba pariendo chayotes. No podía sacarte, sudaba mucho y se veía nerviosa. Comentó:

–De verdad tengo buen ojo, pero nos está costando mucho. No quiero imaginar lo que hubiera pasado si hubiera sido parto normal. Así como está, la hubiéramos intervenido de emergencia, hubiéramos afectado la vejiga, que es el órgano más próximo, muy cerca de esa sutura mal hecha, u otro órgano, y no iba a darnos tiempo. ¡No es posible! El cordón de su bebé viene corto, no hubiera podido salir por el canal de parto y, tal vez, se hubiera asfixiado al intentar nacer o hubiéramos perdido a la señora Lourdes. No se iban a salvar las dos. Es riesgosa su operación, tiene muchos problemas con la cicatriz pasada y todo mal hecho. Fue en el Seguro, ¿verdad?

–Sí –contesté.

Llena de pánico por sus pláticas, pensé: "Si no me opero ahora, volveré a pasar por la plancha; además, ya no quiero más hijos, y ni de broma otra cirugía en mi vida". En ese momento pregunté si aún podían ligarme. Contestaron todos que sí; en minutos la enfermera llevó una hoja en donde acepté dicha operación.

No hay palabras para describir lo que sentí al escucharte llorar, y más al ver tus ojitos hinchados y puntitos blancos en tu nariz. Te besé cuando te acercó la enfermera. Tu cabecita estaba llena de pelo negro. Naciste el 31 de agosto a las 12:55 p.m., pesaste 2.950 kilogramos y mediste 48 centímetros. Tu llanto era como de gatito.

Pude sentir cuando te sacaron de mí, pero sin dolor. La doctora ya había acomodado los tejidos. En eso levantó la cabeza para mirarme y dijo:

—Ya está todo bien por dentro, ¿y si te doy una arreglada por fuera?

Con el rostro alegre contesté:

—Sí, por favor.

Preguntó la hora y el tiempo que restaba de anestesia. Así fue como resultó en una cirugía reconstructiva y ahora con dos suturas. La enfermera te estaba limpiando. Por momentos no te vi, hasta que dejaste de llorar. Te busqué, vi que estabas encima de un mueble, no era ancho pero tú te veías pequeñita, tan indefensa, esperando hasta que terminaran conmigo.

Me subieron a la camilla contigo de mi lado derecho, ¡qué sensación tan bella tenerte entre mis brazos!, me transmitiste paz y alegría.

Ya en la sala de recuperación, donde dormitaba por minutos, quise mover las piernas para estirarlas y no pude. Me dolía al intentarlo por las dos heridas en mi vientre. Mi voz era suave, tenía la boca pastosa y la enfermera no me escuchaba cuando me quejaba. Entró una doctora preguntando por mi nombre completo. Le informaron que me estaba recuperando; así se acercó la enfermera y le comenté que no podía mover las piernas y que tenía dolor. Ordenó el médico que aplicaran medicamento.

No sé qué me hayan administrado, pero me mareaba y ni los ojos podía abrir. Estaba muy asustada, pero el instinto de madre me daba fuerzas para no soltarte, temía que te cayeras. Me resistí a dormir por la reacción y también porque se roban bebés en hospitales, eso me atemorizó todo el tiempo y no dejé de verte.

Nos sacaron del área de recuperación porque las custodias consideraron que hacía mucho tiempo que no tenían noticias nuestras y debían cuidarnos. La policía se acercó a mí para taparme una bubi que asomaba al aire; ni fuerzas tenía para hacerlo y fue lo que menos me importó.

Al llegar a piso me tocó compartir con tres enfermas. Laura, la oficial, al verme temblando, me consiguió una cobija; a ella también la conocí en el trabajo.

Lo único que te puedo decir, Dany, es que todo el tiempo dormíamos; los dolores en mis piernas eran insoportables, tenían que darme dosis grandes de medicamento para calmarlos. Esto hacía que tú también durmieras; hubo ocasiones en que no despertaba y la enfermera me movía para que te despertara a ti también para darte de comer.

El primer día que quise enseñarte a succionar de mi pecho, parecía que ya sabías, de inmediato aprendiste la función. Desde ese momento supe que serías una niña lista e inteligente.

El doctor pidió un familiar las 24 horas para cuidarme. Lamentablemente, no había nadie que me apoyara. Tu abuela Petra estaba con Susy; tu tía Rocío Pérez, mi prima, a quien quiero como hermana y me ha acompañado en este lugar, nos visitó y me ayudó a cuidarte mientras pudo, porque tenía que trabajar.

Se dieron cuenta los doctores del problema de las piernas porque no me respondían y no había fuerza en ellas, se me doblaban y vieron que era una secuela del bloqueo. Tardamos una semana más en el hospital. Tu abuelita Petra nos visitó a diario para ayudarme contigo, preocupada por lo que me pasaba.

Es fuerte, pero sus ojos se llenaron de lágrimas al ver que no podía dar ni un paso, hasta me cargaba. Durante ese tiempo, las policías que me cuidaban parecían más mis enfermeras particulares, siempre dos, una sólo cuidándote, mientras la otra casi siempre me llevaba al baño. Como pude, te di de comer. Tenía calambres todo el tiempo, no soportaba ni que me tocaran, gritaba si alguien lo hacía. Regresé contigo, mi nenita, después de diez días. Antes de salir, te pusieron tu vacuna de recién nacida y te hicieron examen de oídos. Llegaste al ciento por ciento.

La verdad es que me esforcé en recuperarme y puse todo de mi parte para intentar caminar sin agarrarme de las cosas; así me dieron de alta. Tanto medicamento me administraron, que no sentía mucho dolor.

Compré las medicinas, que resultaron caras, y seguí durmiendo. El doctor Alejandro, encargado de la Sección Femenil, me atendió un día que se habían terminado mis pastillas, motivo por el cual estaba llorando de dolor. Me dijo: "Creo que ya no te debo recetar más medicina porque estamos dañando a la bebé. Te lastimaron una membrana que se llama duramadre y que sólo se regenera con el tiempo. Tal vez en un año, si haces ejercicio. Otra opción es que le quites el pecho a tu nena y así te puedo dar calmantes; tú dices si aguantas los dolores y la sigues amamantando.

Muchas noches despertaba llorando del dolor insoportable que dominaba mis piernas, y aun así acepté vivir con él. Era un triunfo caminar cinco pasos, el esfuerzo que hacía para voltear a darte de comer por las noches hizo que una de las heridas se abriera.

Todo se compensaba al mirarte a mi lado, bella princesita.

Por las noches te cambiaba el pañal y la ropita porque sudabas mucho y no me gustaba que te quedaras así. También te arrullaba para que no lloraras en la madrugada. Me despertaba a cada rato, si no era para darte el pecho, era para cambiarte. Debajo de las cobijas te vestía para que sintieras calor y no te enfriaras.

En una ocasión estabas inquieta y te arrullé en mis brazos. Mis piernas no pueden, hasta la fecha, estar mucho tiempo dobladas. Te quedaste dormida, pero era tanto mi cansancio que me dormí sentada. No sé cuánto tiempo pasó; al despertar, me asusté porque no te tenía en mis brazos, estabas tirada sobre mis piernas bien dormidita.

En el día te dejaba en la cama sin tanto arrullo, porque cuando estuviéramos en la tienda, aunque no eres chillona y sólo te quejas si no te atiendo como quieres, no podría hacerlo.

La movilidad de mis pies fue lenta y dolorosa, entre piquetes, calambres, piernas dormidas y comezón que me reventaba los vasos. No sé describir esto.

Durante los treinta y nueve días que pasamos encerradas en el cuarto, mi madre y tu hermanita, que hasta la fecha están pendientes de nosotras, nos visitaron.

Te di tus primeras probaditas de comida a los cinco meses. Primero una pequeña ración de chayote durante toda la semana, luego zanahoria, después calabaza, siempre preparados al vapor y durante varios días para que tu paladar conociera el alimento. Tus verduras favoritas son el chayote y el brócoli. Eres una nenita de buen diente, ahora comes casi de todo; también guayaba y papaya. Lo que no te agradó mucho fueron las frutas hervidas y nada que tuviera mucha sal o azúcar. Los jugos naturales también los tomas; has aprendido movimientos más exactos con la cuchara, a veces tengo que despachar cuando estás comiendo y te molesta que te distraigan las clientas, eso sí te enoja y hasta les gritas.

A los seis meses y medio se asomó tu primer diente incisivo central, luego el de al lado. Como ya tenías los dos de enfrente, querías morder todo; más valor sentiste cuando salieron los incisivos centrales inferiores. Mordías a la hora de amamantarte cuando te quedabas dormida.

Tu tía Andrea siempre te arrullaba para dormirte; le decía que no porque te ibas a mal acostumbrar, pero tú llorabas, nada te consolaba y terminaba por darte nalgadas muy suaves. Eso te agradaba porque te quedabas callada hasta cerrar tus ojitos.

Estás muy bonita, Dany, no me canso de observar tu carita, esos ojitos negros tan expresivos, rasgados, como de japonesa, una diminuta nariz y la boquita que te cargas. De más bebé parabas esos labios de manera que parecían piquito de pollo, llamabas la atención de tus tías, siempre mirando tu boquita de pescado. Tus facciones son muy finas, sólo sé que estoy enamorada de ti, aunque a tu hermana también la veo hermosa. Tiene unos ojos grandes y redondos. De bebé le decía que tenía ojos de plato sopero, como las tapatías deben ser, porque su abuelo paterno es de Guadalajara, Jalisco. Tú eres pequeña, sólo tienes mi boca y la gente dice que no te pareces a mí.

Importa que eres uno de mis más grandes tesoros, el más valioso, ahora tus gestos son más expresivos. A la edad de once meses y medio te quité la chichi porque ya me mordías mucho y no querías comer. Para el día de tu cumpleaños ya tomabas mamila.

He procurado no decirte mentiras. Si te iba a dar pecho, te dabas cuenta y decías "nenita" cuando veías que era la chichi. Te la daba emocionada, te pegabas como becerrito. Ahora tomas tu tetita, como le dices; últimamente la boquita ya te ayuda mucho. En ocasiones tus palabras son muy claras, cuando en verdad quieres decirlas.

Como se fue tu tía Andrea cuando tenías más de seis meses, ya no había quien te consintiera tanto, hasta te enfermaste y no querías comer. Una amiguita que también te quiere mucho, y que es tu nana desde que se fue tu tía, por amor a ti, te cuida. Como a veces ya comes sola, le tiras todo y le haces muchas travesuras. Yo te digo, cuando te enojas y avientas todo: "Control, Dany".

Tiene dos meses que compré la periquera, pero eres tan lista que sólo te bastó ver una vez cómo levantaba la tapa para que ahora lo hagas sin importar si el plato de comida está ahí.

Cuando tenías ocho meses, te sentaba en una cobija en el piso, ya no te compré tu corralito; te emocionaba ver la cobija y te aventabas de los brazos para que te bajara uno. Tus juguetes en la tienda son: sobres de Nescafé, cajitas de Knorr Suiza, frascos de dulces, chicles y paletas, aunque no sabes para qué son, pues no te he dado a probar. Sólo te diviertes intentando meter y sacar las cajitas. Te gusta investigar qué hay dentro y no te estás quieta hasta que las abres.

Veo que eres muy lista. Tienes un botecito triangular y sólo hay un lado del que se cierra, pues ahí te entretienes hasta que lo logras.

Eres una bebita cariñosa, toda tú eres una ternurita. Tienes un año dos meses y ya pareces periquito, sabes decir tu nombre: "Nana", así lo dices. También dices "gracias".

Tu papá, mi amor, convivió contigo seis meses. Le concedieron un beneficio y le bajaron un año y medio. Cumplió sentencia el 24 de febrero de este año. Un día antes lo vimos, y ése fue el último que supimos de su existencia. Claro que no le pasó nada malo, porque esas noticias vuelan. El ser que conocí en este lugar, ese hombre en el que creímos, se volvió el ser más desalmado que conozco; y es lo único que sé.

17 de julio de 2012

Te despertaste desde las cinco y media de la mañana. Fue una noche difícil para ambas. Para ti porque te dio gripa, tenías tu nariz congestionada y eso impedía que tomaras el pecho, motivo por el cual estuviste inquieta y molesta toda la noche. Para mí porque no pude dormir, velé cuidando de ti, buscando posiciones para que estuvieras cómoda sin lograrlo. Yo sufría por no saber cómo ayudarte. Fue tanta mi desesperación que, a esa hora, limpié tu nariz con la perilla. Tú, muy bonita, apenas si lloraste. No sé cuánto tiempo pasó, y otra vez se congestionó tu nariz. Te puse leche en tus fosas nasales para que estornudaras. Dormías a ratos, volvías a despertar e intentabas mamar, pero como no podías, te enojabas. Te arrullaba entre mis brazos las veces necesarias para que no lloraras y no despertaras a mis compañeras.

En cuanto abrieron la puerta a las seis y media, te cubrí perfectamente para llevarte a la tienda. No avisé de tu salud a la custodia porque a esa hora el doctor está ocupado con sus pendientes para el cambio de turno; además, lo único que aquí nos dan son recetas. Hay que esperar para llamar a la farmacia y a que traigan el medicamento. Yo prefiero orar siempre por tu salud.

13 de septiembre de 2012

Mientras duermes observo cada mañana tus ojitos cerrados, tus manitas abiertas de par en par, es una de tus posiciones favoritas.

233

Esta vez tienes tu pie izquierdo arriba del perro de peluche, todo destapado porque casi no te gusta que te cubra. Intento taparte, pateas el cobertor y no permites que lo haga.

El viento que sopla a través de las ventilas te acaricia una y otra vez, estás fría; intento cubrirte suave y lentamente para que no te des cuenta, pero al mínimo intento volteas enojada, me abrazas del cuello, tu boquita toca mi mejilla. Cuando estás cerca de mí disfruto tu olor, único, especial, de bebé.

He despertado sabiendo que mi mamá Petra te llevará a la calle y regresarás en cuatro días. Sé que estarás bien, conocerás lugares, a mis abuelos maternos que viven en San Francisco Cuautlancingo, Puebla. Es la primera vez desde que naciste que nos separamos por tantos días, aunque es la tercera que sales, pero hasta hoy ha sido, cuando mucho, por un día y regresabas al otro; o porque te toca una vacuna y tu hermana Azucena te espera con mucha ansiedad.

Me acompañaste al teléfono porque, aunque eres tan pequeñita, estoy sorprendida con tus actitudes y habilidades. Eres demasiado inteligente, sabes cuando te digo que me acompañes al teléfono y señalas hacia él. Te paso a tu hermana, le contestas emocionada al escuchar su voz, brincas, te gusta que te pare en la cabina, apenas y cabes en ella. Observas todo lo que hago, cómo presiono los botones y también lo haces; te agradó más cuando descubriste el *push* de colgar, te da mucha risa porque el teléfono empieza a sonar avisando que debo retirar la tarjeta. Lloras cuando te retiro. Eres un poco berrinchuda a veces, en especial cuando descubres algo nuevo y no te dejo tocarlo.

Tienes un año con trece días, quieres caminar sola, te paseo tomada de las manos. Sostenida por el andarín, me diriges hacia donde te agrada. Quieres que te suelte. Muy contenta, abrazada de tu abuela, se dirigen a la puerta. Tu rostro rebosa de alegría, como si supieras a dónde te llevan. Esperas que abran la puerta, volteas, y con tu manita izquierda me dices adiós.

234

Ha transcurrido la tarde sin ti, siento que me haces falta y, al llegar la noche, te extraño más, mi nenita, y apenas es la primera de cuatro.

No siento tu pequeño cuerpecito cuando me abrazas, sólo sé que eres una de mis razones para existir. Me siento una madre dichosa en este mundo por tenerte a mi lado. Sólo Dios es testigo de todo lo que tuve que pasar, pero gracias a él estás viva y sana.

Viviré agradecida con Dios por tu existencia, por tu amor tan hermoso, transparente, único, incondicional; para mí no existe un amor más limpio y verdadero que el de un hijo.

Has aprendido a dar y mandar besos, a hacer ojitos... Eres la niña más tierna que he conocido. Esta noche te extraño como nunca imaginé, doy vueltas en la cama, despierto a cada rato para buscarte y recuerdo que no estás. No ha pasado instante en que no piense en ti; eres mi mejor amiguita fiel en este lugar.

Debes saber, mi amor, que no fue fácil escribir todo esto porque tuve que remover sentimientos que ya no quiero que existan y porque lucho por tener mejores. También por el tiempo que tuve que invertir. Normalmente, desde las seis y cuarto de la mañana que me levanto, tú me acompañas, empieza nuestro día, tengo infinidad de ocupaciones y ni tiempo me da de ver el reloj.

Atenderte, mi nenita, es lo que más disfruto. Eres una niña bastante inteligente, todo lo observas, en especial lo que hago y en seguida me imitas. Si tengo algo en mis manos, me lo quitas. Eres muy apapachadora, siempre quieres abrazarme, hasta dormida, y me buscas en la noche si te suelto. Ya has aprendido a besar y hasta das besos tronados.

Escribir de día y en la tienda es imposible; si estás despierta, me quieres ayudar, tú siempre tan servicial... y eso hace que tenga que detenerme.

Dany, eres una niña "travesurita", de verdad, así te digo. Tienes un año y un mes y ya quieres que te pasee por todos lados para no estar en la tienda. Por las noches, después de las diez, cuando ya estamos bañadas y casi siempre tú dormida, he tratado de escribir. Tomo Coca-Cola, que a mí en lo personal me da mucha energía junto con los chocolates, porque según yo me quita el sueño.

Ahora que he estado escribiendo, me duermo sentada y despierto porque la cabeza se me va de lado, ya ni tomando Coca-Cola con chocolate se espanta el sueño, es un cansancio insoportable. Toco la almohada y es como si me anestesiaran. Entre acomodar la mercancía y demás, termino rendida. Ni aun tomando café cargado lo consigo, eso lo sabía desde afuera, cómo olvidarlo. Tenía dieciocho años de edad, estudiaba el sexto semestre de bachillerato y el profesor Francisco, de la clase de Ética, nos había dejado de tarea leer un libro de mil y tantas hojas para el día siguiente. Busqué la taza más grande que encontré, la llené con agua caliente y le puse suficiente café. Lo probé: amargo, apenas recuerdo cuando me lo terminé, porque me dio mucho sueño, hasta roncaba; junto a mí, en el sillón, quedó la taza. Mi tía me despertó de madrugada para ir a comprar y vender papas a la Central de Abastos, donde atendíamos su negocio. Al regresar, debía apurarme para llegar a la escuela en el turno vespertino. Por supuesto, no terminé de leer el libro.

Daniela:

Te escribo estas líneas, palabras que salen de mi corazón y que jamás olvidaré. Estoy agradecida con papá Dios por tu vida; su misericordia y bondad han permitido que estemos juntas. Disfruto tu amor que me infunde felicidad, cada día me compartes sonrisas, abrazos y besos que dan esencia a mi vida.

Tu amor es libertad en mi prisión. Perdóname porque no es el lugar apropiado para tenerte. Aunque a veces es agobiante, me esfuerzo, lucho porque tus días sean mejores.

Me gusta atender y cuidar de ti. Los obstáculos por los que he atravesado han hecho que me llene de valor y fortaleza. Debes saber que eres fruto de un gran amor, deseada y esperada con mucha ilusión.

Quiero que tú, Susy y yo caminemos unidas para cumplir esta misión: la vida. Perdón porque tal vez no soy la mejor mamá del mundo, pero sí quien más te ama en él.

Eres mi nenita, a la que amo con todo mi ser. Muchas gracias por ser mi motor e inspiración.

Azucena:

Agradezco, hermosa, tu comprensión, cariño e incansable amor. Tú demuestras a diario que eres una niña lúcida e inteligente. Gracias por el amor que me das, por las atenciones y detalles que has tenido a lo largo de tu vida.

Estoy orgullosa de tener una hija como tú, no terminaría de describir lo feliz que me siento a tu lado. Nunca nada ni nadie podrán reemplazar mi amor por ti.

Te extraño como no tienes idea, anhelo el momento en que estaremos juntas. Gracias por resistir mientras no estoy contigo. No dejes que nada te revuelque, sostente y sé como la palmera, que sólo se dobla en tiempo de tempestad y, cuando todo pasa, vuelve a levantarse.

Toma en tu vida la promesa de Dios: "Mira que te mando que te esfuerces y seas valiente. No temas, ni desmayes, porque yo, el Señor tu Dios, estaré contigo donde quiera que vayas". Josué 1:9

Te amo por siempre, mi dulce niña. Gracias por existir.

Centro de Reinserción Social Puebla
Puebla, Puebla

La historia de mi vida

Teresa de Gracia del Rosario Gómez

Desde que tuve uso de razón, recuerdo una infancia muy bonita, con mi familia trabajadora y unida por el amor. Mis padres siempre han sido un hermoso ejemplo de vida. Mi madre me enseñó a trabajar desde los seis años y a ser una mujer de verdad; mi padre siempre confió en mí, porque me gané su confianza con mi comportamiento. Él me confesó que soy su consentida, me lo dijo muy bajito para que mi hermana no se pusiera celosa (imagino que lo mismo le dice a ella), y yo me siento grande y trato de no defraudarlo.

Cuando cumplí mis quince años no me los pudieron festejar porque mi abuelo paterno falleció, pero a los dieciséis, mis padres me enviaron a un *tour* de quinceañeras por toda Europa. Fue una experiencia hermosa y en mi mente están todos los sucesos maravillosos que pasé y los lugares que conocí, como si el viaje lo hubiera hecho ayer.

Cuando cumplí mis dieciocho tuve mi primer novio. No había tenido antes porque se lo había prometido a mi padre. Y ¡oh, sorpresa!, ahí empezó mi martirio. Joaquín era amigo de mi hermano René y, por lo tanto, le conocía todas sus movidas. Además, mi hermano siempre fue muy celoso y yo lo comprendía. Es el mayor, me lleva un año, siempre andábamos juntos y él no quería que nadie me hiciera daño. Pero no entendí. Los dos años que anduve noviando con Joaquín fue un sufrir por los celos de mi hermano y de mi padre.

Un día llegó un hermano de mi mamá a la casa y me dijo que había visto a Joaquín saliendo de un motel con una exnovia de mi hermano René, y yo enfurecida terminé con la relación. Hice que mi nana, doña Ricarda, le llevara en una caja de cartón todos los regalos que me había hecho, incluyendo unas flores que me acababa de enviar.

Pasaron dos semanas. Él me anduvo buscando y yo no le contestaba el teléfono; en la escuela me escondía. Hasta que un día me encontró en el estacionamiento del colegio. Iba con un sombrero, pantalón de mezclilla y no estaba rasurado. Me dijo que quería hablar conmigo. Eran las siete de la mañana. Le dije que tenía que presentar un examen, que después hablábamos. Algún día tendríamos que poner las cartas en la mesa. Me dijo: "Está bien. Vamos rápido a la tienda y de ahí te metes a la escuela". Accedí, pero él no fue sincero. De repente abrió la puerta de un coche y me dijo que me metiera. Todavía le dije que no, que tenía un examen, y al momento de hacerme para atrás, un hombre y él me metieron a la fuerza. No grité. No lo podía creer. Dentro del coche había otros dos hombres, uno al volante y el otro atrás. Era un Galaxy de dos puertas. Me subieron atrás con Joaquín y el tipo que ya estaba ahí; adelante iban el chofer y el que me empujó. Le pregunté de qué se trataba, pues era yo muy ingenua o tonta. "Vamos a platicar, así que vete tranquila." Traté de hacerlo entender que estaba mal lo que hacía, pero no entendió. Me inquieté cuando ya íbamos por la calzada Zaragoza y faltaba poco para tomar carretera. Forcejeé con él y me percaté de que traía una pistola. Observé a los otros tres hombres y también estaban armados.

Joaquín me dijo: "Quédate tranquila, por que si no hago una llamada a las ocho y media, van a matar a tu papá y a tu hermano René". Mejor no hubiera dicho eso. La sangre se me subió a la cabeza y me armé de valor. Se puso el alto en el semáforo y vi que había dos policías. En cuanto se puso el siga, agarré por el cuello al chofer para que no avanzara. Los otros trataban de quitarme para que lo soltara, pero al ver los policías que no avanzaban y que los coches empezaban a sonar el claxon, se dieron cuenta. Se bajó el copiloto y se empezó a tirotear al policía. El chofer logró avanzar, pero a cien metros más o menos se bajó el otro hombre que iba atrás conmigo para ayudar al que se quedó con los policías. Nada más me quedé con Joaquín y con el chofer. Seguí forcejeando con Joaquín y logré abrir la puerta, salió la mitad de mi cuerpo y vi muy cerquita las llantas del coche. En un momento pensé que sería el final y que no volvería a ver a mi familia. De pronto, Joaquín me jaló, y dieron la vuelta en una calle. El coche, como por arte de magia, se apagó y no quería arrancar. Fue obra de Dios. La gente se empezó a juntar con piedras en la mano, pues él y yo seguíamos forcejeando. Le gritaban "suéltala", y cuando empezaron a tirarle de piedras, sacó la pistola y les apuntó. Logré soltarme y corrí sin mirar atrás, con el miedo de que me fuera a disparar. Sólo escuchaba que me gritaba: "¡Ven, espera, te voy a dejar ir, ten tus libros! ¡Te amo!" No paré de correr. Atravesé la calzada y le hice la parada a una pesera. Le dije que me acababan de asaltar, que si me daba un *rai*. Aceptó. Me urgía llegar a la casa para poner a salvo a mi padre y a mi hermano. Eran casi las ocho y cuarto de la mañana. Cuando bajé de la combi, no me di cuenta de que había hecho la parada en el segundo carril y, al bajar, un coche me arrolló. No me pasó nada. Me levanté dejando tirados mis zapatos y corrí desesperada. Ya casi no podía respirar y aún me faltaban tres cuadras para llegar a casa. Jalé la cinta para abrir la puerta y, al entrar, miré hacia la ventana de la recámara de mis papás. Mi mamá se estaba arreglando. Alcancé a gritarle, me vio y bajó corriendo, pues mi estado no era nada favorable. Me dio un ataque de asma y ya no podía hablar. Sólo alcancé a preguntarle por mi papá y mi hermano René. Enseguida les habló al negocio y los dos llegaron a casa. Al verlos me sentí más tranquila, pero no podía hablar. Mi papá me hacía preguntas, mi ropa estaba desgarrada, tenía rasguños y moretones del forcejeo y no traía zapatos. Estaban desconcertados, no sabían qué me había pasado, hasta que me pudieron estabilizar.

Entonces les conté lo sucedido. Mi papá, mi hermano y unos tíos (hermanos de mi mamá) fueron a la casa de Joaquín. Tocaron a la puerta y salió don Marciano (papá de Joaquín). Sin darle explicaciones, lo subieron al coche y lo llevaron a donde yo me encontraba. Mi papá le dijo: "Quiero que vea el estado en que su hijo dejó a mi hija". El señor respondió que no sabía nada de Joaquín, que desde que yo había terminado la relación, él se puso a tomar y se había ido de la casa. Aun dijo el muy canalla: "Si me hubiera dicho que pensaba robársela, todo hubiera salido bien, porque yo también me robé a mi mujer y lo habríamos planeado mejor".

Mi padre estaba muy enojado y le dijo muchas cosas. El señor, espantado, le dijo que no levantara ninguna demanda, que no volvería a ver a Joaquín por aquí. Mi padre contestó que si lo veía, lo iba a matar, así que más valía que se fuera lejos. Así quedaron las cosas. Al siguiente día salió mi caso publicado en el periódico: "Balalacera en calzada Zaragoza, llevaban secuestrada a una mujer de nombre Teresa. Hay dos hombres detenidos". Nunca dijeron si la salvaron, si le dieron seguimiento, y como no venían mis apellidos, pues tampoco me presenté. Sabía que eso se seguiría de oficio.

Pasó el tiempo y no había rastro de Joaquín. Mi papá me enseñó a usar la pistola y me dijo que si se presentaba, lo matara, porque más valía que lloraran en su casa y no en la mía. Estaba muy dolido por lo que me había hecho.

Por medio de una hermana de Joaquín me enteré de que él estaba muy mal, que habíamos malinterpretado lo sucedido, porque el día del supuesto secuestro me llevaba a una iglesia de Puebla donde me esperaba el padre Noé (un sacerdote que yo conocía) para casarnos. Como aún no lo olvidaba porque realmente estaba enamorada de él, fui a ver al sacerdote y me confirmó que sí, que era verdad, pero que no sabía la manera en que Joaquín estaba haciendo las cosas y que sentía mucho lo sucedido.

Cierta noche, al salir de la escuela de diseño, llegué a mi coche y, al abrir la cajuela para meter mis cosas, Joaquín salió de detrás de un poste y se acercó a mí. Yo traía una pistola 22 en el pecho. Recordé a mi papá, pero no hice el intento de sacarla. Él alzó las manos y me dijo que no venía armado y que venía solo. Sin decir una palabra más, nos acercamos, nos abrazamos y nos pusimos a llorar. Me dijo que hacía tiempo que me estaba espiando y que se había atrevido a buscarme porque en el tablero de mi coche yo tenía una foto suya. Lógicamente, me negó su infidelidad y yo le creí. Empezamos nuevamente la relación, pero a escondidas, porque mi familia no lo aceptaba por todo lo que me había hecho.

Un día mi papá se enteró y me sacó de la escuela. No me dejaba salir de la casa. Desesperada, decidí quitarme la vida y me tomé muchas pastillas. Cuando desperté, estaba en una clínica con una sonda en la boca, supongo que me habían hecho un lavado. Vi los rostros de mis padres. En ese momento mi padre bajó la mirada y se alejó de la cama. Sólo quedó mi madre cerca de mí. A la fecha, nunca se ha comentado nada de esto, ni siquiera hubo un reproche.

Cuando regresamos a la casa, todo siguió normal. Seguí yendo a la escuela y mis padres aceptaron mi relación. Me dieron permiso de que Joaquín me viera en la casa. Mi madre me daba muchos consejos. Me dijo que, por lo regular, como es el padre es el hijo, y que las personas no cambian, sólo tratan de ser mejores, pero que a veces se les olvida y regresan a lo mismo. Me dijo: "Hija, escribe todo lo que te digo para que no te salga tan cierto".

A veces perdemos la cabeza y no pensamos más que con el corazón. Por más que quieras a una persona, tienes que ver sus errores y sus defectos y ponerlos en una balanza con sus virtudes. "Y pensar con la cabeza."

Nuestra boda fue el 10 de noviembre de 1984. Fue una celebración muy bonita; yo tenía veinte años y él veintisiete. Ese día, después de dos años, mi hermano René me empezó a hablar, me abrazó y le dijo a Joaquín: "Lo único que quiero es que la hagas feliz".

Vivimos juntos dieciocho años, tuvimos tres hermosos hijos, dos mujeres y un varón. Como todo matrimonio, batallamos con la relación, en un estire y afloje constante. El mayor problema que tenía es que él era bohemio y yo deportista. Salimos adelante, trabajamos hombro con hombro. Él era mi todo y lo amaba mucho, se ganó el cariño de mis padres y de mis hermanos.

Cuando nacieron mis hijas Tere y Leslie, nuestra economía estaba estable, ganábamos muy bien con una maquiladora de ropa que teníamos, pero creo que él se deslumbró, porque empezó a gastar mucho en el vicio (alcohol), mariachis, cadenas de oro y lujos innecesarios.

En una ocasión me dijo que si no bebía con él, se iría con sus amigos. Le platiqué esto a mi madre –que siempre ha sido mi mejor consejera, y que siempre me decía: "Ámalo, respétalo y atiéndelo, pero nunca sueltes las riendas del negocio"– y me dijo: "Acompáñalo y haz como si tomaras, pero no lo hagas. Tira la bebida sin que se dé cuenta y poco a poco retíralo del vicio". Así lo hice. Incluso había lugares que frecuentábamos muy seguido y los meseros ya sabían que me tenían que servir Coca-Cola con agua mineral, aunque me lo cobraran como cuba.

Traté de acercarlo a Dios. Debido a la educación que me dieron mis padres y a los colegios donde estudié, siempre he creído en Dios y conozco sus mandamientos. Todo fue inútil. Tenía temporadas en que dejaba de beber, pero al poco tiempo volvía y cada vez con más fuerza. Eso sí, no perdía el conocimiento, no era agresivo, se ponía muy alegre y era cariñoso. Tomé la decisión de aceptarlo así, pero no dejé de intentar que dejara la bebida. La lucha era todos los fines de semana, me daba miedo que nos invitaran a una fiesta.

Un día recibí una llamada, supuestamente era la secretaria de una fábrica que requería de nuestro servicio, pero pidió hablar con él.

Yo había contestado por el conmutador y le pasé la llamada a la oficina, pero como me había dado mala espina me quedé a escuchar la conversación. "Hola, mi amor", le dijo y le pidió que la fuera a ver y muchas cosas más. Él le correspondió cariñosamente. Tomé la extensión y fui hasta la oficina para que se diera cuenta de que lo estaba escuchando. En cuanto me vio, empezó a decir que qué clase de broma era ésta, que él no la conocía. Colgó. Tuvimos una fuerte discusión y me fui a la casa. Por la noche, cuando él llegó, ya le había enviado todas sus cosas a la casa de su mamá y no lo dejé pasar. Después le envié a mi abogado para que tramitara el divorcio.

Pasaron dos meses. Aunque sufría, estaba decidida a dejarlo. Él se acercó a mi madre para pedirle apoyo sin que yo supiera, por eso mi madre me insistía en que le diera otra oportunidad. Acepté y hablé con él. Le dije que lo perdonaba con la condición de que dejara de tomar. Sé que el vicio siempre arrastra a las personas a otras cosas, como infidelidad, traición, robo, agresiones, etc. Aceptó, y como clásico ignorante se fue a la Villa y me trajo un juramento por dos años. Que cuando lo cumpliera, juraría más años. Cómo no. No sé quién era más ignorante, si él o yo.

Cuando cumplió un año de no beber, decidí encargar un bebé. Después de tener a mis hijas, deseaba tener un varón y me preparé para eso. Leí el libro *Elija el sexo de su hijo* e hice tal cual. Y así fue, nació un varón después de ocho años, pues Tere ya tenía diez y Leslie ocho. El bebé para mí vino a cerrar el círculo de mi felicidad. Joaquín se había puesto las pilas. Aunque el día del nacimiento de mi hijo bebió, lo disculpé. Estábamos bien económica y amorosamente; me sentía completa.

Cuando el bebé cumplió seis meses me di cuenta de que no movía su mano izquierda y que su pie izquierdo lo tenía volteado. El esposo de mi hermana, que es ginecólogo, me aconsejó que lo llevara con un neurólogo. Me molesté y le dije que mi hijo no estaba mal de la cabeza. Y no hice caso. Un día mi mamá me dijo: "Ya saqué la cita con el doctor, vamos para que lo revisen". Cuando le sacaron los estudios, el doctor me dijo que mi hijo tenía un quiste en el cerebro, que había que operarlo y ponerle una válvula y una sonda. No lo podía creer, mi hijo estaba muy pequeño para que fuera sometido a una operación de la cabeza. Tan solo tenía diez meses. Una noche antes de la operación, mientras mi familia dormía, yo estaba en la sala sentada a un lado de un Cristo grande y me puse a orar.

Le pedí que no me lo quitara, que no había hecho mal para tener un dolor tan fuerte. Pasé un tiempo hablando con él, pero yo tenía la necesidad de llorar. Me salí del departamento. Enfrente había un parque y me fui hasta el centro y grité y lloré como loca hasta que me cansé. Resignada, regresé al departamento.

Al siguiente día, a las siete de la mañana, acompañada de mis padres porque Joaquín estaba borracho, me presenté al hospital con mi hijo para la operación. Una de mis promesas a Dios fue que si me dejaba a mi hijo, lo guiaría siempre por el camino de mi Señor Jesucristo, que conocería el pan de vida, y si la decisión de mi hijo era ser sacerdote, siempre lo apoyaría.

Cuando el bebé vio al doctor, empezó a llorar y se abrazaba a mi cuello con muchas fuerzas. El doctor, al ver eso, les dijo a las enfermeras que lo prepararan en mis brazos. Lo inyectaron para que se durmiera y, cuando le rasuraban su cabecita, poco a poco fue cerrando sus ojitos. Cuando ya estaba listo, el doctor me lo pidió. Se lo entregué cerrando los ojos y diciéndole a Dios: "En tus manos lo dejo. Hágase tu voluntad".

Salí de la sala de preparación tranquila y me fui a la capilla del hospital. El doctor me dijo que más o menos tardaría cuatro horas. Habían pasado dos horas, cuando escuché mi nombre; el doctor me buscaba. Corrí a su encuentro con un miedo impresionante, pensando que algo malo había sucedido. El doctor, sin más, me llevó a la sala de recuperación. Ahí estaba mi bebé, vendado de su cabecita, durmiendo aún por la anestesia. "Quédese con él, enseguida lo pasarán a una habitación. Todo salió bien." Eran las palabras mágicas que yo quería escuchar.

Cuando mi hijo y yo salimos del hospital después de unos días, las indicaciones del doctor fueron que el bebé tenía que ir a terapias físicas y que cada seis meses se le harían tomografías y encefalogramas. Como mi hijo me necesitaba, hablé con Joaquín y le dije que lo dejaría solo en el negocio, que necesitaba que se pusiera las pilas, pues ya anteriormente, por culpa del vicio, se volvía irresponsable y en dos ocasiones había quebrado el negocio. Esto pasaba cada vez que yo me alejaba para atender a mis hijos. Y entonces yo regresaba a ayudarle. Además, sabía que mi familia siempre me apoyaba económicamente para volver a levantarnos.

Dejé de ir a trabajar, pero siempre traté de estar al pendiente de los ingresos y egresos del negocio. Llevaba a mi hijo Joaquín René a natación, a terapia con delfines, y me puse a leer libros sobre el funcionamiento del cerebro. Mi hijo dependía de mí y mi reto era sacarlo adelante.

Cuando J. René cumplió dos años, su cabecita se empezó a inflamar donde tenía la válvula y también en el cuello, por donde pasaba la sonda. Lo llevé enseguida al doctor y me dijo que la válvula se había tapado, que habría que cambiar de nuevo todo.

Volví a hablar con Dios y le dije: "¿Señor, en qué estoy mal? Amo al hombre que me diste como pareja, lucho con él en las cosas que está mal, pero no pienso abandonarlo. Sé que es mi cruz y la llevo cargando. Trato de llevar tus mandamientos, voy a misa. Por favor, no me des un dolor que sé que no voy a aguantar. Te lo pedí para toda mi vida, no sólo para dos años. Dame luz, para ti no hay nada imposible".

Mi cuñado me aconsejó que lo llevara a Houston, al hospital de Neurología Infantil. Me contactó con uno de los mejores médicos y viajé hasta allá acompañada de mis padres. Como siempre, Joaquín estaba indispuesto y nunca tramitó su pasaporte ni su visa.

Pasamos una semana por allá. Cuando nos dieron el resultado de los estudios, el doctor se quedó sorprendido de que mi hijo caminara y ya hablara algunas cosas. El resultado había arrojado que no era un quiste, sino que el bebé había sufrido un infarto cerebral y había perdido el lóbulo derecho, que se encarga de los movimientos de brazo y pierna izquierda. Me dijo que habían hecho un buen trabajo con mi hijo, porque las terapias físicas son las únicas que lo sacarían adelante. De momento no entendí si era mejor el infarto cerebral o el quiste, porque siempre pensé que me dirían una mejor opción, como quitarle definitivamente el quiste y que se acabara el problema, pero no fue así. Me dijo que se le tenía que retirar la válvula y la sonda, y que con puras terapias físicas el bebé saldría adelante. Que el lóbulo izquierdo tenía que tomar también las funciones del derecho y que el niño sería muy inteligente.

Cuando llegamos a la habitación del hotel, me puse a llorar abrazando a mi hijo y haciéndole la promesa de que no descansaría hasta verlo totalmente recuperado.

Regresamos a México y seguí atendiendo a mis hijos y, por supuesto, a mi esposo. Cuando J. René entró a la escuela, me quedaba mucho tiempo por las mañanas sin hacer nada. Entonces tomé un Diplomado de Cocina Internacional, pues me gustaba atender a mi esposo, y por las tardes nos íbamos al gimnasio, a las terapias, a clases de danza de las niñas, etc. A las siete de la noche ya nos encontrábamos en la casa para recibir a mi esposo y estar juntos. Sábados y domingos eran familiares y nos la pasábamos muy bien. Estábamos construyendo una casa en Cuernavaca y solíamos irnos para allá los fines de semana e invitábamos a mis padres y hermanos.

En una ocasión, mi padre me dijo que me quería heredar en vida porque no quería dejar problemas, pero me pedía que hiciera separación de bienes, y así lo hice.

Me puso una empresa (fábrica de hielos) en sociedad con mi hermana Gris. Las dos luchamos juntas para levantarla, sólo que mi esposo cambió mucho. No le gustó la idea de la separación de bienes ni que tuviera otro negocio donde él no tuviera participación. En fin, fue un problema más. Yo ahorraba dinero, y con el dinero de la empresa que teníamos Joaquín y yo, construimos la casa de Cuernavaca. Nos gustaba viajar mucho. Tuvimos la oportunidad de ir a Orlando varias veces, a Los Ángeles, Las Vegas, y a territorio mexicano. A pesar de ciertos problemas, éramos muy felices. Para mí, Joaquín era el mejor padre para mis hijos y el mejor esposo, aunque estuviera enfermo de alcoholismo.

Pasó el tiempo, ya teníamos diecisiete años de casados. Joaquín cada vez tomaba más, ya no sólo los fines de semana. A veces, toda la semana y perdía el conocimiento. Cometía muchos errores y llegó a insultarme, para luego pedirme perdón al otro día. Cuando le reclamaba por qué me había insultado, me decía que no lo recordaba. Ya no aguantaba la situación, no sabía qué hacer, hasta que un día se puso muy mal. Estaba tomando y se le subió la presión. Lo llevé de prisa al hospital. Era una congestión alcohólica con taquicardia. El doctor le dijo que su hígado ya estaba muy hinchado, que le podía dar cirrosis, que tenía que dejar de tomar.

Después de unos días me llegó una demanda porque nuestra empresa adeudaba todo un año de renta de la bodega. Aunque yo era la administradora única –en sociedad con él–, él la administró porque me retiré para estar con mis hijos y en la empresa que me había puesto mi padre. Llegaron a embargar toda la maquinaria. Traté de llegar a un acuerdo con el arrendatario, pero fue inútil. El señor estaba muy molesto porque decía que Joaquín ya le había tomado el pelo varias veces. No me quedó otra, renté un tráiler y una noche recogí toda mi maquinaria, vendí mi departamento y le vendí a mi hermana Gris las acciones de la fábrica de hielo. En ese momento no pensé en que estaba cometiendo un delito, lo que yo quería era salvar el patrimonio de mis hijos.

Nos fuimos a radicar a Cuernavaca y renté una bodega para empezar de nuevo. Ya no soltaría el control del negocio nunca.

Hablé con Joaquín y le di un ultimátum: que se metiera a Alcohólicos Anónimos para que dejara definitivamente el vicio, porque ya no podíamos estar así. Ahora sí estaba decidida a todo.

A las dos semanas de instalados y cuando ya estábamos trabajando, mi hija Tere estaba cumpliendo sus quince años. Estábamos mal económicamente, pero desde hacía un año, cada mes estuve abonando para un viaje a Europa, el mismo *tour* que yo hice. Así tuvo también mi hija la oportunidad de viajar.

Cuando ella se fue, tuve un accidente en la carretera de Cuernavaca. Había ido al Distrito Federal por los documentos de las escuelas para inscribir a mis hijos. Iba con mi hija Leslie y la muchacha que me ayudaba en los quehaceres domésticos. El accidente estuvo fuerte, nos volteamos. Gracias a Dios, sólo estuvimos unos días en el hospital. Mis padres me apoyaron, ya que yo estaba en calidad de detenida.

Cuando regresamos a casa, J. René, que tenía ya seis años, me contó que su papá lo llevaba al bar y que había estado tomando. Lo fui a buscar al negocio y Joaquín estaba tomando con el encargado. En ese momento estallé, hice un desastre en la oficina, corrí al encargado y sentí que me iba a dar una parálisis facial del coraje. Mejor me salí de ahí.

Llorando y desesperada le llamé a mi papá, le dije que ya no aguantaba más esta situación, que había hecho todo por salvar mi matrimonio. Mi papá me dijo que en lo que yo decidiera, me apoyaría. Eso era lo que quería escuchar, ya que anteriormente le hablaba siempre a mi mamá y ella me decía que le buscara el modo a mi marido. Entonces me armé de valor y regresé al negocio. Me llevé a Joaquín por las buenas a la casa y mandé a jugar a mis hijos para que no escucharan la conversación que íbamos a tener. Mi papá ya me había aconsejado que lo metiéramos a Oceánica y que él pagaría todos los gastos con tal de darle una oportunidad, pero que él debía estar de acuerdo. Todo esto lo hablé con Joaquín y le dije que si no lo hacía, era mejor divorciarnos. En ese momento me dijo que sí. Y se fue a la cama a dormir para recuperarse. Me fui con mis hijos al súper, y cuando regresé, Joaquín ya no estaba. Fui al negocio, y tampoco; pasaron dos días y no regresaba. Mis padres fueron a verme para hablar conmigo. Iban de vacaciones a Acapulco y se llevaron a mis hijos Leslie y J. René. Yo no fui para atender el negocio y ver si regresaba Joaquín.

Pasaron dos semanas y Joaquín nunca volvió. Regresó mi familia de Acapulco, y mi papá, al verme tan mal, me dijo que nos fuéramos a su casa. Que cerrara un tiempo el taller en lo que se arreglaba nuestra situación. Así lo hice.

Ya en casa de mis papás, a las dos de la mañana tocaron a la puerta. Preguntamos por el interfono quién era y nos dijeron que traían una orden de aprehensión para mí y para mi padre por el delito de robo. Mi mamá contestó que ninguno de los dos estábamos en casa. Entonces los judiciales se fueron. En ese momento mi papá llamó al abogado para que al amanecer fuera a ver de qué se trataba. Joaquín había levantado una demanda de que mi papá y yo nos habíamos robado la maquinaria del taller de costura. Todo lo pudimos resolver rápido porque yo seguía siendo la administradora única del negocio y porque las facturas de las máquinas estaban a mi nombre.

Me di cuenta de que, entonces, Joaquín no había regresado a la casa porque ya quería terminar la relación. En cuanto se cerró el asunto del robo, fui a levantar una demanda de abandono de hogar para que me sirviera como causal de divorcio. Estuve un tiempo viviendo con mis papás, pero íbamos los fines de semana a la casa de Cuernavaca. En una ocasión en que pasé a la bodega a revisar la maquinaria, ya no había nada. Los vecinos me dijeron que Joaquín se la había llevado. No hice nada. Finalmente contaba con mis papás y me sentía capaz de empezar de nuevo de la nada.

No puedo negar que me sentía muy mal, pues había amado a ese hombre más que a mi vida, incluso estuve yendo a terapias psicológicas. Tenía que estar muy fuerte, pues mis hijos me necesitaban. Cuando Tere, mi hija, regresó de su viaje, ya no encontró a su papá en casa. Le expliqué lo que había pasado, le dolió mucho, pero comprendió, pues ella, por ser la mayor, fue testigo de los problemas que se vivían en el hogar.

Me estuve enfrentando a él en las audiencias del juzgado familiar, pero en una ocasión no tuve con quién dejar a mis hijos y me acompañaron. En lo que yo asistía, la juez llamó a mis hijos a su oficina. Cuando terminó la audiencia, ella me llamó y me dijo que escuchara lo que mis hijos declararon. Mis hijas dijeron que su papá, cuando estaba borracho, las acariciaba morbosamente. Tere dijo que su papito siempre le quería tocar su busto, pero que ella no se dejaba, y Leslie dijo que a ella le tocaba las piernas. J. René, que tenía sólo seis años, dijo que quería mucho a su papá y que lo extrañaba. Ésas fueron sus declaraciones. No lo podía creer, siempre pensé que era el mejor padre. No cabe duda de que Dios nunca se equivoca, retiró a ese hombre de mi lado muy a tiempo.

En las audiencias pude comprobar que Joaquín era alcohólico, porque en los hospitales donde ingresó quedó registrado que era por congestión alcohólica. Durante este lapso recibí llamadas de sus amantes, diciéndome que lo dejara en paz. Joaquín tenía ocho hijos fuera del matrimonio, más grandes y más chicos que mis hijos, lo cual quería decir que fui engañada todo el tiempo que viví con él. Sus amantes fueron costureras, la secretaria y la sirvienta que trabajaba con mi hermana, con todas tuvo hijos. Creo que eso fue lo que me ofendió más, porque como mujer nunca le fallé, nunca me negué y nunca le fui infiel. En una de las audiencias no aguanté la curiosidad y le dije que quería saber en qué le fallé. ¿Por qué fue infiel? Me dijo: "Siempre me sentí menos que tú. ¿Recuerdas que de broma te decía que te creías muy chingona? Y tú contestabas que no te creías, que eras muy chingona. Pues me costaba reconocerlo, siempre te vi muy alto. Eras buena para todo. Por eso anduve con esas personas, porque para ellas yo era el jefe. Era don Joaquín".

No contesté nada, me despedí y me di la vuelta. Cuando iba camino a casa, recordé las palabras que me decía mi madre antes de casarme: "Hija, él no es de tu nivel social ni cultural, vas a tener problemas. Mira, su papá le ha llevado a su mamá hijos a criar que no son de ella, dicen que tuvo un hijo con la sirvienta, toma mucho, es mujeriego y le pega a su esposa. No es que lo discrimine, podría ser una excepción que él no fuera a salir como su papá, pero los hijos son el reflejo de los padres, PIÉNSALO BIEN". Más me habría valido escribir todo lo que me dijo mi mamá para que no me saliera tan cierto, porque lo único que le faltó fue pegarme.

Mi vida cambió en un cerrar y abrir de ojos. Al principio sentía que el mundo se me venía encima. Tuve que cambiar de amistades porque frecuentábamos amigos en parejas y, al estar sola, todo se malinterpretaba o daba lugar a otra cosa. Los esposos de mis amigas ya no buscaban una relación de amistad sino de amante. Empecé a tener muchos pretendientes, pero era lógico, todo era deseo carnal. Odié a los hombres. Cuando sabía que eran hombres casados y me pretendían, los trataba con la punta del pie y era déspota. Ahora entendía porqué mi papá se había molestado cuando me quité el anillo de bodas: él sabía lo que seguiría después. Mi hermano René me dio muchos consejos respecto a ser una mujer sola, y me dijo que tenía que romper con esa idea que tienen los hombres cuando saben de una mujer que se ha separado de su pareja. Fui a terapias psicológicas para superar mi separación y salir adelante. Mis hijos me necesitaban y yo no podía tirarme al drama.

En una de las audiencias fijaron la pensión alimenticia por tan solo dos mil pesos, porque el señor demostró que no tenía trabajo, aun cuando él se quedó con toda la maquinaria, pero la puso a nombre de su secretaria y no se pudo hacer nada. Eso no me importaba. Pedí que me garantizara la pensión con la mitad de la casa de Cuernavaca, y contestó que no era de él, sino de su hermano

Raúl. Era la casa donde yo vivía con mis hijos. Salimos discutiendo en esa ocasión y le dije que no iba a permitir que dejara sin techo a mis hijos. No quería la pensión alimenticia, sino asegurarles un lugar donde vivir. Mis hermanos habían asumido los gastos escolares de mis hijos para que no resintieran tanto el cambio de vida… Y mi papá y mi hermano René me pusieron un negocio para que lo trabajara. Me dieron de plazo un año para salir adelante y regresarles los gastos escolares. Estuve ahorrando y, cuando me sentí un poco fuerte, regresé a vivir a Cuernavaca con mis hijos. Fue una situación muy difícil. Instalé el negocio en la casa, empecé a comprar maquinaria con el apoyo de un primo hermano para seguir también con lo que ya conocía. Eran dos microempresas que tenía en casa. Mis hijas me ayudaban mucho a pesar de que nunca habían trabajado, pues siempre las tuve como niñas consentidas. Debo reconocer que cometí un error, debí haberles enseñado desde chiquitas a trabajar, como lo hizo mi madre conmigo, porque la herencia que me dio mi padre la perdí por errores míos. Me dolió mucho, porque él me lo dio de corazón, pero la enseñanza no la perdí y eso debí haber hecho con mis hijos, porque la vida da muchas vueltas, a veces estamos arriba y a veces estamos muy abajo. Sufrí mucho, pero nunca me di por vencida.

El tiempo siguió pasando, se llegaron las vacaciones y nos fuimos al Distrito Federal con mis papás. Un día muy temprano llegaron a casa de mis papás unas personas y yo estaba afuera. Me preguntaron si yo era Teresa del Rosario, y al contestar que sí, empezaron a jalonearme. Eran un hombre y una mujer. Le grité a mi mamá y me opuse a que me llevaran. Enseguida salieron mi mamá y mi hermano César. Era una lucha. Ellos me jalaban para adentro y los otros hacia fuera, hasta que se acercó una camioneta blanca que traía logotipos de la policía de Cuernavaca. Mi papá ya estaba en la ventana con la pistola tirando al aire para ver si estos tipos me soltaban, pero no fue así.

El policía que se bajó de la camioneta le tiró a mi papá y el otro le decía: "Tírale a matar, te estás defendiendo". Me dio mucho miedo que le fueran a hacer daño a mi familia. Le pedí a mi hermano que me soltara y me dejara ir. Me soltó. Al momento alcancé a quitarle al tipo una hoja que llevaba doblada en la bolsa de su camisa y se la aventé a mi mamá.

Los tipos me subieron y en unas cuantas cuadras se emparejó otra camioneta. Era la del hermano de Joaquín, con Raúl y Cecilia. El chofer se bajó y no sé qué hablaría con Raúl, pero seguro le dio indicaciones. Regresó el chofer y condujo rumbo a la carretera de Cuernavaca. En el transcurso, la mujer policía me iba golpeando porque no me iba en paz. Yo quería llamar la atención para que me vieran las autoridades del Distrito Federal, pues aquéllos no tenían nada que hacer aquí, pero todo fue inútil.

Lograron ponerme las esposas y, cuando ya íbamos en carretera, no se podía hacer nada. Me llevaron a la Procuraduría de Cuernavaca. Eran más o menos las nueve de la mañana. Ahí me tuvieron como tres horas, me pasaron con un doctor para que certificara que no tenía golpes, y así lo hizo el señor, aunque sí los tenía. Todo estaba fríamente comprado.

De ahí me llevaron al Cereso de Atlacholoaya, al Juzgado primero. Cuando me bajaron de la camioneta, ya estaban mis hermanos ahí, Federico, César, Gris y René. La hoja que yo le había aventado a mi mamá decía a dónde me llevaban y mis hermanos ya tenían rato ahí. No los dejaron acercarse, pero a Federico no le importó. Aventaba a los judiciales y les decía que por qué me habían golpeado. Yo le gritaba a mi hermano que no, para que no se fuera a meter en problemas.

Llegué a la mesa del Juzgado. El supuesto delito que había cometido fue haber despojado a Raúl y a Cecilia de mi casa. El terreno era ejidal y Joaquín y su mamá le habían firmado una cesión de derechos con fecha anterior a la nuestra. Mis hermanos pagaron la fianza, porque gracias a Dios alcancé fianza.

Ahí estaban Raúl y Cecilia presentes y se quedaron sorprendidos cuando me vieron salir. Me fijaron audiencia para probar mi inocencia y ese proceso también lo llevé junto con el juicio familiar. Raúl y Joaquín me echaron al sindicato y al Seguro Social a mi domicilio. Me tenían bien vigilada. Sabían que tenía personal trabajando ahí, incluso dos de mis costureras resultaron sus cómplices; es decir, fueron puestas por ellos. No me quedó otra opción que sacar el negocio de maquila de ahí y cerrar el otro, que era una pequeña purificadora de agua. La maquiladora la puse en Ayotla Textil, rumbo a Chalco. Diariamente iba y venía. Tuve que dejar solos a mis hijos. Tere ya manejaba y se encargaba de llevar a su hermano a la escuela y de ahí se iba ella con su hermana a la suya. Llegaba muy cansada por las noches. A veces ya los encontraba durmiendo y no podían ayudarme en el negocio.

Decidí abrir un juicio agrario, pues la casa era ejidal, pero todos los comprobantes de la construcción estaban a nombre de Joaquín y como aún era mi esposo, el abogado me dijo que eso me iba a ayudar. El arquitecto declaró a mi favor, también los vecinos. Los comprobantes de que mis hijos estaban en las escuelas de Cuernavaca y la dirección que marcaban era la de mi casa. Mi hija Tere también declaró.

En la audiencias siempre fuimos amenazadas por Raúl y Cecilia. Una vez me gritó que no descansaría hasta vernos pudrir en la cárcel a mi hija y a mí. Quise llegar a un acuerdo con ellos. Fuimos a un restaurante, llegué sola porque así me lo pidieron ellos, pero mi familia sí estaba enterada de esa cita y estaban al pendiente.

Raúl me dijo que Joaquín le había vendido la casa porque necesitaba dinero para sacar adelante su negocio, pero que él no había cumplido con entregarle la casa y que por eso tuvo que levantar esa demanda de despojo. Me daba una semana para que la desalojara. "Muy bien –le dije–, sólo que de lo que le pagaste a Joaquín, a mí me corresponde la mitad. Que yo sepa, sólo le diste un millón, cuando la casa vale tres millones. Dame lo que me corresponde y te entrego la casa." ¡Huy! El señor se molestó y me dijo que las cosas se harían como él decía o que me atuviera a las consecuencias, porque a él no le costaba nada desaparecerme. Me levanté de la mesa y le dije que era una lástima que no hubiéramos llegado a nada.

Continuamos peleando en el juicio. Yo me lo llevé con el defensor de oficio y ellos tenían abogado particular. Además, estaban muy acostumbrados a hacer sus triquiñuelas, tienen mentalidad mafiosa. Eso viene de familia, pues un año antes de separarme de Joaquín uno de sus hermanos, Juan Salgado, había caído en la cárcel. Era de la banda de Daniel Arizmendi, *el Mochaorejas*. ¡Qué podía esperar! Eran capaces de todo; sin embargo, pensé que Joaquín no permitiría que les hicieran daño a mis hijos, pero no fue así. Él mismo fue a Cuernavaca a declarar en mi contra.

No sé cómo le harían, pero se arreglaron con el juez penal de Atlacholoaya y, en una de las audiencias, me dejó detenida. Me pidió un millón de pesos de garantía por la casa, cuando ésta era la que, por sí sola, estaba en garantía. Además, el defensor de oficio se vendió a Raúl. Pedí el derecho a una llamada. Le hablé a mi hermano René y le expliqué la situación. No lo podía creer, pero fue para allá.

Dieron las tres de la tarde y el juez me dijo que tenía que pasar al Reclusorio. Le di mis pertenencias al defensor de oficio, incluso las llaves de la casa para que guardara ahí mi coche, sin saber todavía que el tipo ya estaba del lado de Raúl y Joaquín. Mi hermano llegó al otro día. Era imposible juntar un millón de pesos de un día para otro. Estuve en el Reclusorio una semana, hasta que mi hermano logró depositar la garantía, pero con propiedades.

Honestamente, ya estaba cansada de tantas cosas que me habían hecho. Mi hermano me dijo: "Déjales la casa, más adelante te compro una, ya no tengas trato con ellos". Pero yo estaba enojada, y ahora menos quería que se salieran con la suya.

Cuando me presenté en mi negocio, todo el personal estaba enterado de lo sucedido y me ofrecieron su apoyo. Seguimos trabajando. Al finalizar el día, el encargado, el señor Ángel, me dijo que él había sido policía judicial y que tenía conocidos para que les dieran un escarmiento a Raúl y a Joaquín. Empecé a llorar y me desahogué platicándole lo sucedido, pues él era un señor que nunca me había faltado al respeto y me había respondido muy bien en el trabajo; era de toda mi confianza. Me dijo que el escarmiento era para darle una golpiza a Raúl y que viera que no estaba sola. Le dije que lo pensaría, estaba muy enojada. Sé que debí contestar que no, pero lo dejé así.

Pasaron los días, y el 25 de abril de 2006 me notificaron en el juzgado familiar que Joaquín perdía la custodia y la patria potestad de mis hijos. Días después recibí también la sentencia del juicio agrario, donde les decían a Raúl y a su mamá, la señora Claudia Rogel, que se abstuvieran de molestarme porque la casa les pertenecía a mis hijos y a mí.

Yo estaba feliz, porque si yo presentaba esta sentencia en el Juzgado primero de Atlacholoaya, terminaba con el supuesto delito de despojo que Raúl y Joaquín me habían fabricado. Así lo hice, y ya sólo esperaba la resolución del juez.

El 26 de junio del mismo año, pasando tan solo un mes y días de que había recibido las sentencias favorables, entraron en mi negocio, como a las cinco de la tarde, más de cinco hombres armados preguntando por mí. Les apuntaban a mis trabajadores con la pistola y a gritos repetían mi nombre. Pensé que se trataba de un asalto, pero no quise que lastimaran a nadie. Me levanté de la máquina donde estaba trabajando y les dije: "¡Yo soy! Llévense todo, pero no nos hagan daño". Uno de ellos les indicó: "¡Llévensela!" Y mi hija Tere, que también se encontraba ahí trabajando, se levantó gritando: "¡Dejen a mi mamá!" El tipo dio la indicación de que también se la llevaran. A mí me subieron a un coche negro y a mi hija a otro. Me llevaban agachada y me taparon la cabeza con una chamarra. No podía respirar y trataba de levantarme, pero no me dejaban. Así nos trajeron como dos horas.

Me quitaron mis alhajas y me manoseaban, pero no me decían lo que querían. No me importaba lo que sucediera conmigo, me preocupaba mi hija. Sufría más al pensar lo que le estarían haciendo.

Por fin llegamos a un parque. Ahí me dejaron enderezarme y me quitaron la chamarra. Pude ver a mi hija en el otro coche. De pronto, subieron al señor Ángel (mi encargado), todo golpeado. El judicial me preguntó: "¿A quién secuestraste?" Me quedé sorprendida, no sabía de qué me hablaba. "¿Yo? A nadie ¿de qué me habla?" Me dio un golpe en la cara y empezó a insultarme. Me dijo que hablara, si no, violaría a mi hija. Les dije que los iba a demandar, que no sabía de qué me estaban hablando.

A mi hija le estaban haciendo lo mismo. El señor Ángel me dijo que era cosa de Raúl. Entonces el judicial dijo: "Así es, mandaste secuestrar a Raúl Salgado". Le grité que era mentira, que cuánto le habían dado para hacerme esto. Nos siguieron golpeando. Uno de ellos me alzó la cabeza tomándome del cabello y me dijo: "Qué bonitos ojos tienes, lástima que eres una pinche secuestradora". Dijo esto al mismo tiempo que pasaba su lengua por mi cara. Traté de escupirlo, pero mi boca estaba totalmente seca. Me estuvo manoseando y yo luchaba contra él. De pronto llegó una camioneta blanca de la AFI. Ahí me subieron junto con mi hija y el señor Ángel. En el interior ya había otras dos personas que también iban detenidas. Era un muchacho y otra jovencita como mi hija. Nos llevaron a la SIEDO y nos pusieron en los separos. Estaba con mi hija y no nos dejaron hacer ni una sola llamada. Mi familia no sabía nada. Mi hijo J. René se había quedado en el negocio, pues como estaba de vacaciones también se encontraba ese día conmigo, sólo que se escondió cuando vio lo que pasaba.

Le pedí a Dios que nos protegiera y me diera fuerzas. En la madrugada nos subieron a unas oficinas para rendir declaración. Eran varios cubículos, pero se podía ver todo porque las puertas eran de cristal. Le di la indicación a mi hija de que no firmara nada hasta que llegara nuestro abogado. ¡Cómo iba a llegar el abogado, si ni siquiera nos dieron permiso de hacer una llamada! No quisimos declarar. Vimos que traían al señor Ángel casi cargándolo dos AFI. Lo metieron al cubículo y él tampoco quiso firmar, más bien, ya ni podía. Un AFI le levantó la cabeza y le dio una Coca-Cola y después lo inyectaron, pues el señor Ángel no podía sostenerse solo. Le pusieron la mano en los documentos que tenía que firmar y le pegaban en las costillas para que lo hiciera. No le quedó de otra, ya le habían quebrado siete costillas y le reventaron un testículo. Como pudo, movió su mano y firmó sin poder decir palabra alguna. Es decir, las declaraciones las pusieron los judiciales y los AFI. Así pasamos cada uno de nosotros, incluyendo a las otras dos personas que no conocía.

A mí me pusieron una mesa llena de armas. Uno de ellos me tomó video y me dijo que repitiera lo que él decía. Me daba un arma para que la agarrara, pero no quise. Tampoco dije lo que él quería. Se acercó y me abofeteó Mi hija estaba viendo y escuchando todo. Les gritó: "¡Dejen a mi mami!" Entonces uno de ellos dijo: "Como no quiere cooperar, péguenle a la hija". Pedí: "Déjenla en paz, voy a hacer lo que ustedes me pidan". Como no había ningún abogado, pensé que esto no les iba a servir de nada. Lo único que no acepté fue agarrar el arma. En ese momento me di cuenta de la falsedad que hay en la televisión, cómo obligan a la gente a hacer las cosas, incluso a incriminar personas inocentes.

Me pasaron a otro cubículo donde debía firmar mi supuesta declaración, cuando yo ni siquiera había abierto la boca. Me opuse y me propinaron otros golpes. En ese momento llegó un defensor de oficio y me dijo que me iba a asistir. La Ministerio Público le dijo que ya había declarado. Le advertí que no era cierto, que no sabía ni de qué me estaba acusando. El defensor le preguntó: "¿De qué la acusan?" Y como respuesta la MP mandó por la demanda. El defensor se percató de que, efectivamente, ni siquiera se me había leído la acusación. Le dijo a la MP que esa supuesta declaración no valía, ya que yo me encontraba sin abogado. Discutieron, pero logramos que me reservara el derecho de no declaración. Mi hija ya había firmado una declaración que ella, por supuesto, no había hecho. Después nos volvieron a bajar a los separos. Al siguiente día nos dejaron hacer una llamada. Hablé con mi hermana Griselda y le dije dónde estábamos. Todos estaban en casa de mis padres, pues pensaban que nos habían secuestrado y esperaban la llamada para el rescate. La sorpresa fue grande al enterarse de que era todo lo contrario: a mí me acusaban de secuestradora. Mis hermanos promovieron un amparo, y lo consiguieron. La juez ordenó a la SIEDO que nos dejaran en libertad, pero no fue así. Nos trasladaron a un arraigo en una casa de seguridad en la colonia Doctores. Ahí nos permitieron hacer una llamada. De nuevo le avisé a mi familia dónde nos encontrábamos. Mi familia se movió con abogados y promovieron otro amparo. De nueva cuenta la ley me amparó y ordenó que se me dejara en libertad; ya había pasado un mes.

Fueron los AFI por nosotras a nuestra habitación y nos dijeron: "Recojan sus cosas, se van libres". Pero era mentira. Al salir de ahí, ya nos estaba esperando un coche lleno de judiciales. Nos llevaron al Reclusorio de Neza-Bordo. Llegamos como a las doce de la noche. Los custodios y la custodia que nos recibieron nos quitaron nuestras pertenencias diciéndonos que era mejor, porque si no las internas nos golpearían. En el trayecto al módulo de mujeres, la custodia iba insultándonos y metiéndonos miedo de lo que nos iba a pasar en ese lugar. Era una mujer muy fea, cacariza y hablaba con puras groserías. Lo que tenía de fea lo tenía de mala.

Nos llevó al área médica y después al módulo de ingresos. Ahí nos separaron a mi hija y a mí. A ella la metieron en una celda con cuatro internas y a mí en otra, con seis. Era muy pequeña, como de dos metros por dos, dormían casi sentadas. Me asomé por la ventanita para ver a mi hija y ella estaba haciendo lo mismo, alcancé a ver sus lágrimas. Le grité que no se preocupara, que nos íbamos a ir pronto. Esa noche no dormí. Al día siguiente nos abrieron a las seis de la mañana para hacer la limpieza. Las compañeras nos prestaron unas escobas y trapos. Después teníamos que estar bañadas para la lista de las siete de la mañana y llegaba el desayuno. Las otras listas eran a las dos de la tarde y a las cinco y media, junto con el rancho. A las seis y media nos encerraban. Esto es un decir, porque en sí ya era un encierro el módulo de ingresos, que era aproximadamente de cuatro por tres metros, el patio y ocho celdas. Todo el día lo pasábamos veinticinco internas en ese diminuto patio.

Nos llevaron al Juzgado para rendir declaración. Ahí estaban Raúl y Cecilia. Declaré mi verdad, que todo era una venganza de Raúl porque me quería quitar mi casa de Cuernavaca. Yo venía con el derecho reservado, pero mi hija no. En la SIEDO a ella la habían hecho firmar que era quien hacía las llamadas y que había ido por el rescate. La otra jovencita Mayra, firmó que ella le llevaba de comer, a mi encargado y al otro señor, que eran los que los cuidaban. De todo esto no hay una sola prueba en contra de mi hija ni de mí. De las otras personas, no lo sé. Se contradijeron mucho, y pienso que estaban en mi contra. Mi exencargado se había prestado a recibir dinero de Raúl para perjudicarme y, a la mera hora, se echó para atrás. Raúl también se vengó de él metiéndolo a la cárcel. En las audiencias se presentaron los judiciales y los AFI. Ahí vi a los que nos habían manoseado y golpeado. Todo eso lo declaré, pero ya no valía de nada, era la palabra de una presidiaria contra un judicial y no lo consideraron.

Luego de una semana, Raúl y Cecilia tomaron posesión de mi casa. Eso era lo que querían. Nos dieron el auto de formal prisión. No podía creer lo injusta que es la ley. Cuando nos llevaron de regreso al módulo, nos estaban esperando unas internas, de las sentenciadas, para golpearnos porque veníamos por secuestro. Ya habían golpeado a otras que venían por infanticidio. En ese momento metí a mi hija a la celda, Mayra y yo les hicimos frente. Gracias a Dios entendieron con palabras, se retiraron, pero amenazaron con regresar.

Los sábados y domingos, después de que se iba la visita, nos ponían a hacer la talacha, incluyendo la aduana. Cuando fue una custodia a indicar quiénes la harían mencionó a mi hija y respingué. Dije que iba en su lugar. La custodia se molestó mucho y me dijo que no, pero no hice caso. Nos llevaron a la aduana y para mi sorpresa, el custodio que se encontraba ahí era el que decía a quiénes quería, porque las compañeras se prestaban para andar con ellos y sacarles dinero, claro, manoseada de por medio. Cuando eran nuevas, primero las conquistaban, y después, como ahí junto estaban las íntimas, hacían de las suyas.

Al regresar al módulo, la custodia me reprendió por haber ido yo, pero le saqué sus trapitos sucios, y desde ahí empecé a tener problemas con las custodias porque no me gustan las injusticias. Me di cuenta de todo lo que se veía venir. Pasaron dos o tres semanas y nos bajaron al módulo de procesadas. Ya era de noche, a esto ellas le llaman "remesa". Cuando entramos, las luces estaban apagadas, después prendieron una que otra y pensé que nos iban a hacer algo. De repente se escuchó música y empezaron a bailar, mientras las custodias nos indicaban la celda en que quedaríamos. Gracias a Dios, nos tocó juntas a mi hija y a mí.

Las compañeras nos estaban dando la bienvenida, una bienvenida al infierno. Estaban a media luz, se besaban entre mujeres, se subían a una mesa y empezaban a bailar vulgarmente quitándose la ropa. Se veía el humo del cigarro y unas estaban drogadas. Se acercó una custodia y me dijo que cuidara a mi hija, que nunca la dejara sola. Me di cuenta de que esa custodia era de las buenas, pero que tenía que acatar las órdenes de su jefa. Creo que es poco lo que pasa en las películas.

Cada día ocurría algo. Unas compañeras eran lesbianas y andaban tras de mi hija, le llegaban recados y la invitaban dizque a jugar. Muchas veces las reprendí, pero tenía que controlarme, no quería llegar a los golpes ni que lastimaran a mi hija.

262

Pasaron tres meses. Regresó el resultado del recurso de apelación que había interpuesto el abogado. Mi hija, gracias a Dios, se iba libre y yo me quedé. Me dolió mucho, pero recordé que le pedí a Dios que le diera la libertad a mi hija, aunque a mí me condenaran. En seguida me dieron fecha de audiencia para llevar el proceso. Mi abogado me decía que ya era más fácil sacarme, puesto que no había firmado ninguna declaración en la SIEDO.

En el proceso, Raúl y Cecilia le ofrecieron dinero al señor Ángel (encargado) y a Mauro (el otro muchacho) para que me tiraran. En una audiencia Mauro me preguntó: "¿Cuánto vale su libertad?" Le dije que no tenía precio, que por qué me lo preguntaba. Y me dijo: "Su cuñado me ofrece setecientos mil pesos por tirarle. ¿Cuánto me da usted?" Le solté una cachetada y le dije que no se atreviera, que yo ni lo conocía. Se me vino encima, pero el señor Ángel lo detuvo y me dijo que era verdad, que Raúl les estaba ofreciendo dinero para que yo me quedara y que a ellos los iba a sacar. Me reí al escuchar esa tontería, ¡ignorantes! Raúl era listo. Nos puso a pelear, pero al único que tenía en mi contra era a Mauro.

El tiempo seguía pasando, luchando contra custodias y compañeras. En dos ocasiones tuve que llegar a los golpes. Cuando ven que no te dejas, llegan a respetarte. Me llevaba bien con unas custodias, pero con otras no, sobre todo con las que se pasaban de listas. Después me dio por defender a mis compañeras. Las custodias abusaban de las internas que no tenían apoyo familiar, las traían haciendo talachas y las vendían con los custodios; por las noches se llevaban a unas a sección varonil para venderlas con los internos. Cuando no querían ir, metía mi cuchara para defenderlas y, claro, mis problemas eran más fuertes con las custodias. En una ocasión la custodia me llevó a locutorios, me encerró y me dejó ahí. El custodio que estaba del otro lado, me hizo la plática y yo respondía. Le pregunté por mi abogado y me dijo que lo había regresado porque no traía su pase, que enseguida venía. Esperé un tiempo prudente, mientras el custodio seguía platicando, hasta que le dije que quizás el abogado ya no vendría, que mejor le hablara a la custodia para que me llevaran a sección. Me dijo que sí y abrió, se metió conmigo y quiso seducirme, pero no me dejé. Le di una patada en los bajos y le dije que conmigo se había equivocado. Grité y me dijo: "Cállate, no grites. Ya te voy a sacar, por favor no digas nada, si no, me van a correr". Me pidió disculpas y me abrió la puerta. Llegó la custodia y no le dije nada, sabía que ella estaba de acuerdo.

Regresé a mi dormitorio. Le platiqué a mi compañera de celda, Diana, con la que mejor me llevaba. Me dijo que así se manejaban en la cárcel, que le tenía que entrar porque si no, tendría muchos problemas. No acepté esa idea.

Días después llegaron unas mujeres que venían por infanticidio, y por la noche se presentó una custodia invitando a Diana y a otras a que fueran a golpear a las de ingreso. Ya se llevaba como a seis compañeras para la misión, pero me puse enfrente de ellas antes de que se fueran. Les dije que ellas no eran nadie para juzgar, que cómo sabían si de verdad habían cometido el delito, pero que si ellas estaban libres de pecado, pues que fueran a hacer justicia. Sólo logré que no fueran tres, y entre ellas Diana. Me sentí tranquila porque, al menos, lo intenté. Creo que empezaba a aplicar lo que sabía de la palabra de Dios. Además, por las tardes, estudiaba la Biblia con unas compañeras que eran Testigos de Jehová, y aunque a veces difería de algunas de sus interpretaciones, aprendí mucho. También me acercaba cuando de la calle llegaban las hermanas católicas y las cristianas, yo buscaba refugio en Dios y tenía una inmensa sed de Él. Por la noche, antes de que nos encerraran, rezábamos el rosario. Nunca me he considerado una santa, sé que he pecado mucho, y cuando mi hija se fue libre, me pasó por la mente quitarme la vida, pensaba que así ya no haría sufrir a mi madre y a mi familia, que mis hijos estarían siempre mejor con mis padres que conmigo, pero eso era cobardía, y era la salida más fácil y errónea. Dios hizo que cambiara de parecer, Él me dio fortaleza, y cada vez que me sentía desfallecer, me ponía a rezar.

Un tiempo estuve tranquila, pero después hubo cambio de director en el penal, y llegó Hortensia, alias *la Jitomate*, que hizo muchos cambios. El rancho cada vez estaba peor, a la familia le restringieron la entrada de alimentos, no había medicamentos —por cierto, una compañera falleció porque le dieron un medicamento caducado y al que era alérgica—, los niños también sufrían por la alimentación, y ya no nos dejaban maquillar. Entre todas nos pusimos de acuerdo para hacer una manifestación tranquila y hablar con *la Jitomate*. Hicimos unas pancartas donde expresábamos nuestras inconformidades. A la hora de la lista, nos fuimos al centro del patio con nuestras pancartas y pedimos la presencia de la directora. Las custodias dieron aviso, pero ella tardó en bajar y las compañeras ya estaban impacientes, pretendían hacer destrozos para llamar la atención. Tratamos de controlarlas, hasta que por fin llegó, rodeada de custodios. Pasó al patio de las procesadas y llegamos a un acuerdo, pero no quiso firmar nada, decía que con su palabra bastaba. Después pasó a la sección de sentenciadas, pero ahí no hubo arreglo y secuestraron a la directora, no la querían soltar hasta que les firmara lo que les estaba prometiendo. Cerraron el módulo y los custodios quedaron afuera. Entonces empezó el desorden, todas quemamos colchones, rompimos vidrios y asaltaron la tienda. Las custodias salieron corriendo, pero llegó un grupo antimotines para someternos. Venían protegidos y echaron gas para controlarnos. En el módulo de las sentenciadas tuvieron que abrir, porque los niños se pusieron mal con el gas y fue como pudieron rescatar a la directora. Las custodias nos encerraron en las celdas y, a media noche, estuvieron haciendo traslados de compañeras sentenciadas.

En lugar de que todo fuera mejor, ahora nos traían más a raya. Las custodias no me podían ver, porque me tenían como la líder de procesadas. Un día tuve mucho dolor en el abdomen y no me hacían caso, pensaban que quería llamar la atención, hasta que no pude levantarme del dolor y gritaba, ya no aguantaba. Unas compañeras me cargaron y me llevaron al servicio médico. La doctora dijo que me tenían que llevar al hospital porque al parecer era el apéndice. Así fue, me operaron. Estuve una semana en el hospital y, a mi regreso al penal, todo siguió igual. No hubo consideraciones para mí, tenía que seguir haciendo mis talachas correspondientes.

A la semana entró una custodia a mi celda, era mediodía, estaba acostada con cuatro de mis compañeras leyendo un libro de reflexiones.

De repente se puso a revisar nuestros camarotes y debajo de mi colchón encontró cuatro papelitos doblados. Los desdobló y era un polvo blanco. "¿Desde cuándo vendes droga?", preguntó. Le dije que no dijera tonterías, que no tenía necesidad de hacer eso. Que no vendo, no me drogo, y que ella sabía muy bien que ni siquiera fumo. "Tengo la prueba en la mano. Dame mil quinientos pesos y ahí para la bronca, si no, te segrego y te abro proceso por venta de droga". Empecé a discutir con ella y me jaló para llevarme a Comandancia, seguramente para dar su versión, pero una de mis compañeras le dijo: "Está bien, déjela. Le vamos a conseguir el dinero, denos tiempo". "Las espero hasta mañana; antes del cambio de turno vengo por mi dinero o me la llevo al apando", amenazó. Se fue y estuvimos consiguiendo el dinero. Yo no estaba de acuerdo, pero no nos quedó de otra. Al día siguiente se presentó temprano, se lo dimos y nos dijo que ninguna palabra de esto a nadie. No conforme aún, vio mis tenis en la esquina de mi cama y se los llevó. Mi madre me los acababa de traer. Me dio mucho coraje. Cuando se fue la custodia, una compañera nos avisó que la custodia se había puesto de acuerdo con otra compañera para meternos la droga. Recordé que antes de que la custodia nos hiciera cacheo, mi compañera Alejandra entró a pedirnos unas tijeras prestadas y le dije que estaban en mi cama. Fue entonces cuando tuvo la oportunidad de meter la droga, ya que no le pusimos mucha atención por estar leyendo el libro.

Salí furiosa de la celda y me dirigí hacia donde vivía Alejandra. Sin más, llegué y empecé a golpearla hasta que le saqué la verdad. Me dijo que lo había hecho porque le fijaron fianza y necesitaba juntar dinero, y que la custodia le había dicho que me traía de encargo, pero que no me había podido caer en nada y por eso tramaron en mi contra. El dinero se lo repartieron, ya que la custodia al otro día se iba de vacaciones.

Alejandra se fue a quejar a Comandancia de que yo la había agredido, pero en seguida llegó la custodia *Wendy*, que se fue a despedir de mí porque se iba a otro penal. No quería irse sin antes decirme que tuviera cuidado con ciertas custodias, porque a principios de semana las había visto en la calle platicando con mis contrarios, Raúl y Joaquín, y que meses antes ellos habían platicado con ella y le ofrecieron diez mil pesos para que me golpearan y me llevaran al apando. Ella tomó los diez mil pesos y no me hizo nada, pero estaba segura de que estas custodias sí actuarían en mi contra. Le di las gracias, aunque ya era demasiado tarde, porque la custodia que había mandado poner la droga era una de las que había hablado con Raúl y Joaquín. Ahora me daba cuenta de que todos los problemas que se me presentaban venían de estas personas.

Alejandra regresó de Comandancia con dos custodias, me llamaron y querían llevarme al apando. Les expliqué lo que me había hecho junto con la custodia, pero mi versión no les importó porque perjudicaría a una custodia, además argumentaban que ella ya se había ido y que debí reportarlo en el turno que sucedió. Quisieron tomarme por la fuerza, pero no me dejé, y varias compañeras también se opusieron.

Las custodias pidieron refuerzos y llegaron otras tres. Después de discutir un largo tiempo, dijeron que la jefa de turno quería hablar con nosotras y que todo se arreglaría. Accedimos a ir a Comandancia, éramos seis. Ahí nos tuvieron como dos horas esperando, pero no hablaron con nosotras, ni siquiera nos escucharon. La jefa de turno dio la orden de que nos apandaran. No quisimos y empezamos a los jaloneos con las custodias. Pidieron más refuerzos y llegaron más custodias con dos custodios. En total, ellos eran doce y nosotras seis. Nos golpearon y tuvimos que corresponder; la población se dio cuenta y llamaron a Derechos humanos, Contraloría y a los medios de comunicación.

Habían logrado someter a cuatro de mis compañeras, cuando de repente llegó el subdirector. Dijo que nos iba a escuchar. Sacaron a las compañeras que ya habían apandado. Dijo que no quería problemas, que iban a pasar los de Contraloría y Derechos humanos, que por favor nos controláramos.

Cuando pasaron estas personas, les platicamos lo que nos hicieron y quedaron en ayudarnos. Se fueron, y el subdirector, muy propio, nos dijo que, efectivamente, habían estado mal las custodias, pero que ahora nos tenía que castigar por faltar a la autoridad, que si hubiéramos accedido desde un principio, todo hubiera sido diferente porque él nos iba a escuchar en la audiencia que teníamos por derecho.

Dio la orden a las custodias de encerrarnos y se volvió a hacer el desorden. Volvimos a luchar con las custodias, pero esta vez había más custodios y pudieron someternos. Nos pusieron a cada una en una celda. Eran como las nueve de la noche cuando esto sucedió. Nos metieron esposadas, no había luz ni agua ni colchón, ni siquiera una cobija para taparme. A la una de la mañana no aguantaba el frío y mi cuerpo me empezó a doler de los golpes que me habían propinado.

Así pasamos la noche. Al otro día no nos dieron de comer, nos estaban castigando fuerte, no podía ver a mis otras compañeras, nada más nos gritábamos para saber como estábamos. Y todas estábamos en las mismas condiciones. Me pasaron al doctor y después me llevaron a Comandancia. Ahí estaba un Ministerio Público. Tres custodias me habían levantado una demanda por lesiones, eran las tres con las que luché para que no me apandaran; una de ellas estaba en el hospital porque le había desviado la quijada de una patada. Pero les mostré también los golpes que ellas me habían dado. Total, fue un proceso que finalmente terminó a mi favor en cuestión jurídica, pero se desquitaron en el castigo. Duré cuatro meses en apando.

El primer mes fue fatal, pase frío, hambre, sufría de claustrofobia y no me sacaban para nada. Ni siquiera me dejaban hacer una llamada a mi familia. No sabía nada del exterior. Es horrible llorar por dentro. En la segunda semana del primer mes me pasaron un colchón y una cobija. Yo no estaba acostumbrada a comer rancho, pero el hambre me hizo dar unas probadas. Cada vez que lo hacía, me soltaba del estómago. En el segundo mes, una custodia me hizo favor de pasarme mi Biblia; fue mi refugio y mi fortaleza. Tuve tiempo de estudiar la palabra de Dios. Llegué a pensar que estaba delirando, porque sentía su presencia, empecé a sentir una PAZ inexplicable. Mi tío Carlos (hermano de mi papá), me hacía llegar libros católicos. Siempre pensé que mi actuar estaba bien, porque conocía los mandamientos de Dios y trataba de llevarlos a cabo, pero no era verdad, obedecer a Dios porque así lo dice la ley no lo es todo. Hay que obedecer a Dios por AMOR.

Después me pasaron mi grabadora y empecé a escuchar alabanzas, Dios me estaba hablando, estuvo conmigo siempre, y aunque a veces no alcanzaba rancho, no me daba hambre. Él, con su palabra, me alimentaba, me abrigaba y me abrazaba, estaba viviendo en un desierto con Él, solamente DIOS Y YO. Quise que mis compañeras que también estaban en castigo sintieran lo mismo, y todas las noches nos asomábamos por una ventanita y les leía la Biblia, les explicaba según EL ESPÍRITU SANTO me daba a interpretar.

En el tercer mes, le permitieron el paso un domingo a mi hija Leslie y a mi hijo J. René para visitarme. Leslie me dio la noticia de que estaba embarazada, pero que su novio no le había respondido, que al contrario, le ofreció dinero para que abortara. Ya tenía tres meses. No la reprendí, ella lloraba. Después de todo, lo que estaban pasando mis hijos era culpa mía. Por aferrarme a lo material los había dejado solos. Me dijo que nunca había pasado por su mente abortar, que desde que se dio cuenta de que estaba embarazada, empezó a querer a su bebé, pero que al papá le dijo que sí lo había abortado y jamás lo volvió a ver. Ella le había dicho a la familia que la habían violado, por eso mis padres y mis hermanos querían que abortara y tuve que obligar a mi hija a que les dijera la verdad. Al principio todos la vieron mal, incluso mi padre llegó a correrla de la casa, pero mi madre no lo permitió. La apoyó mucho.

En el último mes ya me dejaban hacer una llamada al día con duración de cinco minutos. Pero una noche, como a las once y media, me hablaron a juzgados. Era para darme mi sentencia. Cuando me dijeron la cantidad de años a los que me condenaban, no podía creerlo: cincuenta y dos años seis meses. No me caía el veinte. La custodia que me llevó me dijo: "Sí que eres cabrona, ni siquiera tu sentencia te dobla". Pero ella no sabía lo que sentía por dentro. Dicen que cuando más fuerte te ves, es cuando más débil estás, y es verdad. Sentía morirme. En esos momentos pasó por mi mente que no disfrutaría a mis nietos y que quizá no volvería a ver a mis padres afuera. Todos mis sueños se vinieron abajo. Cuando llegué de nuevo a la celda, pedí permiso de hacer una llamada para avisarle a mi familia, pero no tuve valor de hablarles a mis padres, sabía el dolor que esto les ocasionaría. Le llamé a mi hermano René, pegó el grito en el cielo. Y se hizo la misma pregunta: "¿Cómo les digo a mis papás?" Aun así, me dio ánimos. Me dijo que esto no terminaba aún, que primero Dios, yo saldría de ahí.

Colgué el teléfono y me llevaron a la celda. Le pedí fortaleza a Dios. Lo extraño es que no podía llorar, necesitaba desahogarme. Me salieron ronchas por todo el cuerpo y me dio una comezón insoportable. Mi estrés lo estaba exteriorizando de ese modo.

Temprano me llevaron al doctor y me dieron medicamento. Tardé casi una semana para componerme, hasta que, por fin, sola con Dios, pude llorar. Sabía que eran pruebas y que Dios me estaba haciendo más fuerte con cada adversidad. Cuando decidí entregarme a Dios y dejar todas mis cargas y seguirlo, el miedo desapareció. Seguí estudiando la Biblia y mi FE fue creciendo cada vez más. No es lo mismo rezar que orar. Rezar es repetir una y otra vez las mismas palabras y orar es platicar con Dios, es pedir lo que quieres y agradecer lo que te da. Cuando DIOS está contigo, sabes que tus problemas se van a solucionar, que todo pasa por algo, y que por muy oscuro que sea, muy pronto brillará la luz.

Cuando pasaron los cuatro meses del castigo y abrieron la celda para que me fuera al módulo de sentenciadas, yo no quería, ahí me sentía bien con Dios, no quería que nada me turbara, tenía miedo de volver a fallarle. Pero ahí era donde se probaría mi amor y mi fe en Dios. Me pasaron al doctor para certificarme. Me pesaron, había bajado 10 kilos y estaba blanca, ¡qué digo blanca!, transparente.

Unas compañeras me recibieron con un abrazo. Desde entonces le hice la promesa a Dios de que le iba a demostrar cuánto lo AMO, amando a mi prójimo, incluyendo a mi enemigo. Mi hijo me dijo que me había extrañado mucho, que por favor ya no me peleara con nadie. Le hice la promesa de que así sería, que me dejaría humillar por las custodias y me sometería a ellas aunque no tuvieran la razón. No niego que sigo pecando, todo es un proceso, pero sé que Dios está trabajando en mí. Cuando fallo en algo, siento dolor en mi corazón, y eso no lo sentía antes. Me vuelvo a enmendar y sigo adelante. Dios permite que te caigas, pero no se vale quedarse tirado. Lo lindo es volverse a levantar, y cada vez que pasa esto, crece tu fe y el amor a Dios.

Por las tardes me dediqué a estudiar la Biblia con unas compañeras, me sentía feliz cada vez que lo hacía.

Pasaron tres meses y una noche me trasladaron de penal. No era de extrañarse. La directora (*la Jitomate*) no estaba tranquila. Se dio cuenta de que era líder y que la había hecho padecer mucho. Aunque ahora estaba guiando a mis compañeras por el camino del bien, no se quedó conforme. Para mí un traslado era nuevo y todo cambio causa miedo a lo desconocido. Cuando íbamos en camino, yo temblaba. Desconcertada preguntaba a Dios por qué más debía pasar y le pedía fuerzas y que me llevaran a un lugar no tan lejano para que mi familia me siguiera visitando.

Llegué a Otumba Centro, a un cuarto de cinco por cuatro metros cuadrados. Las literas eran de tres camas, y eran aproximadamente diecisiete internas, incluida yo. Estábamos superamontonadas, el patio era superchiquitito con un lavadero y un teléfono público. Era la muerte. No sobreviviría en ese lugar. Ni siquiera podía hacer ejercicio. Le hablé llorando a mi hermano René para avisarle de mi traslado. Me dijo que no me preocupara, que en el Bordo había tenido muchos problemas, que quizás así Raúl y Joaquín, ya no podrían hacerme más daño, que estuviera tranquila, que aunque me llevaran más lejos, no me abandonarían.

Cuando me llevaron a Comandancia para leerme la cartilla, el comandante me dijo que venía bien recomendada y que, por tal motivo, estaba castigada, que trabajaría en la cocina. Acaté sus órdenes, y por dentro me reí. Cuando mencionó que estaba castigada, pensé que me llevaría a la celda de castigo, y no imaginé que en ese lugar tuvieran una estancia más chiquita todavía para esos fines. El castigo que me dieron me agradó, porque me llevaban desde las nueve de la mañana hasta las siete de la noche a trabajar. Les guisaba a los custodios, a las distintas áreas, al director y a mis compañeras. Regresaba cansada, directo a bañarme y a dormir. Me evitaba chismes. Por las mañanas, antes de irme a trabajar, les leía la palabra de Dios a mis compañeras.

Mi familia, por la distancia, no me visitaba tan seguido, así que me iba a la cocina a trabajar también sábados y domingos. Siempre prefería eso que quedarme encerrada en ese cuartito.

Pero ya se sabe, Satanás siempre mete su cuchara. No faltó la envidia y uno que otro error que cometí por confiar en unas compañeras. Fueron con el chisme al director de que yo andaba con un custodio, cuando yo era anticustodios. Y me cacharon llevándole una carta al cocinero de parte de una compañera. Eso hizo que el director me castigara y me quitara de la cocina, además nos quitó a todas el teléfono y ya no nos sacaban a caminar por las tardes al patio de los hombres (cuando ellos ya estaban encerrados). Esto ocasionó que me desesperara. Organicé a mis compañeras para que pidiéramos audiencia para hablar con el comandante y nos diera permiso de hacer llamadas por teléfono. El comandante se presentó en la estancia y nos dijo que sí, pero no nos dijo cuándo y las custodias nos ignoraban, así que una noche, desesperada, me puse a patear la puerta para que me hicieran caso. Sólo gritó un custodio que pasaba. Le dije que quería hablar con el director o con el comandante, pero ya no contestó. Entonces mis compañeras me apoyaron y, entre varias, empezamos a patear la puerta hasta lograr que se doblara. Estaba a punto de abrirse, cuando llegó un grupo de custodios y nos dieron la orden, a ocho de nosotras, de que recogiéramos nuestras cosas porque nos íbamos de traslado. A mí ya no me dio miedo. Al contrario, me dio gusto. Pensé que a cualquier lugar que me llevaran, sería la cárcel, pero que al menos estaría mejor que en ese lugar.

Llegué al Reclusorio de Valle de Bravo. Me asignaron la celda 2. Cuando me pasaron con el comandante, él también me dijo que venía bien recomendada, pero que no lo iba a tomar en cuenta, que iba hacer borrón y cuenta nueva, que sólo se fijaría en el comportamiento que tuviera en este lugar.

En comparación con los otros penales, éste está mejor, tanto en el trato, como en el lugar, más limpio y más amplio. Hay custodias que se pasan de listas (en la viña del Señor hay de todo), pero la ventaja de aquí es que tienes comunicación directa con los

273

comandantes y el director, y no sólo escuchan la versión de las custodias. Además, como somos pocas, a lo mucho hemos de ser veinte internas, pues nos conocen bien.

Desde que llegué a Valle de Bravo me identifiqué mucho con una compañera, Silvia, no sé por qué, si es muy diferente a mí. Quizá porque la vi como a una hija por su corta edad. Además, su cara reflejaba amargura y falta de cariño. Cuando ella me platicó parte de su vida, entendí el porqué de su apariencia y comportamiento hacia los demás. Cuando la vida nos trata mal desde pequeños, todo se cosecha cuando somos grandes. He tratado de acercarla a Dios y ahora la veo sonreír, ya no se enoja tan fácilmente. Somos muy buenas amigas. Dicen que en la cárcel no hay amigas, pero yo tengo una amiga y una hija, que es Silvia. Sí existen, sólo es cuestión de ser leales y de que haya mucha confianza.

Llevo tres años aquí, el primer año se me fue rapidísimo. Vienen los hermanos católicos y me acerco a escuchar la palabra; vienen los hermanos cristianos y también me acerco. No es que esté desubicada, me gusta escuchar a Dios. Me doy cuenta de que todos creemos en el mismo Dios, pero que tenemos diferentes tradiciones. A mí ya nada me turba. Amo a Dios Padre, a Dios Hijo y al Espíritu Santo.

Después de un año y de haber agotado todas las instancias que hay para salir de este lugar —las humanas, porque estoy esperando que Dios actúe—, le pedí que pusiera un hombre en mi camino, pero un hombre que ya conociera a Dios, y que ya lo amara a Él. Pero como Dios no cumple caprichos, puso a varios hombres en mi camino, quizá para que no le echara la culpa a Él si me iba mal. Me dio a escoger. Desde que llegué me gustó un compañero, pero después me di cuenta de que lo visitaba una mujer, así que miré para otro lado. Tuve muchos pretendientes, pero no me llamaban la atención; los llegué a querer pero como amigos.

Un día, el hombre que me había gustado desde el principio se empezó a acercar a saludarme. Aunque lo hacía esporádicamente, a mí me encantaba. Ya no lo visitaba más que su mamá y una que otra vez su hermana. Nos hicimos amigos y cada fin de semana que salía, platicábamos un ratito. Empezaba a acostumbrarme a verlo como amigo, cuando me pidió que fuera su novia. Escuché un grito en mi interior. Pensé que nunca lo haría. Le dije que me diera tiempo, que lo pensaría. Y sí que lo pensé, pues después de todo lo que había pasado con Joaquín, no creía en el amor. Deseaba con todo el corazón volverme a enamorar, pero a la vez ponía barreras porque tenía miedo de que me volvieran a hacer daño. Cuando le tenemos miedo a algo, tenemos que enfrentarlo para perderlo. Además siempre le he pedido a Dios que me guíe. Nada más que le pedí un hombre que ya lo conociera a Él y que lo amara, pero Dios me mandó trabajo.

Martín, que es el hombre que ahora amo, no conocía de la palabra de Dios, y poco a poco se ha ido acercando. Antes de que yo lo conociera, Martín se refugiaba en la droga, pero ahora, con la fortaleza que Dios le da, ha logrado dejarla. Tengo miedo de que recaiga, pues no me gustaría repetir lo que viví con Joaquín.

Acepté ser su novia, decidí amarlo. Al principio, me di cuenta de que él titubeaba en cuanto a su trato conmigo, no sabía cómo tratarme, y llegué a pensar que sólo quería jugar. Eso hizo que pusiera más altas las barreras de mi corazón, aunque, para ser honesta, me flechó muy rápido. Llegué a pensar que en realidad era la soledad tan fuerte que se siente en este lugar, porque estamos todos faltos de cariño, pero no, ya llevaba cuatro años en la cárcel y no había sentido esto por ningún hombre.

Cuando vigilancia se dio cuenta de nuestra relación, nos impidieron vernos, porque está prohibido que los internos se relacionen.

Nos fuimos conociendo por medio de cartas, y después, gracias a una amiga (Mariana, que Dios la bendiga), empezamos a enlazarnos por teléfono. Así nuestro amor ha ido creciendo. Cuando el amor es verdadero, no hay obstáculo que valga. Después de casi dos años, Martín y yo hemos logrado que nos den permiso de vernos cada quince días. Estoy muy feliz y le doy gracias a Dios por tantas bendiciones, porque a pesar de estar en la adversidad, Dios me da la gracia de ser feliz.

Ahora tengo dos nietas. Tere se casó y tiene una niña. Leslie es madre soltera, tiene una niña. J. René tiene dieciséis años, está estudiando la preparatoria y es todo un deportista. Mis padres acaban de celebrar sus cincuenta años de casados. Y aunque los problemas no faltan, le doy gracias a Dios porque todos gozan de salud. La unión familiar sigue gracias al amor que nuestros padres nos inculcaron. Toda mi familia sigue luchando por mi libertad, y no perdemos la fe y la esperanza de que Dios nos dará licencia de estar nuevamente juntos.

Nunca hay que pelear por cosas materiales. Mientras tengamos salud y fuerza, siempre podremos salir adelante. Ahora todo lo puedo en Cristo, porque Él me fortalece; obedezco a Cristo por amor y no por mandato. Ya no hay nada ni nadie que pueda separarme de Él. No me considero católica ni cristiana, porque Dios no es una religión. Soy seguidora de Cristo y quiero imitarlo. Ir siempre tomada de su mano. Todo lo que pueda sucederle a mi familia y a mí es porque Dios así lo quiere, y aunque sea una adversidad, será para crecer en el amor a Dios. Recuerda, Dios cumple sus promesas, y si tú eres obediente de sus mandamientos por amor, sus bendiciones te alcanzarán.

La verdad te hará libre. Gracias, Dios, por darme mi libertad espiritual. Estoy tranquila esperando mi libertad corporal. Gracias por tu misericordia y el gran amor que me das. Ahora sé cuál es mi misión en esta vida y con tu gracia no te fallaré.

Señor Jesús, yo te necesito
te abro mi corazón y
te recibo como mi Señor
y salvador.

Yo confieso y declaro
que tú eres el Señor
y creo de corazón
que Dios te levantó de
entre los muertos y en este
momento me arrepiento de
todos mis pecados,
en el nombre de Cristo Jesús.

Amén

Sigo recluida en el reclusorio de Valle de Bravo. Tengo sentencia de cincuenta y dos años seis meses. Llevo en la cárcel seis años. Ya había agotado todas las instancias, pero salió una reforma donde se podía meter nuevamente el amparo directo y así lo hicieron mis abogados. Estoy esperando resultados. También tengo una queja en Derechos Humanos Internacional, donde expongo las garantías que me fueron violadas. La aceptaron, y también espero los resultados. Tengo mucha fe y esperanza de salir de este lugar. CREO EN LA JUSTICIA DIVINA.

Dios está siempre rodeándonos, es más, somos un puntito de luz lleno de amor a Dios, sólo que nosotros, en nuestro loco vivir, no captamos lo bello que se nos da y, por lo mismo, nos vamos cegando en los "ojos del alma". Pero piensa, amigo mío, que cada detalle, cada encuentro, cada acontecimiento es en el que se nos hace presente y nos dice: "¡Aquí estoy!" El evangelio diariamente nos dice palabras sabias, pero no lo oímos, no lo hacemos vida, porque el materialismo nos aplasta y nos privamos de vivir un cielo anticipado.

Habrá mil razones para llorar, pero tendrás mil y una razones para ser feliz, no importa dónde te encuentres ni por lo que estés pasando, sigue viviendo porque Dios siempre te dará felicidad aunque estés en la adversidad.

Centro Preventivo de Readaptación Social-Femenil
Valle de Bravo, Estado de México

277

La cárcel se la hace uno mismo

Julieta Doroteo Miralrío

Mi nombres es Julieta, y la peor tragedia que me ha sucedido es haber caído en este lugar con muchas rejas y candados grandes desde octubre de 2002. Cada vez que cierran las puertas, me da un sentimiento muy grande, porque me hacen sentir como si fuera la peor de las delincuentes. No lo soy, pero con tantas sentencias que me dieron, es como si hubiera matado o violado. De veras que no me cabe en la cabeza tanta desgracia. Lo peor es que conmigo me traje a mi padre, que ya está grande, y siento gran impotencia al no poder hacer nada por él. No me doy por vencida, aún existe Dios y le pido que me ayude y me proteja a mí y a los míos.

Un día en que estábamos rezándole a nuestra   mis compañeras y yo, empezó a temblar. Ellas se llenaron de miedo y me decían que nos saliéramos del dormitorio. Contesté que no. Lo primero que se me vino a la mente fue pedir por todos los que vivimos en el mundo, sin importar si son malos o no. Me nació y lo hice. Nos agarramos de las manos y les dije a mis compañeras: "¿A poco no tienen fe?", y volteé a ver a la   a la cara y le pedí: "Mamacita, ayúdanos, calma el temblor". Me escuchó, porque cuando acabé de pedir, dejó de temblar. Sentí un gran alivio y una tranquilidad en el pecho por la paz que me transmitió. Le di las gracias por todos, porque todos hemos cometido errores, y por ello lo hice.

Ésa fue una prueba de que si las cosas se las dejamos a Dios, Él las resuelve, sea lo que sea. Por eso he dejado a mis hijos a su cuidado, ya que ni yo ni mi marido podemos hacerlo, ya que los dos estamos atados en estas cuatro paredes oscuras.

Lo que más me preocupa es el problema de mi hijo Cristian, que cayó en el alcohol. Sé que eso es una enfermedad y que es difícil de salir de ella, pero no imposible. Eso me da la fuerza para seguir adelante por mis demás niños, y demostrarles que estar aquí me ha hecho más fuerte. Ahora prefiero no tener nada, pero quisiera estar con ellos para ir a pasear como lo hacíamos cuando estábamos libres y unidos como familia. Sé que algún día tendré la oportunidad de hacerlo y demostrarles lo mucho que los quiero. El que sean un poco rebeldes no implica que mi amor por ellos cambie. Es una tarea difícil, pero voy a poder de algún modo.

Estar en prisión me ha servido para entender que no se debe vivir aprisa y que nadie debe decidir por nosotros. Debemos saber disfrutar, porque estar bien ya es ganancia. Cuánta gente quisiera estar como nosotros, sanos y valiéndonos por nosotros mismos. Lo importante es que Dios no nos abandona, su amor es más grande que el nuestro. Cuando nos encontramos con gente que nos hace daño, peleamos o la tratamos mal y así la *regamos*. Él nos ama de todos modos.

Estar en prisión me ha enseñado a valorar la libertad y todas las cosas que ahora quisiera y no están a mi alcance, pero no me desespero y trato de salir adelante con mi esfuerzo, con mi comportamiento, participando en lo que pueda para que se me haga menos pesado el tiempo que paso aquí.

Cuando llega alguna compañera con depresión le digo: "Échale ganas que Dios no te ha dejado. Piensa, tú vienes por poco tiempo, pero a tu alrededor hay personas con sentencias largas y, sin embargo, tratamos de salir adelante por nosotras mismas y por nuestra familia". Me gusta hacer eso porque quisiera ayudarlas a salir. Por lo menos les doy una palabra de aliento con mucho gusto y les brindo mi amistad, aunque me paguen mal. Así soy y me gusta, algún día puedo necesitar de una palabra de aliento, de alguien que me diga: "No te preocupes, pronto te vas a ir a tu casa". Ya me falta poco y, con la voluntad de Dios, pronto voy a estar con mis hijos. Lo único que tengo bien claro es que, de ahora en adelante, voy a elegir bien a mis amistades y que no haré las cosas arrebatadamente. Cuando uno pierde los estribos, puede hacer daño, y cuando nos damos cuenta, ya es demasiado tarde. Por eso es importante trabajar en la tolerancia. Sé que es difícil, porque cuando te encuentras con gente peleonera, te olvidas de todo. Una vez me pasó con una chica que venía de traslado. Discutimos tan duro que, nos íbamos a pelear, pero luego corrió. Las demás compañeras me decían que pensara en mis hijos, pero tenía coraje porque era una chica muy problemática. No sé qué pasó por mi mente cuando ella corrió y dijo: "No vale la pena ensuciarme las manos por alguien que está tan desubicada y además sola". Después sentí pena por ella, porque, la verdad, ella sí estaba sola, y eso me hizo recapacitar y ya no pelear. No me gusta ser encajosa y sacar ventaja, pero tampoco que me hagan daño, por eso trato de alejarme de la gente que es así. Sí les hablo, pero lo indispensable, para no tener problemas. Cada quien sabe cómo hacerse la vida: si la haces pesada o te la llevas tranquila. La cárcel se la hace uno mismo.

Lo que me preocupa es mi madre. Cada vez que la veo, siento que ya me la acabé con tanta preocupación. Me dolería mucho no tenerla, porque madre nada más hay una vez. Por eso me dije: "Julieta, no hay otra cosa más importante que tu madre y tus hijos". Por ellos y por mí debo luchar por salir de este lugar que, de alguna manera, me ha servido para crecer como ser humano. Ahora sé hacer muchas cosas que antes no. Sé tejer, deshilar, bordar, leer un poco y algo de computación. Gracias a que aquí nos han brindado ese apoyo, que para mí tiene mucha importancia. El día de mañana podré decirles a mis hijos con orgullo lo que aprendí a hacer en este lugar, pero no por eso le deseo a nadie que llegue aquí. No estar con tu familia es muy feo y desesperante, más cuando sabes que tienen problemas y no puedes ayudarlos.

Tengo que agradecerles a mi madre y a mi hermana Yesenia que hayan sacado adelante a mis hijos y a los de mi hermana Guadalupe, pues ella también está aquí, conmigo. Me siento mal porque parte de mi familia se encuentra recluida y es desesperante. Son más gastos, más dolor. Veo a mi padre acabado; a mi hermana Lupe preocupada porque, aunque venimos por el mismo delito, a ellos les dieron más sentencia que a mi esposo y a mí. Entonces no entendía la gravedad de la situación; con el paso de los años empecé a preocuparme porque pasaba el tiempo y no encontraba la salida. Le dejé las cosas a Dios y, un buen día, le hablaron a mi hermana y le dijeron que su amparo salió favorable. Sentí tan bonito que le dije: "Vas a salir, hermanita". Aunque yo me quedara, me daría gusto que ella saliera. Sé que verá por mí y los que nos quedáramos. Somos muy unidas y siempre nos apoyamos. Aunque algunos de mis hermanos no nos visitan por cuestiones de trabajo, sé que cuento con ellos porque de lo que ganan ayudan a mis hijos, y para mí eso es un gran apoyo. Por eso pienso que Dios siempre está con nosotros. Levantarme y abrir los ojos ya es ganancia. Por eso no hay que preocuparse por las cosas que no tienen arreglo, mejor hay que pensar en el hoy. La vida no la tenemos comprada, y si no la vivimos al máximo, nos podemos arrepentir ya demasiado tarde.

Haber caído en este lugar fue una desgracia, pero ahora sé lo que debo hacer al salir: comprender las cosas y llevármela tranquila. Nadie tiene la culpa de que yo esté aquí, más que yo por mis malas decisiones y las malas compañías. Por eso, cuando salga de aquí, voy a pensar bien las cosas y a ordenar cómo debo vivir. Si quiero estar bien debo vivir con mis hijos y mi esposo, y no tener amistades que me induzcan a hacer cosas indebidas, porque no me gustaría volver a estos lugares. No quiero darles ese ejemplo a mis hijos ni que pasen por esto. Uno, como padre, quiere lo mejor para sus hijos, por eso hablo con ellos, les digo que me cuenten sus cosas, que me tengan confianza. Pase lo que pase, los voy a apoyar, a entender y a tratar de ayudarlos en lo que pueda. No puedo hacer mucho porque estoy aquí, pero gracias a Dios no me faltan el respeto y, cuando les llamo la atención, no me contestan. Me siento mal por estar encerrada, pero a la vez contenta porque cuento con toda mi familia.

Centro Preventivo de Readaptación Social-Femenil
Valle de Bravo, Estado de México

TRES MUJERES EN MI VIDA

El Águila Real

Escribo estas líneas dedicadas a las tres mujeres que forman parte de mi desarrollo como persona en lo social, emocional, laboral, psicológico y cultural. Cada una de ellas me fue formando como una pieza de barro. Tuve tres maestras de la vida: una con historia en su vida, la otra con su caminar por la vida, y la última por su lucha de superación en la sociedad, por sus esfuerzos, su inteligencia, y el amor a su madre y a su sobrina, a la que amó y cuidó como a su propia hija.

Gracias a ustedes, mujeres de mi vida, por los recuerdos, sus enseñanzas, su amor, su comprensión, por todo lo compartido, por formar parte de mi historia. Ustedes son mi orgullo y mi fortaleza en cada paso, cada vez que he estado a punto de caer en el vacío de la soledad, ustedes vienen a mis recuerdos y vuelvo a levantar el vuelo con mis alas y recuerdo las palabras de la mujer que me dio la vida: "Tú eres un águila real de altos vuelos que siempre debe estar en la montaña más alta, que es el éxito en la vida. Nunca olvides esto, hija, pues detrás de ti está tu abuela, que es mi madre, y tu tía, la cual te cuidó". Son mujeres de lucha y superación. Gracias, amadas mujeres.

EL ÁGUILA REAL

La primera mujer de la cual tengo grandes recuerdos es de mi abuelita materna: Josefina López Ortiz, hija, a su vez, de la señora Romana Ortiz Herrera y del señor Francisco López, quienes fueron sirvientes de confianza del presidente Francisco I. Madero y de José María Pino Suárez, con los que trabajaron por muchos años, hasta que empezaron a ser perseguidos. Mis bisabuelos tuvieron la idea de sacarlos disfrazados de mujeres por un túnel secreto que está abajo del Castillo de Chapultepec. Los dos aceptaron salir por el túnel que llegaba a la Penitenciaría de Lecumberri –hoy Archivo General de la Nación–, y les dijeron que si no regresaban en unos diez días, buscasen dos sobres que estaban en su biblioteca y tomasen todo lo que había en un cuartito que mis bisabuelos conocían. Que se cuidaran y que siguieran siendo buenos trabajadores, pues tenían a sus cinco hijos para vivir y luchar. Pasaron tan sólo unas horas, y cuando los hombres llegaron a Lecumberri, ya los esperaban sus enemigos. Al subir por las escaleras, fueron rodeados y tomados prisioneros.

Comentaba mi abuelita Jose que sus papás, al escuchar las noticias por el radio, inmediatamente buscaron las cartas que les había dejado el presidente Madero, tomaron las llaves del cuarto donde se guardaba dinero, barras de oro, alhajas y cosas de plata y se llevaron lo más que pudieron, como se lo pidió el presidente, para que siguieran ayudando a la gente pobre. Mis bisabuelos pidieron la ayuda de sus hermanos para sacar todo lo que había en ese cuarto.

Pasaron algunos meses y empezaron a comprar tierras de trabajo para darlas a trabajar a campesinos muy pobres. Pusieron negocios chicos de ropa y víveres y, para ellos, dos tiendas bien surtidas. Compraron una casa antigua en la colonia El Chorrito, que era parte de Tacubaya. La infancia de mi abuelita Jose y sus cuatro hermanos fue muy cómoda, como de niños ricos. Estudiaron en escuelas de prestigio hasta que llegó la Revolución mexicana y mis bisabuelos fueron separados. A mi bisabuelo Francisco se lo llevaron de revolucionario, y su hija mayor, mi tía Jovita López, también se fue a la Revolución con tan sólo dieciséis años.

Mi abuelita Jose y sus tres hermanos se escondieron con mi bisabuela en un túnel que habían hecho debajo de la casa y ahí permanecieron por tres meses. Mientras la Revolución estaba en auge, mi bisabuela tenía víveres, agua y todo el dinero ahí abajo. Entraban a su casa los militares y gente bandolera, pero nunca pensaron que debajo del cuartucho que usaban como cocina estaba el túnel donde vivía mi bisabuela con sus cuatro hijos. Al pasar el tiempo, por el radio escuchó mi bisabuela que la Revolución había concluido. Subió sola para comprobar que ya no había peligro y así fue.

Todo estaba de cabeza, las propiedades habían sido saqueadas, había muertos por dondequiera y muchos niños huérfanos, pues sus padres yacían muertos. Así, mi bisabuela con sus cuatro hijos volvieron a su casa. Escombraron, arreglaron y pusieron todo en orden. Mi bisabuela tomó medidas y dejó en el túnel todo su dinero y cosas de valor.

Pasaron algunos años, y mi bisabuela no supo nada de mi bisabuelo, de su hija mayor hasta después de tres años de concluida la Revolución. Ella venía con dos hijos y su marido.

Mi abuelita, doña Josefina López Ortiz, ya tenía doce años, trabajaba y estudiaba la secundaria. Siempre ayudó a mi bisabuela, pues sus otros tres hermanos estaban pequeños. Transcurrió el tiempo y mi abuelita cumplió diecisiete años. Consiguió entrar a la fábrica de galletas Lara, donde empezó a laborar en el área de pastas. Supo echarle muchas ganas hasta lograr ser la jefa y después pasó al área de galletas. Ahí duró sólo un mes como simple empleada, hasta que los dueños la ascendieron a jefa de área. Me platicaba mi abuela que le pagaban muy bien, que su sueldo le alcanzaba para sus cosas personales, para el gasto de su mamá, los útiles y para sus tres hermanitos: Hermelinda, Martín y Rafael.

En aquellos años mi abuelita conoció a su primer novio, un hermano de Manuel Ojeda, famoso actor en la actualidad. Su novio se llamaba Rogelio Ojeda, con el cual duró dos años. Su madre era muy estricta con ella y con sus hermanos, no tuvo amigas ni amigos, era una joven muy disciplinada. A los dieciocho años conoció a su segundo novio cuando iba de compras al centro de la ciudad de México. Al abordar un trolebús, se le acercó el señor Rodolfo, ahora un hombre famoso, conocido como el luchador *Blue Demon*. La invitó a verlo entrenar en un gimnasio que estaba por la avenida San Lázaro. Después él le pidió conocer a sus padres, y ella le contó que sólo tenía mamá, pues su padre había fallecido en la Revolución, que su madre era muy enérgica y muy conservadora, pero que hablaría con ella y, si se lo permitía, lo llevaría a su casa.

Mi abuelita platicó con su madre y ésta aceptó conocer a su amigo. Lo llevó a su casa y el señor *Blue Demon* se portó muy amable con mi abuelita y con mi bisabuela Romanita Ortiz Herrera. Pidió permiso para ser novio de Josefina, a quien, gracias a su buena conducta, sí le otorgaron el permiso. Pasaron algunos meses, todo iba muy bien y el señor le pidió que se casaran. Mi abuelita no quería ese compromiso por no dejar a su familia. No quería que su mami y sus hermanos padeciesen de nada, por lo cual le pidió tiempo.

Su carrera continuó en ascenso en galletas Lara; ganó premios económicos y despensas por ser una de las cinco empleadas más disciplinadas y puntuales en su trabajo. A ella le gustaba mucho tocar la guitarra y cantar. Conoció a dos muchachas que solicitaron trabajo en la fábrica, con las cuales, a través del tiempo, entabló una sólida amistad. Cuando la escucharon cantar, la invitaron a tomar clases de canto y de guitarra en una carpa cercana al teatro Blanquita. Así lo hizo. Ahí las escuchó uno de los dueños de la carpa y les propuso formar un trío musical, Las Jilguerillas. Mi abuelita le comentó lo sucedido a su mamá, pero como temía que les hiciesen alguna maldad, no dio el permiso. Mi abuelita, a escondidas, empezó a cantar con sus amigas como trío en diferentes carpas. El empresario las quería llevar a la radiodifusora XEQ y con los dueños de discos RCA Victor. Mi abuelita tenía que decidirse: les ofrecían muy buen sueldo, casa, carro y la fama a nivel nacional. Pero ella renunció a la oportunidad de ser una mujer conocida en el ambiente artístico por el amor tan grande a su madre y hermanos. A pesar de todo, sus compañeras la apoyaban económicamente, cada quince días le daban dinero. Mi abuelita continuó en galletas Lara y con su relación con *Blue Demon*, a quien acompañó a varias luchas estelares en la arena Coliseo, la México y en algunas otras de la ciudad de México.

Al paso de unos meses, conoció a un hombre de pueblo, alto, moreno, con pantalón de yute, sombrero de palma y huaraches, totalmente un indio, que venía del Estado de México. Margarito Salazar González, campesino del pueblo de San Lorenzo, cerca de Toluca, vino a buscar trabajo, pues tenía que sostener y ayudar a sus padres. Eran cinco hermanos con él, algunos ya casados, con muchos hijos cada uno; él era el segundo hijo. Le hizo la plática a mi abuelita mientras caminaba a su trabajo. Ella le dijo de un trabajo en un café de la colonia América, que formaba parte de Tacubaya, y le dio la dirección. Como a los dos meses lo volvió a encontrar, iba acompañada de su novio el luchador. Saludó a mi abuelita e ignoró por completo a su novio. Le comentó que le estaba yendo muy bien, que ya había rentado un cuartito y que iba cada dos meses a su pueblo a dejar dinero. Mi abuelita lo felicitó: "Échale ganas, Margarito, y discúlpeme, pues ya me tengo que ir con mi novio". Él la miró con mucho coraje y a su novio con rencor.

Mi abuelita no se dio cuenta de que este hombre, indio de pueblo, la seguía a diario, después de salir de su trabajo o, a veces, al salir de su casa rumbo a su trabajo. La estaba vigilando: qué hacía y con quién salía, a qué hora regresaba a su domicilio. Transcurrieron los días y en el mes de agosto de 1937, al salir de su trabajo, cuando estaba por subir a un trolebús, ese indio le tapó la boca, la subió a fuerzas a un taxi, y le tapó los ojos con un pañuelo y la boca con otro. Llegaron a su pueblo, San Lorenzo, la bajó, la cargó y la metió en un cuartucho de madera y láminas de cartón. Le destapó los ojos y ella empezó a llorar amargamente.

287

Él le dijo que la quería pa'su esposa, que desde que la conoció le robó su corazón, que no le faltaría nada porque él trabajaría muy duro para ella, y si no aceptaba ser su pareja, él mandaría matar a toda su familia. Le quitó el pañuelo de la boca y ella lo pateó y lo insultó. "¡Cómo crees que me casaría con un indio como tú! Ni siquiera sé quién es tu familia, eres muy feo. Yo soy una mujer de la capital y, además, tengo mi novio con el que me pienso casar en unos meses". El hombre sólo la miró muy fijo. Pasaron unas horas y, a las siete de la mañana del otro día, la sacó del cuarto y la llevó ante sus padres y hermanos: "Miren, papás, me la robé de la capital, pues me gustó mucho". Sus padres abrazaron a mi abuelita. Ella les platicó que era hija de familia, que era el sostén de su madre y sus hermanos y que tenía novio oficial, que su mamá iba a estar muy asustada y preocupada por ella, que por favor hablaran con su hijo, para que la llevara a su casa. Los padres de este hombre, Román y Carmen, hablaron con él, pero no lo hicieron cambiar de idea. Hasta cuatro días después la llevó con su mamá, mi bisabuela Romanita. Iba acompañado de sus padres y sus abuelos. Tocaron a la puerta de la casa de mi bisabuela, abrió su hermano Rafael, la abrazó y gritó: "Mamaaaaaaá, ya trajeron a mi hermana Cheva", como le decían todos sus hermanos. Mi bisabuela la abrazó: "¿Por qué te fuiste, hija? Tu novio ha estado bien preocupado por ti y de tu trabajo también han venido a buscarte. Me llevaron a levantar una denuncia de que no regresaste de tu trabajo". Mi abuelita la abrazó, lloró y le explicó lo que ese hombre le había hecho. Los padres de él hablaron con mi bisabuela, quien pensó que ella había sido manoseada por ese indio, que su hija ya no era virgen, por lo que aceptó que se casara con ese hombre tan feo y tan indio. Pusieron la fecha para el matrimonio en diciembre de 1937. Se casaron por la iglesia y por el civil.

Mi abuelita tenía diecinueve años. Cuando fue a dar las gracias a la fábrica de galletas Lara, sus jefes directos no querían que renunciara, pues era su mejor empleada. Ella les explicó sus motivos y le dieron su cheque de liquidación. Los dueños de esta fábrica, los señores Lara, le pagaron todos los muebles para su casa, su vestido de novia y mucha despensa. Se fue a vivir a la colonia Parque Lira. Ahí rentaron una casa sola, muy cerca de mi bisabuela. Así se casó sin amor por ese hombre, mi abuelo, que murió en 1966.

Transcurrió el tiempo, el hombre empezó a progresar, puso una tienda de abarrotes, más adelante un expendio de café molido: Café Mago, y acrecentó su capital. Le daba buen gasto y dinero para mi bisabuela. En marzo de 1938 tuvieron su primer hijo, mi tío José Ramiro, que era muy bonito, pues sacó el color de la familia de mis bisabuelos y no de mi abuelo Margarito y su raza. En la familia de mi abuelo le decían a mi abuelita *la Catrina*, pues era muy bonita, bien vestida y de familia de abolengo. Sus concuñas no la querían, la trataban con indiferencia, pero sus suegros la querían mucho por trabajadora y buena hija, buena esposa y madre.

Así pasó un año más. Nació entonces mi amada madre, Judith Salazar, nació el 13 de septiembre de 1940. Era morenita apiñonada, se parecía mucho a su papá. A los dos años, mi abuela tuvo a su tercer bebé, mi tía Santa, y en 1943, a mi tío Armando, que nació mal, con sus pies hacia atrás, pues mi abuelo la había golpeado salvajemente y la aventó por las escaleras. Este tío era muy negro, feo como su papá y lo llevaron con un doctor particular —un prestigiado cirujano, el doctor Melgar, que trabajaba en la clínica Mocel—, para que lo operara de sus pies. Después de varias cirugías lograron arreglárselos. Mi abuela tuvo cinco hijos más.

Mi abuelo bebía, se iba de parranda y tuvo varias amantes, entre ellas las cantantes María Luisa Landín y Virginia López. Ya era dueño de otro café, el Café Teca, con lo cual acrecentó su fortuna. Se trajo a vivir a la capital a sus cuatro hermanos para que trabajaran con él. Siguió bebiendo. Cuando mi mamá tenía como cinco años, oyó a mi abuelo hablar solo, decía que la Muerte y el Catrín lo seguían y se lo llevaban por llanos lejanos, pero que no les tenía miedo. Mi abuelita Jose le temía cuando tomaba. A veces no llegaba a casa, tardaba hasta cinco días y regresaba bien revolcado y sucio. Golpeaba a mi abuelita; su mamá y mi bisabuela se enfrentaban a mi abuelo, y también sus hermanos varones.

Pasó el tiempo, mientras empeoraba su manera de beber. A pesar de todo, era amoroso con sus hijos, a los que nunca golpeó ni insultó; les dio estudios a mi tío Pepe y a mi madre.

En una ocasión reunió a sus hijos y a mi abuelita y les dijo: "Mira, mujer, te voy a confesar una verdad, pues ya no soporto lo que me pasa. Escuchen ustedes, hijitos, y perdónenme por ser tan tonto. Mi ambición me hizo cometer esta tontería por la que los he puesto en peligro. Apenas nos casamos, me reuní con cuatro amigos de mi pueblo y nos pusimos a tomar cerveza hasta que se nos subió. Fuimos hasta el cruce de caminos del pueblo y al llegar ahí, se le ocurrió a uno de ellos que matáramos un gato negro y dos gallinas negras y que se las ofreciéramos al diablo y a la muerte a cambio de tener mucho dinero, poder y prestigio. Los cuatro aceptamos hacer ese pacto. Cuando me tocó a mí hacer mi sacrificio, ofrecí a mis dos primeros hijos, que hicieran con ellos lo que quisieran, pero que me dieran dinero y poder".

Mi abuelita empezó a llorar amargamente: "Ahora entiendo por qué siempre hablas del Catrín y del Diablo. ¿Por qué esperaste tanto tiempo para decirme esto tan terrible, Margarito? Ahora comprendo porqué obtuviste dinero y negocios tan rápido: a cambio de que algún día el Catrín se lleve a mis hijos. ¿No te das cuenta de que está en peligro la vida de tu hija consentida, tu *Amadita*?" Así le decían a mi mamá, su primera hija mujer, a la que llevaba a todos lados y pasaba a recoger a la escuela para tenerla en su negocio.

Cuando el abuelo salía a dejar mercancía a los pueblos cercanos a Toluca, dejaba a cargo a mi abuelita Jose; ella tomaba algunos fajos de dinero y se los daba a mi bisabuela para que los guardara, por si en algún momento se quedaban en la ruina. Mi abuelo seguía bebiendo y golpeando a mi abuelita, la corría de la casa aunque estuviese embarazada, la arrojaba a la calle. Ella se quedaba a dormir abajo de las escaleras del patio de su casa, y en la madrugada mi mamá se paraba y le abría la puerta sin que su papá se diera cuenta. Cuando amanecía, él como si nada, se paraba exigiendo su desayuno. Así crecieron mi madre y sus hermanos.

Empezaron las crisis económicas. Los hermanos de mi abuelo le robaban dinero y mercancía, y su alcoholismo empeoró.

Mi mamá fue la primera que se recibió, de secretaria ejecutiva en español, y empezó a trabajar en una fábrica de telas con unos libaneses. Era facturista y a la vez secretaria particular del dueño. Ganaba quinientos pesos a la quincena, que en esos tiempos era mucho dinero. Después se fue a trabajar a Villa Olímpica, donde era jefa del área de secretarias. Empezó a salir con mi papá, don Reimundo Mejía Álvarez, empleado de la Ford. Sólo se lo presentó a mi abuelita, pues su padre era muy celoso y posesivo con todos sus hijos.

Un día llegó mi madre a comer y mi abuelo estaba golpeando horriblemente a mi abuelita Jose. Mi madre lo aventó, y también mi tío mayor, José Ramiro, le dio sus cachetadas. Ya estaban cansados de ver cómo maltrataba a su mamá, la cual era muy tranquila, excelente madre, trabajadora y muy fiel. Mi abuelo se sorprendió de la reacción de sus hijos mayores, con mayor razón de la de mi madre, la cual era su adoración.

Tiempo después, mi mamá quedó embarazada, pero no le dijo nada a mi abuelita, mucho menos a su papá, pero mi abuelita empezó a ver que subía de peso. Un día —el 3 de mayo— fueron a la fiesta del pueblo de Santa Cruz Acapilca, donde vivía mi tía Santa con sus suegros y tenía un año y medio de casada. Mi mamá llegó más tarde y bailó con mis tíos y familiares del esposo de mi tía. Mi abuelo no fue porque estaba enfermo. Como a las doce de la noche, mi mamá empezó a sentirse mal y decidió acostarse. Al otro día, mi tía les dio de desayunar, mi papá llegó por mi mamá, mis tíos y mi abuelita. El 7 de mayo, a las cuatro de la madrugada, mi mamá se sintió mal y le avisó a mi papá. Se fue a escondidas con él al Centro Médico, y a las 5:45 de la mañana nací yo. Fui sietemesina, nací del tamaño de una rata. Mi papá le avisó a mi abuelita, que se sorprendió, pero le pidió que la llevara al hospital. Ahí le comunicaron a mi papá que yo me quedaría por diez días en la incubadora y que mi mamá saldría el 10 de mayo a las nueve de la mañana.

Mi abuelita lloró bastante, con amargura, al pensar en la reacción de su marido. Mi mamá le pidió perdón y le dijo que no se preocupara, que seguiría trabajando para sus hermanos, para ella y su hija, que no se casaría con mi papá hasta más adelante. Mi abuelita le pidió que hablara con su papá y con sus hermanos para explicarles que ya tenía una hija.

Pasaron algunos días y mi abuelo se dio cuenta de mi presencia por mis chillidos. Mi mamá me estaba cargando cuando entró a su cuarto y preguntó de quién era ese bebé. Mi mamá le contestó: "Pues mío, papá. Es una niña y su papá es mi novio Reimundo. Tú ya lo conoces, papá". Mi abuelo no quiso creer que yo era hija de mi mamá, sino de mi abuelita, decía que lo había traicionado con otro hombre. La insultó y la quiso golpear, pero mi papá y mi mamá no se lo permitieron. "No, papá, ella es mi hija, ¿qué no entiendes? Mi mamá nunca te ha faltado".

Mi abuelo salió corriendo, se fue enfurecido, y a los tres días regresó tomado. Le dijo a mi mamá que le jurara que yo era su hija, y lo juró. Nunca quiso cargarme ni me aceptó.

Mi tío el mayor se casó en agosto de ese mismo año; la vida continuó. Mi madre siguió trabajando y ayudando económicamente a mis abuelos. Una mañana les avisaron que a mi abuelo lo había atropellado una pesera, mientras caminaba bien tomado. Lo fueron a ver a la Cruz Verde, estaba muy grave. Mis tíos y mi madre lloraron amargamente y el 10 de junio de 1966 murió mi abuelo Margarito de un derrame cerebral.

Mi tío José esperaba la llegada de su primer hijo, que nació el 6 de septiembre del mismo año y se llamó José Edgar junior. Estaba muy fresca la muerte del abuelo, al cual no conocimos ninguno de sus nietos, y al ver sola a mi abuelita con sus hijos, los hermanos de mi abuelo la dejaron en la ruina. Se repartieron los negocios, propiedades y todo su dinero, sin imaginar que mi abuelita había escondido, unos meses antes, algunos fajos de billetes en casa de mi bisabuela.

Mis tíos se sintieron solos y desamparados. Mi madre consiguió un segundo trabajo en una fábrica de vidrio, para ayudar en su casa con dos sueldos. Mi abuelita compró dos camionetas usadas para que mi tío José y mi tío Armando repartieran café molido en los pueblitos donde mi abuelo tenía sus clientes. Así, poco poco, volvieron a levantarse.

Mi abuelita rentó una accesoria chica y se puso a vender comida. Mi tío Pepe trabajaba en una empresa de aspiradoras, trabajo que le consiguió mi mamá; y a sus otros dos hermanos, Noé y Armando, los colocó en una aseguradora de carros.

Mi abuelita progresó con su negocio y entre todos siguieron adelante. Decidió ella rentar una casa cerca de mi bisabuela en Tacubaya, buscó una accesoria por el mercado América y vendió la de la colonia El Chorrito. Mi abuelita se siguió haciendo cargo de su mamá, sus hermanos y sus propios hijos.

Más adelante, mi mamá y mi abuelita decidieron rentar una casita pequeña en la colonia Moctezuma, Segunda sección. Mi mamá ya trabajaba en el agrario y, por las tardes, en el aeropuerto; un sueldo era para mi abuelita Jose y el otro para mi mami y para mí.

Cuando yo tenía tres años, se casaron mis padres y rentaron una casa a dos calles de casa de mi abuelita, quien ya había vendido su negocio, y metió el dinero al banco. Una clienta le ofreció rentarle la planta alta de su casa a mi abuelita y se cambió a la Oriente 150 núm. 211. Ahí viví mi infancia, pues ella me cuidaba mientras mis papás trabajaban.

Mi abuelita lavaba ropa ajena y planchaba, siempre fue un gran ejemplo para sus hijos y sus nietos. Nunca se volvió a casar ni anduvo con ningún hombre.

Cuando yo tenía siete años, mis papás se separaron. Mi mamá volvió a vivir con mi abuelita, sus hermanos y conmigo, hasta que, en 1971, mi abuelita la corrió de la casa por su actitud con sus hermanos. El 9 de junio de 1972 mi abuelita fue al hospital de La Raza a ver a mi mamá, que había dado a luz a mi primer hermano varón, Neftalí Jafet. Cuando regresó a casa, mi mamá le presentó al papá de mi hermano, un cadete militar, el señor Fernando Sosasima, con el cual se casó por el civil en junio de 1973. Vivieron siete años en Guadalajara, Jalisco, y yo me quedé a cargo de mi abuelita y mis tíos: Armando, María del Carmen y Román.

Mi papá cada quince días me llevaba dinero y despensa; mi abuelita me metió a la primaria. Mi mamá giraba cada mes dinero para mis gastos y para sus dos hermanos chicos que aún estudiaban. Gracias a esta hermosa abuela, mi orgullo y mi más grande amor, pude estudiar hasta llegar a la UNAM. Ella amó mucho a mi hijo, y a mí siempre me adoró, me perdonó todos mis errores, me comprendió cuando me violaron y empecé a beber. Siempre estuvo conmigo, apoyándome moral y económicamente, hasta que empecé a trabajar de mil cosas para sacar adelante a mi hijo y ayudarla a ella y a mis siete hermanos y a mi madre, quien quedó viuda en 1992.

Entré a trabajar en la Aduana con tan sólo dieciocho años gracias a mi madre, y por mi papá, en el archivo de la Ford. Logré superarme, pero tuve que dejar mi carrera inconclusa en el cuarto semestre de Psicología, para sacar adelante a mi hijo.

El 28 de junio de 2001 caí presa. Mi abuelita no supo nunca que estaba en la cárcel, mi madre le dijo que me habían mandado a trabajar a la aduana de Los Ángeles, California, por tiempo indefinido. Ya no la volví a ver. Se fue pensando que me había olvidado de ella, pero no era cierto, en la cárcel siempre la tuve presente, día con día. El 17 de julio de 2003, cuando hablé telefónicamente con mi tío Román, me comunicó que el día anterior mi abuelita había fallecido y que sus últimas palabras fueron para mí. Sentí que mi vida se acababa en esos momentos. Colgué el teléfono y corrí a mi celda para mirar las fotos que tenía de ella, de mi madre y de mi hijo.

Le pedí perdón por no haber estado junto a ella. Más tarde hablé con mi madre y ella me confirmó la noticia. La estaban velando en su casa. Mi madre acercó el celular al ataúd, abrió la ventanilla y me dijo que le hablara, que ella me escucharía: "Abuelita, perdóname por tantos años de ausencia. No fue por mala nieta; no, mamita, estoy presa desde 2001. Sé que tú ya no estarás más, y la razón de mi vida se empieza a quebrantar en estos momentos, puesto que tú ya no estarás para esperar mi regreso. Ya sólo me queda mi hijo y mi madrecita, pero tú siempre vivirás en mi corazón, mi mente y mis recuerdos. Serás mi orgullo, mi fortaleza en esta prisión injusta, porque no soy una delincuente, madrecita. Te amo y te agradezco todo lo que me diste: tu amor, tu paciencia, los cuidados, tu apoyo incondicional y el amor que le tuviste a mi hijo. Que Dios te dé el reposo absoluto y te reciba en su reino, madre mía, te amo. Adiós, nos encontraremos algún día con Dios. Te amo Josefina López Ortiz".

Así fue mi último adiós a esa gran mujer, mi abuela, mi madre de crianza, mi orgullo y mi fortaleza. Gracias a ella jamás fui una prostituta, una madre desobligada o una hermana cruel. Siempre fui preocupona por mi familia tal y como me lo inculcó mi abuelita y mi madre.

Esto es lo que puedo compartir con ustedes de la primera gran mujer de mi vida. Mi ejemplo de vida y superación.

Ahora hablaré de la segunda gran mujer de mi vida: mi madre, Judith Salazar López. Una hija educada muy a la antigua por sus padres y sus abuelos maternos y paternos. Fue muy buena en los estudios, una de las mejores alumnas en la primaria y en la secundaria.

Obtuvo promedios de nueve y diez, y diplomas por su buena conducta. Desde pequeña le gustó mucho ayudar a los niños humildes de su colonia. En aquellos años, no había maldad y egoísmo como hoy. Sus siete hermanos eran muy amados por ella. Estudió la carrera de secretaria ejecutiva en español a pesar de las crisis económicas. Como mi abuelo empezó a beber diario, a todas horas, no se dio cuenta de que provocó su ruina económica. Cada uno de los hermanos de mi abuelo abusó de su economía, por lo que tanto mi tío José Ramiro, de dieciséis años, como ella, de catorce, empezaron a trabajar para ayudar a mi abuelita con los gastos diarios de todos. Mi madre trabajaba en una tienda para pagar sus estudios, vestirse, calzarse y cubrir sus necesidades. Su madre siempre la llevaba y la recogía del trabajo, pues mi madre era muy bonita, delgada y tenía un cuerpo muy bien formado. Llamaba la atención de los chamacos y de hombres de mayor edad. Luego se cambió a un lugar donde vendían telas finas; los dueños eran judíos. Mi abuelita la acompañó a la entrevista para ese empleo cuando ya tenía un año de estudiar para secretaria. Mi abuelita la esperó afuera de la tienda mientras hacía su examen teórico para trabajar ahí. Pasaron algunas horas, la citaron para el otro día a las ocho de la mañana para saber si sería aceptada. Apenas tenía quince años.

Salió contenta y abrazó a mi abuelita: "Vámonos, mamá. Mañana sabré si me quedo con el trabajo". Mi abuelo no quería que mi mamá trabajara, pues era su hija consentida: "No, hijita. No trabajes, estás muy chamaca y muy hermosa para que andes en otros lugares". A lo que contestaba: "No, padre, tengo que ayudarles económicamente, somos muchos hijos y tenemos hambre. Aparte, pagamos renta y otros gastos de escuelas, calzado y ropa.

Al otro día llegó puntual a su cita. Esta vez le pidieron que entrara mi abuelita para que firmara un papel donde autorizaba a mi mamá, por ser menor de edad, a trabajar, que supiera que su salario sería semanal, de ciento cincuenta pesos, de lunes a viernes, y si trabajaba los fines de semana, le darían cien más.

Mi madre inició su trabajo ahí y, día con día, mi abuelita la llevaba y la recogía puntual a las cuatro de la tarde. Pasaron unos meses, y un día uno de los dueños le propuso a mi mamá que se fuera a vivir con él, que con él no le haría falta nada. Quiso besarla a la fuerza y mi mamá gritó y lloró y se salió corriendo a la esquina, donde esperó la llegada de mi abuelita. Cuando la vio, mi mamá la abrazó y se soltó a llorar. Le platicó lo sucedido. Mi abue, que era alta y fornida, entró a la tienda y discutió con el hombre, al cual le dejó bien claro que lo denunciaría con la policía. Él, temeroso, le pidió disculpas y le dio quinientos pesos de liquidación.

Se retiraron del lugar; en la casa, para no variar, mi abuelo estaba bien tomado. Al paso de los días, mi abuelita pensó en llevar a mi mamá a la fábrica de galletas Lara, donde algún día ella misma trabajó. Aún estaban los mismos que la habían contratado. Les dio mucho gusto volver a verla. Mi mamá llevaba sus papeles, ya tenía dieciocho años, y dos años de avance en su carrera. Mi abuelita les explicó por qué acudía a ellos. Le hicieron algunas preguntas a mi madre. Le dijeron: "Te quedarás como auxiliar de la secretaria del administrador. Tu sueldo será de quinientos pesos semanales, por el momento. Hay vales de puntualidad y dos horas para comer". Mi abuela les agradeció y le contestaron: "No, Josefinita, usted sabe que las puertas de esta empresa están abiertas para usted y su familia. Sabemos que su hija será una excelente secretaria". Y así, al siguiente día, mi madre empezó su trabajo, el cual conservó y pudo terminar su carrera de secretaria, apoyar a todos sus hermanos para estudiar y ayudar a que mi abuelita juntase dinero para comprar un local y poner un expendio de molino de café, al que le puso Café Mago, en memoria de mi abuelo Margarito Salazar González.

Pasaron los años. Sin saberlo mi abuelita, mi madre hizo solicitud en tres trabajos: en el Agrario, Policía y Tránsito y la Villa

Olímpica. Gracias a Dios, en los tres pasó su examen, ahora tendría que decidir dónde quedarse. Le comentó a mi abuelita lo que había hecho y que las tres empresas la solicitaban. Mi abuelita le dijo: "Tú sabes lo que te conviene, hija". Ella le contestó: "Mira, mamá, me quedaré con dos: el Agrario y el de Policía y Tránsito. Sabes que necesitamos dinero para los gastos de mis siete hermanos". Con el tiempo se convirtió en jefa del piso de secretarias del Agrario, y en Policía y Tránsito llegó a secretaria particular del director general. Para entonces ya era novia de mi papá, don Reimundo Mejía Álvarez, único hijo varón de mis abuelos, con cinco hermanas mujeres, empleado de la Ford Motor Company.

Poco a poco, mi mamá conoció a la familia de mi papá, la cual no la quería, pues era demasiado guapa y muy trabajadora. Mi padre sostenía a sus padres y a sus hermanas. Él también tenía dos trabajos, en la Ford y en las reservas del equipo de futbol Necaxa. El *hobby* de ambos era cantar, el tenis y el frontenis; ganaban los dos muy bien. Mi madre jugó entre 1958-1960 con la selección de voleibol del Agrario.

En algún momento, Emilio Chuayffet la animó a participar en el concurso de *Playboy* cuando la revista salió en México; fue una de sus mejores modelos. La vida de la familia Salazar López dio un giro de ciento ochenta grados. Compraron su casa de dos pisos, en la colonia Moctezuma, Segunda sección, en la cual yo nacería y viviría mi infancia y adolescencia.

Mi abuelita se sentía muy orgullosa de mi madre. Gracias a las relaciones que tuvo con algunos funcionarios, llegó a Palacio Nacional como secretaria privada del presidente Luis Echeverría Álvarez y de López Portillo.

Se casó con mi papá en marzo de 1968, y yo llegué a su vida el 7 de mayo de 1965. Ella continuaba trabajando. En 1968, cuando las Olimpiadas de México, ya era la directora del Archivo del Sindicato de Aduanas de la ciudad de México y subcomandante del grupo especial Cobra de la PGR.

Continuaba, a pesar de todo, con su romances sociales con diferentes caballeros. Le compró una casa a mi bisabuela Romanita Ortiz Herrera. Entre ella y mi padre compraron la casa colonial en la Jardín Balbuena, y pusieron algunos negocios, adquirieron terrenos, casas, parcelas en Toluca, Hidalgo, Jalisco y Cuautla, Morelos, y tenían dos cuentas en el banco Serfín y en Bancomer. Por su lado, mi papi también progresó económicamente, invirtió en la compra y venta de terrenos, autos y motos, tenía dos restaurantes en la Jardín Balbuena y una pizzería en la colonia Moctezuma, Primera sección. Cuando murieron mis bisabuelos paternos, le dejaron como herencia un rancho en su tierra natal, Arandas, Jalisco, de mil seiscientas hectáreas, y ganado de diferentes tipos.

Mi niñez fue magnífica, decían mis papás: "Naciste en pañales de seda, hijita", aunque más adelante esos padres excelentes harían pedazos mi corazón con su separación. Mi mami peleaba mucho con mi padre porque él sólo quería pasar los fines de semana con mis abuelos, sus papás. Decía mi mami: "Estás enfermo de mamitis, Reimundo, parece que me casé con tus papás, no contigo". Al principio no peleaban frente a mí, trataban de complacerme en todo lo que yo quería. Desde muy pequeña ya me daban para mis gastos. Diez pesos diarios mi papá, y mi mami cincuenta pesos cada tercer día, más aparte para mis alimentos especiales. Nunca debía faltar la fruta, la verdura, la leche; cada fin de semana me daban dulces y ropa nueva, zapatos, tenis, juguetes. Fueron muy preocupones de mi desarrollo como bebé y en mi niñez, hasta que se separaron. Yo tenía sólo siete años, estaba en segundo de primaria. Ellos hablaron conmigo, pero yo no comprendía de lo que me hablaban. Mi mundo era jugar y estudiar, era color de rosa.

Cuando cumplí diez años, me llevaron los dos a un psicólogo familiar que me explicó por qué se habían divorciado mis papás, y que ahora tenía que decidir con quién me iría a vivir, si con mi mami y su familia, o con mi papá y sus padres, mis abuelos. Yo sólo lloraba, inconsolable, y los abrazaba. Nos citaron a los cuatro días para que dijera con quién quería estar. Mi decisión fue quedarme con mi madre, mi abuelita Jose y mis tíos. Mi papá respetó mi decisión y me iba a ver cada ocho días. Me llevaba dinero, despensa, ropa y útiles escolares. En algunas ocasiones salíamos a pasear con mi mami, mi abuelita y mis dos tíos más chicos, María del Carmen y Román.

Pasó el tiempo, y al año mi madre habló conmigo y con mi abuelita. Nos dijo que se casaría por el civil con su nueva pareja, cadete del Colegio Militar de tan sólo veintisiete años. Mi mami tenía treinta y dos. Salí corriendo hacia el jardín de la casa a abrazar una palmera donde me sentaba a platicar con mi papi cuando iba a visitarme. Hablaron conmigo mi abuelita y mis tíos: "Mira, hija, tú seguirás viviendo aquí, con nosotros. Tus papás te visitarán cada que puedan y quieran venir". Me resentí con mi madre. Como a los dos meses llevó a la casa a ese hombre para que la pidiera. Me cayó muy mal. Le dijo a mi madre: "¿Esta pequeña es tu hija?" "Sí –le respondió mi madre–, la amo muchísimo. Es mi reina, mi princesa, mi alegría y mi razón de vivir". Sólo la miré muy fijo, en mi interior pensaba: "No, tú no me amas. Si me amaras, no habrías cambiado a mi papito. Él nunca te golpeó ni te insultó, todo su dinero te lo daba íntegro. ¿Qué más querías?, lo más importante: te amó demasiado".

El 31 de julio de 1972 se casó por el civil con mi padrastro Fernando de Jesús Sosasima, por quien más adelante ella me dañaría física y psicológicamente.

Mis quince años me los festejó mi papi y mi familia materna. Fue algo muy familiar, muy bonito, inolvidable. Mi papi me presentó ante la concurrencia, lloró, me abrazó muy fuerte y bailamos el vals *Los cuentos de los bosques de Viena*. También bailé con mis tíos, hermanos de mi madre, y primos por ambas partes. Fue el 7 de mayo de 1980. Como a las doce y media de la noche, llegó mi madre con su hombre y los cuatro hijos que ya tenía con él. Ni siquiera los tomé en cuenta. Me regaló un reloj de oro, ropa y dinero. Llegaron mariachis, fotógrafos y un pastel de diez pisos. Ella quiso que bailara otra vez el vals con su marido, pero no acepté. No, madre, sólo bailaré con mi papi, no con otro que no es nada mío. Corrí al lado de mi padre: "Papito, acompáñame a mi recámara para que me cambie de ropa". Me abrazó y me fue dando muchos besos, y yo a él. Me cambié y salimos a convivir con la familia. Nos sentamos junto a mis abuelos paternos y maternos. Nos amanecimos hasta las ocho. Mi papi me llevó a la calle, donde estaba un LTD de cuatro puertas, negro con blanco, nuevo, muy hermoso. "Éste es tuyo, mi princesa, para que puedas salir a donde tú quieras. Te amo, hija mía, eres mi adoración."

Terminé la secundaria e inicié la preparatoria. Nunca conocí a las otras dos mujeres que tuvo mi padre, con las cuales procreó en total dieciséis hijos varones. Cuando cumplí mis dieciocho años, mi mamá me platicó de dónde obtenía tanto dinero, paseos y lujos para mí, mis tíos, su mamá, y para que ella se diera su buena vida. Para mí fue doloroso saber lo que tuvo que soportar y hacer mi madre, la mujer que era mi diosa, mi *ídola*. "Mira, princesa mía, ya es hora de hablarte con la verdad, pues ya puedes comprender lo que te quiero decir. Quiero que veas estas fotos; son dos álbumes. Cuando termines de verlos, pregúntame todo lo que quieras saber". Para mí fue muy doloroso ver cada fotografía: mi madre desnuda posando de mil maneras, en otras fotos estaba con diferentes hombres: jóvenes, viejos, feos, guapos, altos y chaparros. Algo en común tenían esos hombres: posición, dinero, algunos famosos y otros de la política, otros grandes empresarios. Las lágrimas se escurrieron de mis ojos. Entonces comprendí por qué siempre tenía tanto trabajo, compromisos, y por qué a veces no llegaba a dormir. Todo era: "¿Cuánto dinero necesitas, hija? ¿Qué quieres? Te compré esto a donde fui". Estos hombrecillos fueron la causa de que nunca tuviera a mi madre a mi lado como una madre común.

–¿Qué piensas de estas fotos, hija? ¿Ahora comprendes el porqué de tus lujos, tus paseos, tus mejores escuelas? Quiero decirte que a ninguno de estos hombres los amé ni los quise ni me gustaron. Todos fueron para mí negocios materiales para que mi familia pudiese vivir muy bien. El único hombre al que amé fue a tu padre, don Reimundo Mejía, él fue y será el amor de mi vida.

—¿Qué sentías cuando permitías que estos hombres te tocaran, te besaran, te usaran como mujer? Dímelo, madre, ¿qué pasaba por tu mente y tus sentimientos?

—Mira, hija, ponía un candado en mi corazón y mi cuerpo para no sentir nada, sólo veía en esos varones el signo de pesos y la comodidad para vivir junto a ti y mi madre.

Pude haber sido esposa de algunos renombrados políticos: Emilio Chuayffet, Hank González, padre; el *Negro* Durazo; Jorge Carpizo; el director de policía y tránsito, Jesús Anguiano Alonso, Carlos Madrazo, Emilio Rabasa, algunos excomandantes de la Procuraduría del Distrito Federal, y otros cuantos más, pero no quise, porque sabía que perdería a mi familia y a ti, hijita mía. Siempre les dije que no, que sólo sería una amante más para cada uno de ellos. Espero que ahora comprendas por qué nunca pude estar a tu lado. Sé que eso no es una disculpa como madre, pero sólo te pido que me comprendas. Sabes que tenía la responsabilidad de mis hermanos más chicos y de mi madre, además de tú y yo.

—Pero tú siempre has sido el amor de mi vida, mi alfa y mi omega. Como lo dicen tus nombres, mi princesa, mi reina virtuosa. Mira, madrecita, yo no soy nadie para juzgarte, yo sólo te agradezco la vida que me diste, el dejarme nacer, el luchar como madre y hermana, por mí y mis tíos, gracias, madre. Sólo quiero que comprendas que para mí los hombres no valen nada, son unos viles perros, que sin una mujer no valen nada. En cambio, las mujeres son unas guerreras, las que dan sentido a esta vida. Y yo tengo a una gran guerrera como madre. Sólo te pido que nunca permitas que ningún hombre te pisotee ni te humille, y mucho menos que sea la causa de que dejes de ser una gran mujer, profesionista de éxito. Te amo muchísimo, madrecita.

Pasó el tiempo y la vida de mi mami empezó a cambiar al lado del padre de mis siete hermanos, don Fernando Sosasima, un vulgar y simple militar, alcohólico –y a escondidas drogadicto–. Él envolvió con mentiras a mi madre, diciéndole que era dueño de tierras y casas en su tierra natal, Yucatán, en un poblado llamado Motul, que era el único varón y tenía siete hermanas. Mi madre creyó en todas sus mentiras y sus falsas promesas, hasta que en 1974 conoció a su suegra. ¡Qué decepción para mi madre! Eran de clase media, nada de lo que este señor le había platicado era cierto. No tenía ni dinero ni propiedades ni tierras. Se había salido a los catorce años de su pueblo para venirse a la ciudad de México, pues era muy rebelde. Cuando mi mamá se enteró de la verdad, se decepcionó de su *guacho*, todo su mundo cambió. La mamá era grosera con mi madre, no la aceptaba, pues era mayor que su hijo por cinco años.

Pasaron dos años y, en 1976, su marido se graduó como subteniente, maestro en entrenamiento con simuladores F-5 y como radiotécnico de la FAM. Nos mandaron invitación para acudir a su graduación en el Colegio del Aire. Fuimos mi abuelita, mi tía Mari, mi tío Armando, yo y la familia de él. Terminó su graduación, ya era subteniente, mi madre estaba contenta y la familia de él mucho más.

Al otro día, mi mami le comentó a mi abuelita que lo bueno era que se había casado por el civil y por bienes separados, que ya había puesto sus propiedades a nombre de sus dos hijos Neftalí y yo, hasta que los dos termináramos una carrera. Así él no podía exigirle absolutamente nada, ni económico ni material.

Pasaron tres años. Mi madre ya bebía mucho y había dejado sus dos trabajos. Ya no practicaba deportes. Regresó al Distrito Federal, porque a él le dieron una casa en la zona militar de Santa Lucía, adelante de Tecámac, Estado de México. Cada quince días venían a casa de mi abuelita a dejarle dinero y dizque a verme a mí. Yo era muy feliz con mis tíos, mi abuelita y mi padre, que cada ocho días me visitaba y me llevaba a pasear y a comprarme lo que necesitara. Un domingo mi madre llegó y me dijo: "Vamos a ir al trabajo de don Jesús Anguiano, pues te quiere ver para darte dinero". Ese señor me quiso mucho desde pequeña, siempre decía que yo era su hija. Mi madre me platicó que cuando era novia de mi padre conoció a don Jesús, que era su jefe directo en Policía y Tránsito, y que salió con él. Le pidió que fuese su novia, a pesar de que sabía que ella ya tenía uno. Cuando se embarazó, no le dijo nada a este señor. Me confesó que también tenía relaciones sexuales con él de vez en cuando y que cuando él se dio cuenta de su pancita, creyó que era de él. Mi madre no le dijo la verdad, que ese bebé era de su relación con mi padre, entonces el señor Anguiano siempre creyó que yo era su hija y le brindó a mi madre apoyo económico y moral. Le pidió que terminara su relación con mi padre, pero mi mami no aceptó. Sabía que él era mi papá, pero a ella le convenía que don Jesús siguiera pensando que yo era su hija.

Cuando crecí, a los dos años me registró en una delegación lejana con el apellido de don Jesús Anguiano, por lo cual sería Saraí Anguiano Salazar. En mi acta verdadera tengo el apellido de mi padre biológico y soy Saraí Mejía Salazar. El señor Jesús me daba dinero cada quince días, me compró una casa, un Mustang 1982, y me complacía en todos mis caprichos. Decía a sus amistades y familiares: "Es mi primogénita y la quiero mucho".

Con el paso del tiempo ya no me agradaba que dijera que era su hija, pues estaba consciente de que mi padre era Reimundo Mejía Álvarez. Qué difícil es llevar una doble vida. Luego me pesaría llevar doble apellido, uno de abolengo y el otro no tan importante, como el de Anguiano Alonso.

Poco a poco, mi mamá me fue descubriendo muchas cosas de su vida privada, de sus emociones, de cada una de sus relaciones amorosas, aventuras económicas o conveniencias sociales. Todo se acabó cuando se casó con el señor militar. Su vida se vino abajo, dejó de tener comunicación con sus amantes, con don Jesús, con mi padre. Su mundo sólo era ese decrépito militar, con el que tuvo doce hijos, de los cuales murieron cinco y viven siete.

Aquel superamor que sentía por mí se acabó. En agosto de 1983 me corrió de su casa a las doce de la noche. Prefirió complacer las peticiones de su marido, que el amor que supuestamente era yo para ella. Mi vida cambió. Aquel gran amor que había entre nosotras se convirtió en odio, amargura y dolor. Se convirtió en su cómplice y me mandó violar por varios hombres; pagó diez mil pesos para que destrozaran mi vida. A mis dieciocho años y medio, fui brutalmente violada, y de esa violación tuve a mi único hijo, un hermoso bebé. Se acabaron mis ilusiones. Ya no pude terminar mis estudios, mis metas se derrumbaron por la crueldad de mi madre y ese hombrecillo. Con el paso del tiempo, mi madre me pidió perdón de mil maneras, pero yo sentía mucho odio, no quería saber nada de ella. Mi mundo era mi hijo, mi abuelita, mi tía Mari, mi amado padre y mi pequeño hermano Neftalí Jafet Sánchez Salazar, hijo de uno de sus famosos amantes.

En 2001 caí en la cárcel por causa de una ahijada de AA, que me acusó de privación de libertad de infante. Dios sabe que yo no cometí ese delito, que todo lo que hice fue ayudar a esa jovencita de tan sólo diecisiete años, alcohólica y drogadicta. La conocí en Garibaldi con tres meses de embarazo, en una campaña de Alcohólicos Anónimos del paso doce, en compañía de varios padrinos del grupo El Sexto Capítulo y del grupo Génesis. La encontramos drogada y alcoholizada, le preguntamos si quería ser anexada en el grupo, y le ofrecimos ayuda con su embarazo. Ella aceptó, se le anexó por seis meses y tuvo a su bebé en el hospital Balbuena. Los padrinos pagaron su parto y firmaron la responsiva médica, pues ella era menor de edad. Nos dijo que no tenía familiares, que era sola. Cuando la dieron de alta, regresó al grupo. Como yo era su madrina, mi padrino Martín C. y Pedro N. me pidieron que le diera alojamiento en mi casa por unos meses, mientras se recuperaba, buscaba trabajo y juntaba dinero para rentar un cuarto para ella y su bebita. Yo no quería, no tenía confianza en la muchacha. Ella nos pidió que la lleváramos a la delegación Venustiano Carranza para firmar una carta responsiva, donde me daba la tutela temporal de su hija hasta que ella cumpliera la mayoría de edad. Firmaron tres padrinos del grupo y yo.

Pasaron dos meses, y encontró trabajo en un restaurante como lavatrastos. Mi familia la conoció, empezó a convivir con mis padres, mis hermanos y mi hijo.

La bebé tenía seis meses cuando ella ya no regresó a la casa. Avisé a los padrinos del grupo. Mi madre me dijo: "Viste, hija, te advertí que te iba a hacer una jugarreta, algo tenía planeado". Después de un año regresó con una orden de aprehensión en mi contra. La solicitó en el Estado de México, en Ciudad Nezahualcóyotl, para el Distrito Federal, en la colonia Balbuena. A las cinco de la mañana del 29 de junio de 2001 fui detenida en mi domicilio, a pesar de mostrar a los judiciales la carta responsiva de tutela que ella me había otorgado. No les importó.

Me trasladaron al palacio municipal de Ciudad Nezahualcóyotl y de ahí fui remitida a la cárcel Neza-Bordo el 9 de julio de 2001. Mi proceso, sin derecho a fianza, duró un año y medio. Fui sentenciada en diciembre de 2002 a veinte años de cárcel. Mis padres siempre estuvieron conmigo y me apoyaron. Me visitaban cada ocho días. Mi padre murió en 2003, cuando ya tenía un año de sentenciada. Mi madre siempre estuvo conmigo, hasta 2007, cuando quedó inválida por un fuerte coraje, que le provocó cisticercosis en la médula espinal, y ya no pudo visitarme. Después fui trasladada a Texcoco de Mora el 18 de octubre de 2008, ahí sólo me visitaban de vez en cuando mis hermanas, que en sólo dos ocasiones llevaron a mi madrecita, y un tío. El 27 de abril de 2011 falleció mi preciosa madre de setenta y dos años de edad, con la ilusión de verme salir libre, pues en marzo de 2010 me habían propuesto para preliberación, pero no fue así. La muerte se llevó a la mujer que tanto amé, la razón de mi vida, junto con mi hijo, a quien Dios también me quitó el 19 de marzo de 2009. Fue balaceado al salir de su trabajo en la Procuraduría del Distrito Federal. Falleció a la edad de veinticuatro años y me dejó cinco hermosos nietos. Los dos viven en lo más profundo de mi corazón. Esa gran mujer me dejó muchas y hermosas enseñanzas, muchas bases morales, espirituales y, lo más importante, un gran amor como madre, amiga y confidente. Sí, madre, ya no pude decirte frente a frente que te amaba muchísimo, que desde niña siempre fuiste mi ideal, mi orgullo, mi guerrera invencible, mi alfa y mi omega. Te amo, te amo, mamita, y en cada instante en la cárcel tú me das aliento para luchar en esta prisión temporal. Recuerdo las palabras que me regalaste a mis ocho años: "Eres mi águila real, pequeña hija, tus alas siempre deben volar más allá de las montañas más altas, debes de ser una triunfadora, un águila libre y majestuosa. Te amo, Saraí Ruth, mi reina y mi princesa". Gracias, madrecita, yo también te digo en estas líneas que te amo, mujer divina. Te amo, madrecita, y gracias por la vida y por ser mi madre. Gracias por tu amor, tus cuidados, todo lo que hiciste por mí, por darme lo mejor de tu vida. Quizá cada acción realizada por ti fue por amor de madre, hija, hermana. Hoy comprendo que eres una gran mujer, mi guerrera, mi madre amada, y allá donde estés, con mi amado Dios, espero que estés descansando con mi Señor Jesucristo. Sé que en algún momento me reuniré con mis padres y mi hijo para levantar el último vuelo del águila real al lado de mi madre. Te amo, Judith Salazar de Mejía. Hasta pronto, mamita.

Ahora hablaré de mi tercera gran mujer: mi madre de crianza, mi tía María del Carmen Salazar López. Esa mujer con tan sólo trece años, se convirtió en mi madre de cuidados, pues mi madre tenía que trabajar, y como mi tía la quería mucho, decidió hacerse cargo de mí, una bebé. Me decía mi tía: "Eras muy hermosa, hija. Tan pequeñita, eras mi ratoncita, tan indefensa". Mi tía estudiaba la primaria por las tardes y en las mañanas me cuidaba, me bañaba y me daba mis alimentos, hasta que mi mami llegaba a la una de la tarde de su trabajo. Entonces mi tía se iba a la escuela, pues era una niña muy estudiosa y disciplinada. Era la hija consentida de mi abuelita Jose, quien me platicó que mi tía Mari fue a la única que le dio pecho hasta los seis años. Terminó la primaria, y cuando estudiaba la secundaria, por las tardes me bañaba, lavaba mi ropa, me daba de comer mis papillas y fruta. Era muy cariñosa conmigo, aunque sus cuidados eran un poco exagerados. Mi papá la quería mucho y la apoyaba con sus libros y sus uniformes. Luego continuó con sus estudios de taquimecanógrafa, los cuales ya no quiso terminar, pues prefirió trabajar cuando supo que mi mamá se iba a separar de mi papá. Sabía que mi mamá ya no tendría suficiente dinero para apoyar a los cuatro hermanos que aún estudiaban.

Empezó a trabajar de cajera en Aurrerá Taxqueña. Cuando mi mamá decidió casarse por el civil con el militar, habló con mi tía Mari y le dijo: "Mira, hermana, ya no voy a vivir aquí, quizá me tenga que ir a Guadalajara por unos años. Ahora tú te quedarás a cargo de mi mamá y de mi hija, te mandaré dinero para los gastos de mi hija y para que mi hermano Román siga estudiando la universidad, pero tú te harás cargo de los gastos de la casa y de lo que mi mamá necesite". Mi tía lloró amargamente al saber que mi madre ya no seguiría en la casa. Así pasó el tiempo, continuó trabajando en el Aurrerá y, como ganaba muy bien, ahorró y se compró un taxi que le dio a trabajar a un amigo de mi tío Armando. A diario recibía sus cuentas.

Cuando cumplí once años, me compró mi pastel, me hicieron comida e invitaron a todos mis tíos. Mi tía me platicó algunas cosas que yo no sabía de mi mamá: que había abortado dos veces antes de que yo naciera, que se lo platicó a ella y a mi tía Argelia y les enseñó dos frascos donde tenía los fetos que escondía en su ropero. Ése era un secreto que sólo sabían ellas. Sentí mucha tristeza al saber eso de mi madre.

También me platicó que cuando ella tenía diecisiete años y mi tía Argelia veintiuno, mi mamá las llevaba a las fiestas de su trabajo donde les presentaba a muchos amigos que les insinuaban cosas malas. Mi mamá les decía que se casaran con uno de esos hombres, que escogieran a los que tuvieran mucho dinero, que se pararan a bailar con ellos. A mis tías no les agradaba ese ambiente y le dijeron a mi abuelita que ya no querían salir con mi mamá y sus amistades.

"Sabes, hija, desde antes de tenerte tu mamá ya andaba con malas amistades, sólo que tu abuelita no se daba cuenta de lo que tu madre hacía con su persona para ganar mucho dinero." Empecé a comprender por qué mi mamá nunca estaba en la casa y se la vivía, según ella, trabajando: ya tenía una vida muy negativa. Mi tía Mari me pedía que no siguiera las enseñanzas de mi madre, que nunca me fuera a vivir con ella, que mientras ella trabajara, me daría lo que yo necesitara para continuar mis estudios, que me amaba mucho, como si fuese su hija, que trabajaría mucho para que a mi abuelita y a mí nada nos faltara.

Mi tía Mari después encontró un trabajo mejor en la compañía Yamaha de aparatos musicales, en la calle de Bucareli, en el centro. Ahí empezó como vendedora y, poco a poco, fue ascendiendo por sus buenas ventas. Sus comisiones eran las mejores de casi treinta y cinco empleados. Al año ya era jefa y supervisora de ventas; su sueldo mejoró. En ese tiempo era novia de un libanés muy guapo, Alejandro. Mi tía ya era dueña de dos taxis, y además había invertido en joyería de plata, chapa de oro y oro. En ese tiempo, yo estudiaba la secundaria y mi tía me compraba todos mis útiles, los libros que me pedía la maestra de español, el material de laboratorio de química y física. Nunca me negaba nada. Gracias a Dios, progresaba en su trabajo y en su negocio de joyería y sus taxis.

En 1977, ella se inscribió en el concurso de Señorita México, acudió a las pruebas de selección, y calificó para representar al Distrito Federal. Tenía veinticuatro años, un cuerpo muy hermoso y su cara muy suavecita, tersa. Era alta, 1.70 m, y sus medidas eran 90-60-90. Consiguió estar entre las diez finalistas, pero cuando les explicaron que para ser seleccionadas para el primero, segundo y tercer lugar tendrían que tener relaciones sexuales con el político o funcionario de Televisa o del gobierno que las escogiera, mi tía no dudó en responderle a la coordinadora que no continuaría en el certamen, que renunciaba. Quién se iba a imaginar que para ganar ese tipo de certámenes las damas tuvieran que aceptar ser manoseadas por hombres que las usaban y luego las botaban como si fueran muñecas o juguetes sexuales. Gracias a Dios, y a los principios morales que les dio mi abuelita a sus cuatro hijas, mi tía se retiró de ese concurso.

Poco después terminó su noviazgo con el libanés y empezó a salir con un cirujano del hospital Durango de nombre Sebastián. A nadie de la familia le caía bien el doctor, era muy presumido, altanero, prepotente y demasiado celoso con mi tía Mari.

En 1978 la contrataron representantes de Liverpool como modelo de ropa femenina. Mi tía reunió a sus hermanos para platicarles sobre la propuesta y mis tíos y tías la apoyaron: "Acepta, hermana. Para ti es progresar más cada día y mejorar tu estrato económico y social. Tú sabes qué te conviene y qué no te conviene". Mi tía aceptó el contrato y a los seis meses renunció a Yamaha para continuar en Liverpool, donde empezó como jefa de piso de ropa femenil. Al poco tiempo ascendió a gerente general. Su relación con el doctor se volvió muy tensa. El joven no quería que mi tía trabajara en esa empresa, pues tenía que convivir con empresarios muy guapos y jóvenes. Su celopatía era un obstáculo para mi tía Mari, por lo que decidió terminar con ese caballero.

Un año después, en 1979, conoció por su trabajo a su siguiente novio, el joven Alfredo Larrea Berumen, subdirector de Nacional

Financiera y actor de fotonovelas. Era muy guapo, alto, blanco, de familia de abolengo. Hasta el año de salir con él lo llevó a casa para presentarlo con la familia y pedir permiso para ser novio de mi tía. Mi abuelita y mi tío mayor aprobaron su relación. Mi tía continuó progresando. Gracias a ella, a mi padre y a mi abuelita, terminé la secundaria. Mi tía me motivó a seguir estudiando la preparatoria:

–Mira, hija, mientras pueda y viva, tú continúa tus estudios. ¿Qué quieres estudiar?, ¿qué carrera te gustaría?

–Licenciada en psicología o licenciada en derecho penal.

–Adelante, hijita, yo te apoyaré siempre. No pienso casarme hasta que estés estudiando en la universidad.

–No, tía, usted cásese. Mi padre y mi madre son los que me deben de pagar mis estudios, ellos son los que tienen la obligación de hacerlo.

–Mira, hija, desde que se divorciaron, poco a poco, se han ido desentendiendo de ti. Tu mamá, desde que se casó con el militar, ya no manda dinero para tus necesidades. Tu papá sólo cada quince días te trae un poco, pero aquí estoy yo. Tú sólo estudia, pórtate bien y échale muchas ganas para que muy pronto logres tu meta.

Continuó con su trabajo y su relación con el novio iba muy bien. Cuando cumplí quince años, me llevó a pasear a las playas de Acapulco por una semana completa; fue muy bonito convivir las dos solas. En ese viaje, la admiración y el amor tan grande que tenía por ella, se acrecentó. Era una mujer luchona, que día a día se superaba más y más. Nunca se olvidaba de mi abuelita, de los gastos de la casa, de ella misma y de ayudar económicamente a su hermano Román para que terminara su carrera de arquitecto e ingeniería. Él estudió en el Politécnico.

Desgraciadamente, mi madre reapareció en mi vida para pedirme que me fuese a vivir con ella a Santa Lucía. Yo iniciaba la preparatoria y mi abuelita y mi tía Mari no querían que me fuese con mi mamá, pero yo, como vil corderito, creí en mi madre y decidí irme con ella. Mi tía me miraba preparar mi maleta; me abrazó y lloró amargamente: "No te vayas, hijita, por favor, no quiero que sufras al lado de tu madre y de ese señor, no sabes cómo te van a tratar. Piénsalo bien, aquí tienes todo, y el amor y los cuidados de tu abuelita y míos, hija".

Tenía razón mi tía amada. Me costó muy caro haberme ido a vivir con mi madre. Sólo fui a que me arrojara a la calle con diecisiete años y, lo más triste, a que mi padrastro me mandase violar a mis dieciocho años y medio, destrozando mi vida, mi camino. Todo por no escuchar la voz y los consejos de mi tía Mari y los de mi amada abuelita Josefina.

Cuando me pasó todo esto, mi tía decidió casarse, a los treinta y cinco años de edad. Yo estaba esperando que naciera mi hijo, producto de esa violación. Mi tía continuó apoyándome. Yo no quería que naciese mi hijo, quería abortar, quería seguir estudiando mi carrera de psicología, pero mi tía y mis demás tíos hablaron conmigo: "Mira, hijita, la vida es muy especial. A lo mejor lo que te pasó es una prueba que Dios te mandó para que valores la vida y continúes adelante. Sabes que cuentas con tus tíos y, mayormente, con el apoyo de Mari y tu abuelita Jose, que te aman muchísimo. No cometas los errores de tu madre que, cuando estabas en su vientre, quiso abortarte, y cuando naciste prematuramente, de siete meses, quiso quitarte la vida desconectando la incubadora y muchas cosas más. No, hija, deja que nazca ese bebé, que no tiene la culpa de nada".

Gracias a esos consejos y al gran amor de mis tíos, decidí tener a mi bebé. Gracias a esa gran mujer, mi tía María del Carmen, mi madre de crianza, una gran guerrera, muy trabajadora, excelente hija, hermana y tía. Era muy humana con la gente, con su familia y excelente esposa, madre de un solo hijo varón, Alfredo junior —que debe tener veintiocho años—. No sé si se haya casado, pues desde que me detuvieron perdí el amor y la confianza de mi tía. Me mandó una carta con mi madre, donde me decía que ahora sí le había fallado definitivamente, que estaba muy decepcionada de mí, que ya estaba muerta para mí, que me olvidara de ella. Pero nunca la he olvidado, día con día le pido a Dios porque esté muy bien al lado de su esposo y de mi primo. No sabe cuánto la amo y le agradezco todo lo que hizo por mí, desde sus primeros cuidados cuando yo era bebé, hasta el último instante como mujer, con mi hijo Mizraim, a quien cuidó muchísimo, así como lo hicieron mi abuelita y mis tíos Armando y Román, que también lo amaron.

Gracias, hermosas mujeres, porque formaron parte de mi vivir, de mi desarrollo como mujer, como persona. Cada una a su manera me dio fundamentos y principios para saber vivir y luchar, para superarme como hija, hermana, madre, y, lo más importante, como mujer: me enseñaron a vencer todos mis miedos; a valorarme cada instante de mi vida, a ser honrada y humanitaria con la gente que me rodease; a compartir con la gente pobre, humilde, aunque fuese un vaso de agua; a no ser prepotente y recordar siempre mi humilde cuna, de mujeres y hombres honrados, trabajadores, honestos; y a que nunca perdiera mis valores como persona, siempre por el camino sano, y que Dios era el amor supremo de la vida.

Gracias, amadas mujeres, mis guerreras admiradas. Gracias, abuelita, mi orgullo y mi ideal primordial, que ahí donde estés, con Dios, goces de su preferencia y amor, pues yo te sigo amando y vives muy adentro de mis pensamientos y de mi corazón.

Gracias, madre mía, mi progenitora, a pesar de tantos sinsabores, te sigo amando, pues en mi corazón y mi alma vives hasta el último momento de mi vida. Siempre te amé, te admiré, siempre fuiste mi orgullo, mi ideal a seguir. Te amo, madre, y te necesito en esta cárcel temporal de mi vida.

Por último, gracias, amada tía y madre María del Carmen, mi mayor ideal y fortaleza. Le pido a Dios que me permita volver a verte cuando recupere mi libertad perdida, para pedirte perdón frente a frente y para brindarte los cuidados necesarios ahora que

313

ya eres una señora de sesenta años. Sé que Dios me permitirá cuidarte y amarte como tú lo hiciste conmigo cuando yo era una bebé indefensa, y mis padres me abandonaron. Tú y mi abuelita se convirtieron en mi padre y mi madre. Gracias, amada tía y madre María del Carmen, que Dios te bendiga y te proteja.

Las amo, las extraño, las recuerdo y las llevo en lo más profundo de mi corazón y mi alma. Gracias, mujeres de mi vida, por ser alfa y omega del *Águila Real.*

P.D.: Cada triunfo, meta y proyecto que logre como persona, madre, hermana y abuela, serán dedicados a ustedes tres, sólo les pido que me cuiden desde allá, donde se encuentran dos de mis mujeres, con mi Dios, y otra en su diario vivir acompañada de sus seres queridos.

Las amo y las recordaré día con día...

Centro Preventivo y de Readaptación Social de Temascaltepec
Estado de México

ABUSO DE PODER

Gloria Flores Baca

Nací en Puruándiro, Michoacán, el 26 de marzo de 1967. Me encuentro recluida en el Cereso de La Piedad, Michoacán, y hoy he decidido contar cómo ha sido mi vida desde el día en que me detuvieron. Espero que les sirva como ejemplo a otras mujeres, para que no confíen en nadie y no sufran lo mismo que yo.

El lunes 21 de abril de 2008, como a las nueve de la noche, me encontraba con mi hijo en casa cuando recibí una llamada. Era de un hombre que decía que le habían dado mi número de celular porque yo vendía pantalón, y como realmente era comisionista en una maquiladora, le creí. Me puse a sus órdenes, y él me dijo que su hija había pensado poner un negocio y quería que le llevara unas muestras y los precios. En ese momento no dudé ni desconfié. Le pregunté dónde lo podía ver. Me citó en el rancho La Caldera. Contesté que no sabía cómo llegar. "No se preocupe. ¿Conoce el rancho El Rodeo de San Antonio que está en la carretera de Pastor Ortiz a Puruándiro? De ahí le da como para Puruándiro y, a mano derecha, hay una terracería con un canal a un lado. Ahí la espero. ¿Cómo vendrá vestida?" Como no desconfié, le dije que llevaría una blusa negra y una falda guinda.

Al colgar el celular, la voz de mi hijo me sobresaltó: "Mamá, escuché lo que hablabas y creo que no está bien que vayas. Ni siquiera conoces a ese hombre". Le contesté que estuviera tranquilo, que el señor quería pantalón. Y no escuché lo que mi hijo me decía: "No vayas, mamá".

El martes 22, después de ir por el mandado con mi hija mayor, decidí ir a donde creí que haría una buena venta de pantalón. Me despedí de mis tres hijos y de mi esposo, sin saber que no volvería.

Llegué al lugar como a las doce y media del día. A los pocos minutos se acercó una camioneta azul. El hombre que manejaba me preguntó si yo era la señora del pantalón. "Venga, súbase a la camioneta para hablar mejor", me dijo. En cuanto lo hice, cerró la puerta, puso los seguros y arrancó. "¿Adónde vamos?", quise saber. "A la casa, para que hable con mi hija", contestó. Al llegar, me encerraron en un cuarto y una señora estuvo cuidándome. Había un gran silencio y la duda cada vez era mayor: ¿qué estaba pasando?, ¿por qué me tenían ahí? De pronto regresó el señor y la señora se fue.

Pasaron los minutos hasta sumar como una hora y media privada de mi libertad. Llegó la policía municipal de Pastor Ortiz y me llevaron detenida a la Presidencia de ese lugar. Al preguntar por qué me detenían, decían que no estaba detenida. Pedía que me mostrarán la orden de aprehensión, pero no había.

Después de Pastor Ortiz, me llevaron a Puruándiro y me entregaron. Ahí me detuvieron hasta las tres de la mañana. Al ser golpeada por el fiscal, el Ministerio Público y algunos judiciales, sentí que mi mano derecha se me trozaba, pues un judicial me la apretó con la intención de que firmara la supuesta declaración en donde yo aceptaba mi culpa. El día que me detuvieron la firmé a las tres de la mañana, después de haber sido golpeada por judiciales, agredida por el fiscal y obligada por el Ministerio Público.

Luego me subieron a una patrulla y me llevaron a la Presidencia municipal. Ahí me tuvieron en los separos. A la mañana siguiente, 23 de abril, recibí la visita de mi esposo. Sentía vergüenza, tristeza, alegría, en pocas palabras, sentimientos encontrados. No sabía qué decir, no podía verlo a los ojos. Lo recuerdo como si fuera ayer porque el dolor sigue siendo fuerte. Lo primero que le pregunté fue cómo estaban mis hijos. Él me tomó de las manos y me dijo: "Nuestros hijos están bien, no te preocupes. Pronto vas a estar con nosotros. Sé que tú no hiciste nada y eso lo tiene que ver el juez antes de sentenciarte". Eso me dio tranquilidad, pero sólo yo sabía el miedo tan grande que se sentía, pues conocía el modo y la forma de trabajar en ese juzgado. Ahí no se investiga ni se toma en cuenta lo que el condenado diga en su defensa, sólo se escucha al que acusa y dictan la sentencia sin importarles el daño que hacen.

El jueves 24 de abril, como a las ocho cincuenta de la noche, fui ingresada al Preventivo de Puruándiro. Me recibió el director, Trino Guaracha y sus palabras fueron: "Pase. Aquí estará mientras se aclara su situación". Aún me parece escuchar el ruido del candado y el recorrer de la reja.

Entré a ese lugar sin saber, sin darme cuenta de lo que me esperaba. Se veía oscuro, descuidado, frío, con un silencio muy fuerte. El dolor de pensar en el daño que les estaba haciendo a mis hijos, de saber que estaba en esa cárcel, hacía que no me importara tanto el color de las paredes ni el colchón donde dormiría. A mí sólo me preocupaba saber cómo estarían mis hijos.

Al día siguiente, muy temprano, llegó mi marido con ropa y algunas cosas para mi aseo personal, pues a las once tenía audiencia. Sería mi primera declaración en el juzgado, así que esperé a que fueran por mí a la hora prevista. Llegaron los policías, me esposaron y me llevaron.

Al entrar, del lado izquierdo, vi a mi hijo y a su papá. Habían ido a darme fuerzas, aunque fuera de lejos. Cuando entré a la oficina para que me tomaran la declaración, se me acercó el fiscal y un licenciado. Me dijeron que me declarara culpable y que el licenciado sería mi defensor. Sentí un miedo inmenso, pero le dije que no lo haría y que me dejaran en paz. El licenciado volteó hacia la puerta, miró a mi hijo y a mi marido y me dijo: "O lo hace o también culpo a su esposo". El miedo me partía en dos, pero el amor a mi pareja y a mis hijos me dio valor. Con voz fuerte, les contesté al licenciado y al fiscal que no lo haría, y que pedía que me asistiera el abogado de oficio. Se me acercó una mujer que, al escucharme, se presentó como tal y me dijo que me asistiría.

Así empezó mi declaración. Les hice saber que lo firmado ante el Ministerio Público fue forzado, pero no tomaron en cuenta mi advertencia. Nuevamente escribieron lo que quisieron.

Pasaron los días en ir y venir al juzgado. Un día fue un licenciado a verme, se ofrecía a ayudarme a recuperar mi libertad. Creí en él, pues lo conocía de cuando era niño, pero me equivoqué. En los careos no luchó para que nos aceptaran pruebas a mi favor. Vio las contradicciones, vio al hombre que me tuvo encerrada y que me había llamado a la carretera de donde me levantó, oyó cuando el sujeto dijo que sí me tuvo privada de mi libertad por cuarenta y cinco minutos y cuando la esposa se contradijo en los datos de los billetes que supuestamente me entregó –dijo que eran uno de quinientos pesos, dos de doscientos y uno de cien pesos en el expediente, pero un perito de Zamora había certificado que fueron dos de quinientos–, pero ni así hubo alguien que se diera cuenta de lo mal hecho que estaba mi expediente. Así pasó mi juicio, sin una defensa como es debido.

Me dieron mi sentencia; ese día hubo cambio de director. Sentí como si el mundo entero me cayera encima: me dieron seis años y dos meses de prisión. Apelé, pero no sabía qué pasaría. Supe que vendría otro director, eso me hacía pensar muchas cosas: a veces me daba gusto y en momentos me asustaba, pues ya tenía seis meses en prisión y durante ese tiempo, la custodia Hortencia García Cervantes me tenía muy reprimida. Sólo me dejaba caminar en mi dormitorio y en un patiecito de casi tres metros, tampoco tenía el permiso de visita conyugal. Saber que otro director vendría, me daba esperanza de que todo cambiara, pero también miedo de que empeorara.

El nuevo director fue a mi dormitorio y, muy atento, se presentó. Me hizo pensar que todo lo malo terminaría. Al día siguiente me puso de cocinera. No lo podía creer, no sabía si gritar, reír o llorar, pues eso para mí era como tener mi libertad entre rejas.

A los tres o cuatro días me preguntó por mi esposo. Le dije que se había ido porque no tenía permiso de visita conyugal según la custodia. "Pues avísele que ya tiene permiso, pues es su derecho." No le avisé, sería una sorpresa que le daría a mi esposo en la siguiente visita. Creía que era un sueño, pero se convirtió en una pesadilla.

Empecé a cocinar, a pensar que podía sonreír, pero de pronto me dijo el director que le prestara para el gas. Le presté. Me trataba bien, me permitía la visita de mi marido, la custodia dejó de molestar a mis hijos, y creí que todo estaba bien. Pero no. El director me pedía para el gas cada ocho días y yo le pedía a mi familia para darle.

El 24 de diciembre, como a las once de la mañana, mientras preparaba mole para mis compañeros, entró a la cocina y se me arrimó. Me saludó y, luego de pensarlo, me pidió que le apretara sus partes. Eso me sorprendió, nunca esperé eso del director, lo veía con mucho respeto, y me decepcionó. Me salí de la cocina y me fui a mi dormitorio. Salió tras de mí y me dijo que me dejara tocar. Me negué. Molesto me dijo: "Las cosas van a ser como yo diga, no como usted quiera".

Así empezó a chantajearme, a pedirme dinero, a abusar de mí, a amenazarme si no hacía lo que me pedía. Le prohibiría la entrada a mi familia, a mis hijos y a mi marido. Sabía que con eso me podía hacer sufrir. También me amenazó con trasladarme.

Entraba por la noche a mi dormitorio y me exigía dinero. Para dárselo, mi esposo perdió un negocio que había puesto, vendió su carro, y yo pedía prestado. Un día dejó entrar a una mujer para hacerme sufrir, pues ella tenía una relación con mi esposo. Él gozaba haciéndome sufrir en complicidad con la custodia, pues ella se aprovechaba para molestarme y burlarse.

Un día, como a las seis y media de la tarde, ya me habían encerrado. Entraron el director y la custodia a hablar conmigo. Me preguntaron de un terreno que yo tenía. La custodia sabía que yo tenía los documentos y me dijo que se lo vendiera. "Se lo dejo en cuarenta y cinco mil pesos", le contesté. Ella me pidió los papeles y el director me ordenó que se los diera. Se los entregué.

Se fueron a ver el terreno y no me devolvieron los papeles. La custodia sólo me entregó tres mil pesos. A los poquitos días me llevaron un documento de compra-venta del terreno por la cantidad de cuarenta y cinco mil pesos a nombre de Hortencia García Cervantes como compradora, el director Mario Enrique Martínez Marín como licenciado, y un custodio como testigo. Me negué a firmar, pero me amenazaron con quitarme la visita, y firmé por miedo. Aún así, le negaron la entrada a mi familia, y eso me hizo sentir muy mal. El director entró y me dijo que eso era para que supiera a lo que me atenía si no hacía lo que él quería. Al otro día, la custodia, con otros cuatro custodios, se llevó la copia que me habían dejado. Ese día me quitaron de la cocina.

La custodia me tuvo encerrada. Me prohibió hablar, no me permitía usar el bañito de mi dormitorio cuando iban mis hijos a Locutorios.

Un día llegaron unas personas de derechos humanos y me preguntaron si tenía alguna queja. Yo tenía miedo y les dije que no, pero una compañera que estaba presente les dijo que tenía problemas con el director, y por ella supieron todo, ya que en ocasiones ella estaba despierta cuando él entraba a abusar de mí y veía cómo me agredía si me negaba. Las personas de derechos humanos se enojaron y me dijeron que no me preocupara, que me iban a ayudar.

Cuando se fueron, el director mandó a la custodia por Tere. Le preguntaron si yo me había quejado. Tere les dijo que no. El director la cambió a otro dormitorio para ponerla de acuerdo por si volvían los de derechos humanos.

Con el paso del tiempo él era más malo. Un día se dio cuenta de que hablé a Zamora para decir que él seguía tratándome mal. Le hablaron de Prevención y él entró a mi dormitorio. Iba acompañado del custodio Salvador Barajas y de la custodia. Me pidió que retirara la queja, que les dijera que no era cierto, pero no lo hice. Dejé que las cosas siguieran.

Una tarde llegó Raúl Oseguera, de Prevención, y me asusté. Creí que iban por mí para mi traslado, pero el señor me dijo que no me preocupara, que sólo iba para que le dijera lo que estaba pasando con el director, pero que le dijera toda la verdad.

Le relaté cómo pasaron las cosas. Llamó al Ministerio Público y se presentó una denuncia contra él y la custodia. Ese mismo día, a finales de marzo de 2009, fue destituido del cargo de director Mario Enrique Martínez Marín, pero la custodia se quedó.

El nuevo director fue Óscar Molina. El segundo a cargo del Preventivo de Puruándiro, Raúl Oseguera, le pidió que por favor estuviera pendiente de que no recibiera maltrato de la custodia y sus compañeros. Él habló conmigo y me dijo que, de alguna manera, trataría de que estuviera tranquila. Yo se lo agradecía, pues todos los días iba a mi dormitorio y me preguntaba cómo estaba y si necesitaba algo. Era muy atento con mi familia y conmigo.

Un martes, él y la custodia Hortencia se fueron a Valle de Santiago, en el estado Guanajuato, al tianguis de carros. Cuando regresaron, el director ya no fue el mismo, todo cambió ese día. Dejó de apoyarme y permitió que Hortencia siguiera agrediéndome.

El director empezó a seguirle el juego, y cada vez que yo hablaba a derechos humanos, él me regañaba y me ordenaba que dijera que él había arreglado todo y que ya estaba muy bien. Empezó a ser igual de malo que el otro director y siempre le decía a Hortencia que fuera mano dura, que yo era una delincuente y ella una autoridad, que nunca haría más por mí que por los custodios, pues primero estaban sus elementos.

Aquello ya no era vida, sólo sufrimiento. Tenía la amenaza de que si le decía a alguien lo que estaba pasando, me trasladaría.

Busqué un crédito para trabajar y, gracias a Dios, lo encontré, pero la custodia me puso en mal con las personas que me lo dieron, y el director les prohibió que me dieran material para trabajar, porque eran órdenes de Prevención.

Mi hija buscó a una persona que me diera trabajo de punto de cruz y de tejido. Me estaba yendo muy bien. El domingo del Día de la Familia, el custodio llamado *el Tigre* estaba como comandante. Se quedó mientras venía Arturo Alcocer. Le pedí permiso para que la señora del negocio hablara conmigo, pues me iba a pagar mi trabajo y yo le entregaría unos almohadones de punto de cruz. Dijo que sí podía venir y le avisé a la señora por teléfono. Esperé que llegara, y al ver que no lo hacía, les pregunté a los custodios. Luego le llamé a la señora. "Sí fui, pero no me permitieron hablar contigo. Me dijeron que no te diera nada, porque no se podía confiar en ti, que buscara quién me hiciera el trabajo, porque a ti en cualquier momento te van a trasladar, que si te daba dinero, era bajo mi riesgo, porque estás en el Cereso por fraude, que eres una delincuente." Así que la señora ya no me dio trabajo.

Los problemas aumentaron y ya no podía ayudarle a mi hija. El director no le dijo nada al custodio. Aunque cada día era muy difícil para mí, no me dejaba caer, pues para mí lo más importante eran mis hijos, por eso aguantaba el maltrato. Pensaba conseguir un beneficio para salir libre pronto.

Pasó el tiempo, y un día supe que el director se iba. Me dio mucho gusto, pero también miedo, pues no sabía cómo sería el que venía. Deseaba que fuera un buen hombre, pero nadie llegaba a ocupar el puesto. Los custodios me hacían bromas, decían que ya no habría director, que nadie quería ir.

Pasaron semanas. Le mandé a hablar a la secretaria Maguito y le pregunté si sabía algo. "No me han dicho, pero tú no te apures, todo está bien", me contestó.

El director por fin llegó al Preventivo. Cuando lo vi, sentí que se me salía el corazón, pero en el fondo estaba muy contenta. No me equivoqué. El primer día entró a presentarse, me dijo que sabía todo lo que me había pasado y que no permitiría que la custodia se metiera conmigo, que también le diría que me devolviera mi terreno, que estuviera tranquila.

Por fin puede dormir. Al día siguiente hablé con él y le hice saber que yo escribía, que me gustaba hacer obras de teatro, cuentos y poesías. Me pidió que hiciera algo para los niños y que preparara una obra de teatro para el Día de las Madres. Estaba en *shock*, pues no creía lo que estaba escuchando. Era como un sueño hecho realidad. Preparé los papeles para cada compañero y me dieron una hora diaria para ensayar. Estaba muy contenta. Por fin alguien creía en mí y me daba la libertad de ser y hacer lo que a mí siempre me había gustado: escribir y actuar.

El día llegó y, llena de nervios, pero muy feliz, empezó la presentación. Estaban las personas invitadas, el señor presidente y su señora esposa, las personas del DIF y las familias de mis compañeras, pues era día de visita y festejábamos a las mamás. Al terminar la obra leí una poesía que hice pensando en mi madre. Ese día nos dieron constancias a todos los compañeros que participamos, aunque yo estaba más feliz, pues la presidenta del DIF me entregó un reconocimiento a mi gran talento artístico. ¡Ay!, era tanta mi felicidad que no lo creía.

En el mes de junio mi hija enfermó. Le dijeron que tenía quistes y necesitaba tratamiento. Todo caía sobre mí y no sabía cómo ayudarla, pues mi esposo y mi hijo no tenían trabajo.

Empecé a trabajar y a juntar dinero y a hacer rifas. Para el Día del Interno, fue la señora Dolores Villicaña, la esposa del presidente, y me mandó llamar. Iba con los ojos llorosos y muy triste, pues ahí estaba mi hija. Hablábamos de que no había dinero para su tratamiento cuando me llamaron. Al llegar, la señora me saludó con mucho gusto y me preguntó qué me pasaba. Al darle el pormenor, me dijo que no me preocupara. Al despedirse, tomó mi mano y me dio algún dinero, no supe cuánto. Con la mano apretada con fuerza me fui hacia donde estaba mi hija. Al entrar al dormitorio vi que eran mil quinientos pesos. Sentí que el corazón se me salía de contento y le di gracias a Dios. Le dije a mi hija que ya teníamos para el tratamiento. Le pedí que con quinientos me llevara hojas para escribir, lápices y material para trabajar, y con mil comprara su tratamiento. ¡Bendito sea Dios! Me puse a echarle muchas ganas al trabajo para seguir juntando el dinero para los ultrasonidos y tratamientos. Sabía que, aunque estaba encerrada, podía ayudar a mi hija. Me propuse no fallarle y me sentía apoyada por el director Miguel Toledo, uno de los ángeles que Diosito me mandó para cuidarme, pues con su llegada acabó mi sufrimiento y mi terror a ser trasladada.

Yo estaba muy tranquila, al fin podía sonreír, y eso le molestaba a la custodia. Aunque lo intentó, no logró que el director cambiara conmigo.

Para el 2 de noviembre ya tenía otra obra de teatro preparada con mis compañeros. Hice algo especial. Me lucí para que el director estuviera contento y se sintiera orgulloso. Arreglé lo mejor que pude, puse mosaicos de flores de aserrín pintado, adorné con hilos de papeles, calaveritas y altares con ofrendas, y actuamos en la obra. Preparé unas mesas para los invitados con papel y flores. ¡Ay, todo estaba tan hermoso que el recuerdo aún me hace llorar! Esos momentos siempre estarán en mi corazón. Acudieron también mi hijo, mi nuera y mi esposo. Fueron los del Ayuntamiento y el representante del señor presidente, los del DIF, como veinte personas o más. A todos les puse una medalla de agradecimiento en forma de calabaza. Aún me pregunto por qué lo bueno no dura.

Empezamos a preparar la obra para el 24 de diciembre. Mi nuera también estaría en esa obra de teatro, ella la haría de María. Yo seguía juntando dinero para que mi hija tuviera su tratamiento.

Ahora mis tíos de Cabo San Lucas me ayudaban. Mi tía Mari y mi tío Carlos siempre me *acabalaban* y me mandaban el tratamiento, así que ahora sentía que estaba fuera de esas rejas, que nadie me podía detener, que yo volaba. Le compuse una canción a mi *Flaco*, mi esposo: *De segunda mano*, con la que participé en el concurso de canto, también me inscribí en Atrévete a contar la historia de tu vida y terminé la secundaria.

Todo iba muy bien, hasta que los custodios empezaron a poner a los internos en contra del director. Cuando me daba cuenta, me enojaba mucho, pues mi mayor miedo era que lo cambiaran.

Un día un custodio me propuso que hablara a Prevención y que pusiera en mal al director, pero eso nunca lo haría. El custodio se molestó, me gritó y me amenazó. Dijo que era una traidora, que con los que debería quedar bien era con ellos. Desde ese día ya no estuve tranquila. Me di cuenta de que lo querían perjudicar.

Ahora todo me volvía a preocupar. A mi hija le tocó ir al ultrasonido y le pedía mucho a Dios que todo estuviera bien. Cuando fueron mi *Gorda*, mi *Yiyo* y mi *Pillín* a verme, me dijeron que el doctor les informó que ya no tenía quistes. ¡Bendito sea Dios!, ahora sólo tenía que cuidarse mucho.

Aunque triste, seguía escribiendo y esperando el día de visita para abrazar a mis hijos y a mi nietecito, que siempre llegaba corriendo y gritando: "Llegué, llegué" ése era mi mejor motor para seguir adelante.

Empecé los preparativos para el día de las mamás. El día llegó y todo salió muy bien. El director nos dio muchos ánimos y nos hizo sentir que contábamos con él, pero se le notaba el cambio. Aquella sonrisa que era tan suya, ya no se le veía. Sabía que pronto se iría. El 15 de mayo, como a las cuatro y media de la tarde, me llamó a la reja y me dijo: "Gloria, ya me voy. Le pido que siga como hasta ahora. No deje de tener esa buena conducta y siga apoyando con sus buenas obras de teatro a los muchachos. No tenga miedo. Recuerde que nos la encargaron mucho y eso ya lo sabe el nuevo director. No se preocupe, nadie la volverá a hacer sentir mal. Sólo recuerde: no deje de escribir".

Era tan grande mi dolor que no sabía cómo apartarme de la reja. Era la angustia.

Al otro día empezaron los problemas. El nuevo director no pensaba como yo hubiera querido. A él no le interesaba si yo hacía obras de teatro y no me apoyó. Pedí permiso para presentarnos el Día del Interno y, poco convencido, me lo dio, pero a los dos días de empezar los ensayos, los muchachos ya no quisieron seguir. Ellos también sintieron que las cosas ya no eran lo mismo.

No me di por vencida, me puse a preparar una "Reflexión" para mis compañeros. Llegó el día, de alguna forma nos tomaron en cuenta, pues nos llevaron comida y el presidente municipal me entregó un agradecimiento por mi participación en la exposición que se llevó a cabo en Morelia, y un reconocimiento de cristal por la elaboración de bolsas de rafia. Fueron los del periódico y la radio y me entrevistaron; aun con eso, no era lo mismo.

La custodia nuevamente entraba a darnos la comida y nos decía: "Van a venir los de negro, habrá traslados". Sabía que lo hacía para molestarme, y lograba su propósito.

Una noche entró a la cocina a hacer de cenar para los de negro, y como estaba cerca de mi dormitorio, hablaba recio para que yo escuchara.

Me puse a llorar y a pedirle a Dios que no me trasladaran, porque si lo hacían, ya no vería a mis hijos ni a mi familia. Como a las ocho treinta o nueve de la noche, los señores de los traslados se llevaron al señor Armando para el Cereso de La Piedad. Desde ese día no dormí. La amenaza del traslado era muy desgastante para mí, ya no lo soportaba. Sólo lloraba y estaba muy mal de los nervios. Llegué a convulsionarme en varias ocasiones debido a crisis nerviosas por culpa de la custodia Hortencia.

Así llegó el 27 de julio. Desde que desperté sentí algo como tristeza. A la hora del almuerzo, cuando fui a recogerlo, la custodia le dijo al otro custodio: "¿Ya le dijiste a tu pariente que arregle sus cosas porque se va de traslado?" Ya no pude almorzar. Sólo lloré. A la hora de la comida, nuevamente se reía y decía: "Hasta que se la van a llevar". Mejor me fui a mi dormitorio. Entré y vi a mi gatito dormido; él era mi compañero. Me dolía verlo e imaginar que lo dejaría solito. Si me trasladaban, no vería a mis hijos. Estaba llorando cuando entró el doctor y me preguntó qué me pasaba.

—Nada.

—Pues la veo como enferma, dígame qué le pasa.

—Es que la custodia ha estado diciendo todo el día que me van a trasladar y estoy muy preocupada. No sé si sea cierto.

—No, no es cierto —y se salió.

Enseguida entró el director, me dijo que no me preocupara, que no era cierto, que a mí no me iban a trasladar. Era como si se burlara de mí; uno que sí, otro que no. Era lo peor que me podían hacer. Me sentía muy mal psicológicamente, ya no podía más.

Como a las seis de la tarde, salí de mi dormitorio a comprar un rollo y casi me voy para atrás. Ahí estaban los de negro. Regresé a mi dormitorio casi corriendo, entré llorando y despidiéndome de mi gatito. Sabía que me trasladarían. Quería gritarles a mis hijos que los quería mucho y que me iban a apartar de su lado.

Como a las siete treinta de la noche, entró el director y me dijo: "Gloria, que siempre sí te vas". Sentí que me partían en dos, que al estarme esposando y subiendo a la camioneta, me arrancaban mi corazón, me destrozaban mi vida. Todo lo que tenía con mis hijos, ya no podía seguir de pie sin ellos. Así llegué al Cereso de La Piedad, Michoacán, un mundo desconocido para mí. El lugar era muy grande. Se abrió un zaguán enorme y entró la camioneta. Me recibió una custodia, me revisó, me hicieron algunas preguntas y me ingresaron.

Al entrar, pasé por una puerta pequeña y de pronto estaba rodeada de custodios. Todos me preguntaban: ¿de dónde viene?, ¿por qué la trajeron?, ¿es de lejos? No sabía ni qué contestar. Uno de ellos me preguntó cómo me trataron los del traslado. Contesté que muy bien, se portaron muy respetuosos y comprensivos; siempre dándome ánimos, y eso para mí es motivo de agradecimiento.

Alguien me dijo: "Pase por aquí, por favor". Era un custodio que me llevaba a donde están las internas, o sea al femenil. Eran unos pasillos muy grandes y largos, tan grandes, que parecía que iba por la calle.

Luego habló por radio, y cuando le contestaron, me estremecí. Eran las custodias. Al verlas, sentí miedo. No sabía cómo me tratarían. Me tomaron los datos y me llevaron al dormitorio. Me dieron un colchón y me llevaron a la estancia donde estaría la custodia. Se portó muy amable, siempre trató de tranquilizarme, me daba palabras de aliento.

Al otro día, las custodias que llegaron también se portaron muy amables, pero mi sufrimiento por estar lejos de mis hijos era mucho más grande. Sabía que poco o nada podría mirar a mis hijos. Me hicieron el favor de apoyarme con una tarjeta para mis llamadas. Les tuve que decir a mis hijos y a mi esposo dónde estaba. Ellos me dieron valor para soportar, pero cuando llamé a mis hijas fue más duro, pues mi hija estaba enferma y esperaba a su primer bebé. Sabía que le dolería mucho, pero le tenía que avisar. Aunque me dijeron que no me preocupara, que ellas estaban bien, sabía que no era cierto. A mi hija se le murió su bebé a los cuatro días de que me trasladaron. Mi esposo, que es alcohólico, empezó a tomar. Mis otros dos hijos no tenían trabajo y no podían venir a verme.

He pasado unos días muy tristes. Algunas custodias son como ángeles, sólo les faltan las alas. Nada que ver con la custodia del Preventivo de Puruándiro.

Sólo hay tres custodias muy parecidas. El otro día me enfermé porque una me dijo que iban a trasladar a unas internas. Me hizo recordar mucho a la de Puruándiro. El personal de este Cereso, en cambio, ha sido muy respetuoso y siempre se cuenta con su apoyo. Aquí sí hay doctor, aquí es como si estuviera libre. A veces siento que camino por la calle, sólo el miedo de que me vuelvan a trasladar y de esas custodias que se ensañan con algunas internas hacen que algunas compañeras y una servidora nos sentíamos tristes y arrinconadas.

Todo sería diferente si pudiera mirar a mis hijos, pues hasta el día de hoy no he podido recibir su visita. Sé que pronto los podré abrazar y darles un beso.

Espero les haya gustado mi historia, o un poco de lo bueno y lo malo que en mi encierro he vivido.

Ojalá que le sirva a alguien.

Como reflexión, nunca cambies a tus hijos por nada, primero es la familia.

Centro de Readaptación Social Femenil
La Piedad, Michoacán

Mi vida, el regalo más bello de Dios

Alondra Gómez Pacheco

Dedico esta historia a mis hijos y a mi familia,
y les pido perdón por el daño y el sufrimiento que les causé sin querer...

Soy originaria de Veracruz, Veracruz. Nací el 7 de julio de 1984 y tengo veintiocho años. Hoy, 14 de agosto de 2012, me decido y doy el paso y relato en estas líneas un poco de mi vida.

Soy la tercera de la familia. Tengo dos hermanos: Rafael y Norma. Mi madre es Rosa María; mis abuelos, Rafaela y Ernesto. Ésta es mi pequeña familia.

Mi infancia no fue como la de cualquier niña de mi edad, pues anduve de un lugar a otro. Viví con mis abuelos hasta los siete años, después mi madre me llevó de vacaciones a la ciudad de México, donde estuve un mes, y luego regresé a Veracruz por un año. Cuando salí de la escuela, me fui con mi mamá a Pinotepa Nacional, Oaxaca. A los diez años volví a Veracruz, me quedé dos años, y a los doce partimos de nuevo a Pinotepa. Regresé a Veracruz y cumplí mis quince. Me puse a trabajar, ya que no quise seguir estudiando. Me propuse juntar dinero para hacerme mi fiesta de quince años; fue algo hermoso.

Después de esto, en enero del siguiente año nos fuimos mi hermana y yo a Tijuana. Ella tenía una hija, Dafne, mi hermosa sobrina de tres meses. Allá llegamos con mi madre, que se encontraba ahí desde hacía un año. Nos recibió gustosa, pero a mi hermana no le agradó el lugar, y al mes regresó a Veracruz. Yo decidí quedarme y comencé buscar trabajo. Una señora, amiga de mi madre, preguntó si yo podría cuidarle a su hija en las noches, mientras ella trabajaba. Ése fue mi primer trabajo. Después se llevaron a la niña a Sinaloa y me tuve que buscar otro. Lo encontré en la tortillería donde trabajaba mamá. Me dieron el puesto de mesera, de las ocho de la mañana a las cuatro de la tarde. Estuve dos meses porque sólo estaba supliendo a otra persona en sus vacaciones.

Después del trabajo estudiaba para cultora de belleza en el Seguro Social de Tijuana. Ahí, una de mis compañeras me comentó que donde ella estaba, solicitaban cajeras. Fui y me dieron el trabajo.

Cumplí mis dieciséis años y conocí a Alberto, del cual me enamoré. Comenzamos a tener una relación y, después de un tiempo, pasó lo que es normal en una pareja cuando los dos están enamorados. Enseguida quedé embarazada. No me había dado cuenta, hasta que me puse mal y fui al Centro de Salud. Me realizaron una prueba de sangre. Mi madre, sorprendida, quiso saber cuándo había pasado y quién era el responsable. No le dije nada. Después de unos días, le presenté a Alberto. Lo llevé a su trabajo y ahí habló con ella. Seguimos nuestra relación.

Así estuve hasta los siete meses de embarazo, cuando él me llevó a su casa el 21 de febrero de 2002. Me quedé desde esa fecha a vivir con él en casa de mis suegros. No empezamos con una buena relación, pues no les agradaba mucho. Comencé a tratarlos y me los gané.

El 28 de abril de 2002 nació mi primer bebé, Cosme, que era la alegría de la casa. Mis suegros lo querían mucho. Cuando iba a cumplir un año, salí embarazada de nuevo. Todo iba bien hasta ese momento. Alberto estaba entusiasmado por mi segundo embarazo, decía que sería una niña. Nunca me hice un ultrasonido, quise que fuera sorpresa, y el 15 de octubre de 2003 nació mi linda y hermosa hija Teresita de Jesús. Fue otra alegría para el hogar y seguí viviendo con mis suegros, que me apoyaban mucho. Mi suegra estaba enferma de diabetes, y yo la cuidaba.

Cuando mi hija tenía nueve meses, volví a salir embarazada. Ya era mi tercer hijo y yo, alegre, se lo dije a Alberto. Él me respondió que ya no quería otro bebé y me sentí desesperada. Mi mamá habló con mi suegro y él con mi marido. Le dijo que eso no era justo, que si ya no quería más hijos, se hubiera cuidado; que no era solamente mía esa responsabilidad, sino de los dos.

Alberto me pidió perdón. Se llegó el día en que nació mi hijo, 28 de mayo de 2005, y le pusimos el nombre de Luis Ernesto. Con mi hermoso bebé, la relación entre mi marido y yo se reforzó.

Mi suegra se puso mal en enero de 2006 y, finalmente, el 31 de ese mes murió de un paro respiratorio. Esto fue muy doloroso para mí. Conviví con ella cuatro años; me llegó a querer como a una hija, y yo como a una madre, aunque madre sólo hay una. Murió en mi casa y fue algo que quedó muy marcado para mí. Le lloré mucho. Mi hijo Luis tenía siete meses de edad en ese entonces. Para mi suegro fue como si le arrancaran un pedazo de su ser. Y a mi marido, peor. Él estaba trabajando cuando mi cuñado le habló para darle la triste noticia. Dejó su trabajo para irse a casa. Al llegar me pedía que le dijera que eso no era cierto; desafortunadamente, era la verdad. Llegaron los del Semefo y se la llevaron. Al otro día la velamos en el DIF de Tijuana, en la avenida Fundadores. Cuando terminó el velorio, mi cuñado el mayor, su familia y yo con mis hijos, nos fuimos, al entierro, en Michoacán. Mi marido y mi suegro se fueron en el avión donde se llevaron el cuerpo. Allá estaban todos sus familiares. Yo no conocía a nadie, pues nunca había ido. En el entierro mi marido se puso muy mal, al grado de que mi cuñado lo tuvo que tranquilizar.

Cuando al fin pasó todo, después del novenario Alberto y mi suegro regresaron a Tijuana y yo me quedé en Michoacán con los niños. Estuve dos meses ahí y luego fui a Veracruz, donde también estuve dos meses. Ahí me encontré a mi mamá y regresamos a Tijuana. En casa se sentía la soledad.

En agosto de ese mismo año, Alberto ingresó a la Policía Municipal. No me faltaba nada, pero día a día se iba alejando de mí y de nuestros hijos. Aunque era muy responsable, a los niños nunca les hizo una caricia ni les dijo un "te quiero".

Pasó el tiempo, yo seguía entregada a mis hijos y a mi hogar. Mi suegro se quedó a vivir con nosotros. Para él éramos ahora más especiales, pues suplimos un poco la pérdida de mi suegra y no se sentía tan solo.

Luego vino la desilusión: mi marido llegaba tarde y borracho y, para colmo, a pelear, al grado de golpearme enfrente de nuestros hijos. Así vivimos tres largos años.

Mi suegro se fue a Michoacán y, a los dos meses, Alberto me dijo que también nos fuéramos. Se lo comenté a mi mamá —no se metía mucho en mi relación— y lo dejó a mi criterio. Decidí que sí y nos fuimos de nuevo a Michoacán. Allá todo iba muy bien, pero nunca faltan los chismes. La gente empezó a decir que yo me entendía con un primo de mi marido. Alberto lo creyó sin tomar en cuenta que yo no salía de la casa sin mis hijos y que sólo me dedicaba a mi hogar. Cuando iba a fiestas, era en compañía de su tía. Así, sin analizar la situación ni tomar en cuenta mi versión, regresaron los insultos, maltratos y golpes, hasta dejarme bañada en sangre. Mi suegro también me puso la mano encima, porque se enojó cuando el primo fue a hablar con mi marido para decirle que nada de eso era cierto. Además, me echó en cara que yo hacía pelear a la familia.

Al otro día fui al DIF de Chilchota, Michoacán, a levantar un acta. El licenciado me dijo que los demandara por difamación. Le dije que estaba sola, que me daba miedo, pues la mayoría de la gente del pueblo era de su familia. Me recomendó salirme de esta situación.

Todavía dejé pasar el tiempo, hasta que el 13 de diciembre de 2009, por la mañana, cuando él se estaba bañando, sonó su celular. Yo contesté. Era una mujer que, al oír mi voz, me dijo muchas cosas a las que no pude ni responder, pues no me iba a rebajar con una persona que para mí no valía nada. Cuando Alberto salió, notó mi enojo y le dije la causa. Se molestó, me gritó que no tenía por qué revisar sus cosas ni contestar su celular y me dio una cachetada. Le dije que era la última vez que me ponía la mano encima. Quiso volver a pegarme, pero levanté una plancha caliente con la cual estaba desarrugando alguna ropa y lo amenacé. En ese momento llegaron por él para irse al trabajo y se marchó, diciendo que eso no se quedaría así.

En cuanto salió, le hablé a mi madre, que estaba de nuevo en Veracruz. Me apoyó y decidí irme, no tanto por mí, sino por el bien de mis hijos, para no causarles daño emocional o psicológico.

Tomé el autobús a la ciudad de México que partía a las dos de la tarde. Cuando ya iba en camino, le mandé un mensaje de despedida. No pasaron ni cinco minutos, cuando sonó mi celular. Era Alberto preguntándome dónde estaba. Le respondí que eso a él ya no le importaba. Me dijo que no hiciera tonterías, que él no andaba ni tenía nada que ver con esa mujer. Le contesté que ya no soportaba esa vida y que ya era demasiado tarde.

Llegué a México a las diez de la noche y llamé a mi hermano porque ya no me alcanzaba el dinero para los otros pasajes. Él me los compró y me dio un número para que los recogiera en el mostrador. El autobús salió a las once y media de la noche. Con el poco dinero que traía les compré algo de cenar a mis hijos.

El 14 de diciembre de 2009, a las cinco de la mañana, me recibieron en Veracruz mi hermana y mi mamá, con la que lloré y me desahogué amargamente. Yo era una persona gordita, pesaba ochenta y seis kilos, pero con tanto problema, en ese año bajé veintiséis. Eso a mi madre le causó mucha tristeza.

Un poco más tarde, me marcó Alberto para insistir en que regresara. Le dije que si realmente me quería y a sus hijos, debería estar donde estuviéramos nosotros. Respondió que no podía dejar solo a su papá, y di por terminada la llamada.

Pasaron dos meses en los cuales siguió llamando para que volviera. Cuando definitivamente le dije que no, contestó que ya le daba igual. Para ese tiempo yo sabía que vivía con otra mujer, lo cual era de esperarse.

Seguí adelante con mis hijos, trabajando para que no les faltara nada. Me di la oportunidad de conocer y relacionarme con nuevas personas, con las cuales conocí el alcohol y experimenté una borrachera. Me agradó esa sensación, pues todo se me olvidaba y me sentía liberada. Esto se me hizo costumbre y tomaba frecuentemente. A pesar de mi vicio, siempre fui responsable con mis hijos. Conocí varios lugares, antros, bares y restaurantes; en algunos de ellos trabajé. Desde entonces llevé una vida sin control (libertinaje), y por causa de mis acciones equivocadas, ahora pago las consecuencias. Lo peor es que no sólo soy yo, sino que también arrastré a mis hijos y a toda mi familia a este sufrimiento

Es el momento de contarles el motivo por el cual estoy entre cuatro paredes. El martes 25 de enero de 2011, mi hermana y yo conocimos a dos hombres que llegarían a darle un giro inesperado a mi vida. Como no hubo muchos clientes en el bar donde trabajaba, me dirigí con mi hermana a otro, ya que me encontraba en una situación económicamente difícil y tenía que conseguir dinero para mantener a mis hijos. Allí, los dos hombres nos invitaron a tomar unas copas. Dijeron que trabajaban en Pemex y que vivían en Coatzacoalcos. Nos ofrecieron dinero para pasar un fin de semana con ellos allá. Dijeron que lo pensáramos y nos dieron su número de teléfono, que si nos animábamos, ellos se iban el jueves en la noche, pues sólo estaban de paso por cuestiones de trabajo.

Le comentamos del viaje a nuestra madre, que era la que cuidaba de nuestros hijos mientras trabajábamos. Ella no quería, pero le hicimos ver los gastos que teníamos y que necesitábamos el dinero. Ella sólo nos dio su bendición.

Recibí la llamada de uno de ellos y, entre pláticas, aceptamos su invitación. Uno de ellos dijo que pasaría por nosotras al bar donde trabajábamos y así sucedió. Llegamos a Coatzacoalcos a las doce y media de la noche. En el lugar donde aparentemente vivían, se encontraban tres sujetos más, a los cuales nos presentaron como sus compañeros de trabajo. Convivimos un rato y después nos mostraron los cuartos donde podíamos dormir.

Al amanecer nos llevaron a que conociéramos la ciudad y después volvimos a la casa. Así pasamos los siguientes días, conviviendo y conociendo los lugares. El domingo, último día que pasaríamos con ellos, fuimos al centro de compras. Regresamos como a las siete de la noche y pidieron pizzas, pues llegamos cansados.

Convivimos un rato más, cenamos y después tres de ellos dijeron que iban a Oxxo a comprar algunas bebidas y botana. Mi hermana y yo subimos a la recámara con los dos que se quedaron y nos acostamos un rato a ver la tele. Me quedé dormida y no me di cuenta de la hora. Uno de los chavos me despertó y me dijo que levantara a mi hermana, porque nos teníamos que ir. Le pregunté por qué, pero él sólo dijo "¡apúrense!"

Cuando nos disponíamos a abrir la puerta, escuché una voz en el exterior que gritaba: "¡Ejército mexicano!" Entonces la persona con la que estábamos, nos jaloneó y nos subió nuevamente a la recámara. "Ya se las llevó la fregada", y ordenó que nos sentáramos en el piso. Nos vendó y amarró de pies y manos. Se escucharon pasos, mucho escándalo, dos disparos, gritos… Entraron unos sujetos a la recámara y escuché que venían hacia nosotras. Me levantaron y me llevaron a otra recámara, la cual nunca habían abierto en el tiempo que estuvimos ahí. Me tiraron al suelo boca abajo. Se oían más personas, ruido, golpes y gritos. Me desamarraron y me quitaron la venda de los ojos. Entonces vi que, verdaderamente, eran elementos militares.

Me llevaron a la planta baja y me di cuenta de que la persona que nos había vendado y amarrado no se encontraba en el lugar. Al poco rato escuché que uno de los soldados gritó desde la parte alta que ahí estaban otros cuatro. Se oía que les preguntaban: "¿Quiénes son? ¿Qué hacen aquí?" Uno de ellos contestó: "Nos tienen secuestrados a mi hermano y a mí". En ese momento me sorprendí más por las cosas que estaban pasando. Los días que estuve en esa casa no había visto a las personas con las que me relacionaron.

Un soldado se acercó a mí y, jaloneándome del brazo, me llevó adonde estaban esas cuatro personas. Me preguntó: "¿Quiénes son ellos? ¿Los conoces? Respondí que no, y el soldado arremetió contra mí. Me gritó que no me hiciera pendeja, que dijera para quién trabajaba. Le dije que si me encontraba en esa casa, era porque dos muchachos solicitaron nuestros servicios para pasar el fin de semana con ellos. El soldado, molesto, dijo: "Cómo sea, ya se chingaron, valieron madre".

Descendimos a la planta baja y me aventó al suelo. Varios militares subieron con las personas que tenían ahí. Minutos después se escuchaban gritos y llanto cuando los golpeaban. Sentí horrible y vinieron los peores pensamientos a mi mente. Creí que nos golpearían y nos harían un sinfín de cosas y torturas horribles. Gracias a Dios no sucedió así.

En la mañana hubo movimiento de militares. Nos subieron a un camión de los soldados y nos llevaron al batallón. Estuvimos ahí un buen rato; ya era tarde cuando nos llevaron al Ministerio Público. Al ingresar, había un tumulto. Los periodistas tomaban fotos y más fotos. Mi mente estaba turbada y ausente, sólo pensaba en mis hijos y en mi familia. Luego entregué mis pertenencias y quedé encerrada en los separos junto con las otras personas detenidas. Yo sólo atinaba a hacerles preguntas sobre lo ocurrido, pero nadie me dijo nada. Estuvimos ahí todo el lunes. En la noche ni dormimos, pues fue de firmar y firmar papeles a cada rato. Como a las tres y media de la mañana, nos concedieron una llamada y mi hermana le habló a mi mamá. Ya sabía de lo sucedido, pues mi cuñado –no sé cómo– se enteró.

Al otro día, ya amanecido, llegó una persona preguntando por mí. Llevaba una comida que había mandado mi mamá, porque no la habían dejado pasar. No recuerdo bien la hora, pero cuando pudo vernos, me hice la fuerte para no llorar y que no se sintiera más triste de lo que ya estaba. Cuando ella se retiró, entró mi hermano Rafael y con él sí lloré mucho. Le conté lo asustada que estaba y le encargué mucho a mis hijos. Me dijo que no me preocupara, que todo estaría bien. Cuando se fue, mi corazón y parte de mí se fueron con él.

Horas después nos informaron que nos trasladarían a un penal. Un frío y un miedo intenso recorrieron mi cuerpo, pero, otra vez, me hice la valiente. No quería que mi hermana me viera así, pues estaba muy mal por todo esto, peor que yo.

Cuando abrieron las rejas para sacarnos a todos, nos esposaron. Al salir, de nuevo había una multitud de soldados. Le doy gracias a Dios porque mi madre no observó ese momento. Hubiera sido horrible.

Pasadas unas horas, en una gasolinera –ahora sé que era en Cosamaloapan– hicieron movimientos, como una repartición. A los chavos los mandaron para Villa Aldama, Veracruz; a una menor de edad, al tutelar en Barandilla, y a mi hermana y a mí a Apizaco, Tlaxcala.

A los nueve días hicimos nuestra declaración. Todo ese tiempo estuvimos en observación. El miércoles de esa misma semana nos llevaron a población. Recuerdo a mis compañeras: María del Sol, Maleni, Susana y Janeth; ellas también eran de Veracruz.

Un domingo estábamos en nuestra celda, cuando escuché a una custodia gritar mi nombre. Me asomé por una ventana que daba hacia el patio y pude ver a mi madre con mi primo Miguel Ángel. Le dije a mi hermana y salimos corriendo. Nos abrazamos muy fuerte los cuatro. Platicamos largamente. Ella, tan buena, nos llevó comida y algo de mandado. Pobre de mi mamá, hasta ahora comprendo el sufrimiento que le causé, lo que es amar y padecer por nuestros hijos. A la hora de despedirnos, como siempre, contuve mi llanto y mi tristeza para no causarles más dolor.

Estuve una semana comunicándome por teléfono con mi mamá y mis pequeños hijos. El 13 de febrero de 2011 nuevamente nos visitaron ella y mi primo, aún la recuerdo. Ese día las compañeras festejaban el día del Amor y la Amistad y habían contratado un sonido. Nos invitaron y nos la pasamos felices, juntas. Bailamos y comimos tamales que había llevado mamá.

Finalizó la hora de visita, le dije que se cuidara, que cuidara mucho a mis hijos, que se los encargaba y que la amaba mucho. Tengo muy presente ese día, pues fue la última vez que la tuve cerca y platiqué con ella.

El 27 de febrero, fue mi primo a vernos y con él les mandé a mis hijos pulseras y unos rosarios que había hecho; quién pensaría que ese día sería el último que recibiríamos visita. Fue un lunes, al salir a nuestras actividades normales, cuando de repente dijeron que saldríamos a juzgados, mi hermana y yo, mis compañeras, y otras más.

Nos sacaron del penal y vi muchos soldados. Nos llevaban en una *perrera*. En el camino, María del Sol dijo que nos iban a trasladar. Me dio mucho miedo, pero me encomendé a Dios. Les preguntábamos a los custodios a dónde nos llevaban y decían no saber. Mi sorpresa fue grande al ver el aeropuerto, donde una multitud de federales nos esperaban. Enseguida nos subieron al avión. Después de unas horas, llegamos a México. Nos pasaron a un avión más grande, donde se encontraban más mujeres de diferentes penales, como Santa Martha, Santiaguito y Almoloya, y entre ellas la famosa *Reina del Pacífico*. Luego hicimos escala en la ciudad de Guadalajara, unas horas, hasta que despegamos de nuevo con rumbo desconocido. Iba muy angustiada porque ya no miré a mi hermana. Entre tanto movimiento y escalas no supe más de ella.

Llegamos a otro aeropuerto, cuando descendí del avión había federales y reporteros por todas partes. Desde que me bajaron me llevaba sometida una mujer federal y los reporteros hacían preguntas en el camino. Me subieron a un carro donde ya se encontraban otras mujeres. Buscaba a mi hermana sin éxito. Temía que la hubieran llevado a otro lugar. Después de un rato llegué al penal donde me encuentro. Sólo escuchaba lo agitado de los perros y los gritos de muchas oficiales, pues no podía levantar la cabeza. Empezaron a nombrar a cada una de las que estábamos ahí. Yo estaba muy nerviosa porque les gritaban muy feo. De repente escuché: "¡Gómez Pacheco!", y al mismo tiempo que yo contestó mi hermana, que estaba a espaldas mías. La calma regresó a mi corazón, pues ahí estaba mi hermana. Nosotras sólo atinamos a preguntar cuál de las dos. La custodia respondió: "Norma". Así pasó lista, hasta que llegaron conmigo. Siguió una revisión, me dieron un uniforme y me hicieron un chequeo médico para cerciorarse de que estaba bien de salud.

Me asignaron una celda. Transcurrió una semana sin ver a mi hermana, hasta que un día me llevaron a juzgados y ahí estaba. Nos dieron buenas y malas noticias. La mala fue que el auto de formal prisión vino confirmado; la buena, que me quitaron algunos delitos, gracias a mi Padre Dios sólo lo dejaron en "delincuencia organizada".

Tengo muchas esperanzas de que me iré libre, aunque se ha retrasado mucho mi proceso. Tengo fe en que no pasará mucho tiempo para volver a estar con mis hijos y mi familia.

La estancia en este lugar es buena, no me puedo quejar, pues en las pláticas con otras compañeras he oído infinidad de cosas horribles que pasan en otros penales. Aquí hay muchas reglas y todo te lo tienes que ganar con tu conducta, como una Biblia, un radio, alguna foto de nuestros hijos. Aquí no se puede compartir nada, pero ya me he adaptado a este lugar, sólo espero esa oportunidad tan anhelada que se llama "libertad", para volver con mis hijos y mis seres queridos. Sé que pronto mi Padre Dios me la concederá.

Queridos lectores, esto es lo que les puedo compartir de la historia de mi vida. Sólo les digo una cosa: vivan la vida al máximo sin alcohol ni drogas. Y antes de que tomen una decisión sobre sus actos, tengan presente que les pueden traer buenas o malas consecuencias. No confíen tanto en las personas que no conocen, y pongan a Dios ante todo, pues sólo Él los puede ayudar.

Cuando de ti se adueñe la tristeza
y sientas que te inunda el corazón
y se cierra el mundo a tu entereza,
y tu cabeza
no encuentra al problema solución;
piensa que tu vida sólo empieza,
que no tienes motivo de aflicción
y sientes flaquear tu fortaleza,
refúgiate en la fe y en la oración.

Centro Federal de Readaptación Social núm. 4, Noroeste Femenil
El Rincón, Tepic, Nayarit

Graciela Enríquez Enríquez
coordinó esta edición de 1 000 ejemplares

El cuidado de la obra estuvo a cargo de
Yvette Couturier

Se terminó de imprimir en agosto de 2014

Diseño gráfico editorial
Solar, Servicios Editoriales, S.A. de C.V.
Calle 2 núm. 21, San Pedro de los Pinos
03800, México, D.F.
55 15 16 57

En la composición se utilizaron tipos
Baskerville en tamaños
9, 10, 11, 13, 16 y 24 puntos

Editado por
DEMAC